Madeleine Wickham

Née à Londres, Madeleine Wickham est l'auteur de sept romans, dont *Une maison de rêve* (2007), *La Madone des enterrements* (2008), *Drôle de mariage* (2008), *Cocktail Club* (2012) et *Un dimanche au bord de la piscine* (2013).

Elle a également signé sous le nom de Sophie Kinsella *Les Petits Secrets d'Emma* (2005), *Samantha, bonne à rien faire* (2007), *Lexi Smart a la mémoire qui flanche* (2009), *Très chère Sadie* (2010), *Poppy Wyatt est un sacré numéro* (2013) et *Nuit de noces à Ikonos* (2014), ainsi que la série-culte des aventures de Becky : *Confessions d'une accro du shopping* (2002 ; 2004 ; 2009), *L'accro du shopping à Manhattan* (2003), *L'accro du shopping dit oui* (2004), *L'accro du shopping a une sœur* (2006), *L'accro du shopping attend un bébé* (2008) et *Mini-accro du shopping* (2011) et *L'accro du shopping à Hollywood*, dont les deux premiers volets ont été adaptés au cinéma. Tous ses romans sont publiés chez Belfond et repris chez Pocket.

Madeleine Wickham vit à Londres avec son mari et leurs enfants.

Retrouvez toute l'actualité de l'auteur sur :
www.sophiekinsella.fr

UN DIMANCHE
AU BORD
DE LA PISCINE

MADELEINE WICKHAM
alias
SOPHIE KINSELLA

UN DIMANCHE
AU BORD
DE LA PISCINE

Traduit de l'anglais
par Michel Ganstel

belfond

Titre original :
SWIMMING POOL SUNDAY

© Belfond 2011 pour la traduction française.

place
des
éditeurs

© Belfond 2013, département de
pour la présente édition.
ISBN 978-2-266-25074-0

Pour Gemma et Abigail

1

On n'était qu'en mai et il n'était que dix heures du matin. Pourtant, le soleil chauffait déjà, le gazon était sec et tiède sous les pieds, et la brise, sous la robe en coton de Katie, était douce et tendre comme une caresse. La fillette se trémoussa un instant. Par un temps pareil, elle aurait eu envie de faire des entrechats ou de se laisser rouler sur l'herbe pour finir en bas de la pelouse. Mais non, il fallait qu'elle reste immobile comme un roc avec un élastique entre les chevilles, si tendu qu'il lui laisserait des marques rouges. N'y tenant plus, elle se pencha pour le remonter un peu.

Sur le point de faire son saut, sa sœur, Amelia, lui lança un regard furieux.

— Katie ! cria-t-elle. Tu ne dois pas bouger !

Katie se retourna en se tordant le cou pour apercevoir la fine trace rose à l'arrière de ses chevilles.

— Ça me fait mal ! C'est trop tendu ! Regarde ! J'ai déjà des marques sur la peau !

— Eh bien, rapproche-toi un peu de la chaise ! Mais écarte les jambes pour ne pas détendre l'élastique.

Katie poussa un soupir mélodramatique et se déplaça en traînant les pieds.

Elles jouaient au jeu de l'élastique avec une chaise parce qu'il fallait normalement trois joueurs et qu'elles n'étaient que deux. Maman jouait quelquefois avec elles, mais elle était trop occupée ce jour-là et les avait rabrouées quand elles lui avaient demandé. Elles avaient donc emporté une chaise dans le jardin et lui avaient passé l'élastique autour des pieds, comme à un être humain. Entre les pieds de la chaise et les chevilles de Katie, il formait deux fines lignes blanches à quelques centimètres du gazon. Cette seule vision emplissait Katie d'une joyeuse impatience. Elle *adorait* le jeu de l'élastique. À l'école, elles y jouaient à chaque récréation et, pendant la classe, Katie mettait souvent la main dans sa poche pour vérifier que son précieux élastique roulé en boule était toujours en sûreté.

— Je commence, annonça Amelia d'un ton important.

Se mordant les lèvres pour mieux se concentrer, elle effectua les figures imposées en retombant toujours exactement comme il le fallait. « Avant, arrière, milieu, chantonnait-elle. Gauche, droite, dehors. »

Elle n'avait pas même effleuré l'élastique.

— À mon tour ! dit Katie quand sa sœur eut fini.

— Non, ce n'est pas ton tour ! répliqua Amelia. Tu ne connais pas les règles ?

— Si ! riposta Katie, les sourcils levés avec indignation. Dans ma classe, nous jouons toutes à tour de rôle. Mme Tully dit que c'est la méthode la plus juste.

— C'est bon pour les petites, commenta Amelia avec dédain. Nous, on joue jusqu'à ce qu'on fasse une erreur.

— Tu n'en fais jamais ! protesta Katie en se grattant la jambe à l'endroit où l'élastique l'avait trop serrée.

— Mais si, j'en ferai, répondit sa sœur d'un ton condescendant. Comme cela, au moins, tu sauras que c'est ton tour. Je ne crois pas que la chaise ait envie de jouer.

Katie jeta un coup d'œil à la chaise, placidement campée sur le gazon, et pouffa de rire.

— On peut toujours lui demander...

Mais Amelia commençait déjà le saut suivant.

Leur mère les avait envoyées jouer dans le jardin en attendant que leur père vienne les chercher. Personne ne se souvenait au juste de l'heure à laquelle il avait prévu d'arriver. Amelia croyait qu'il avait dit dix heures, leur mère pensait dix heures et demie, et Katie était persuadée que c'était plutôt neuf heures moins le quart, comme pour aller à l'école. Elle était même restée en faction près de la porte jusqu'à ce qu'il soit évident, à neuf heures passées, qu'il viendrait plus tard.

Avec bon sens, Amelia avait suggéré à maman de téléphoner à papa pour lui demander de préciser l'heure, mais pour une raison ou une autre, celle-ci n'avait pas voulu. Elle ne voulait d'ailleurs jamais appeler papa : c'était toujours lui qui le faisait. Il avait téléphoné dans la semaine pour dire qu'il passerait prendre les filles le dimanche pour les emmener pêcher. Pêcher ! Jamais encore Katie n'était allée à la pêche. Ravies, les filles avaient remonté de la cave les épuisettes et les seaux – et tout l'attirail qu'elles y avaient trouvé. Amelia possédait même une canne à pêche, cadeau de son grand-père, et avait généreusement offert à Katie de la tenir en même temps qu'elle, si elle voulait. Maman avait lavé deux vieux pots à confiture pour le cas où elles attraperaient des petits poissons qu'elles voudraient rapporter à la maison et, pour cette grande occasion, elles avaient chacune choisi une tablette de chocolat à ajouter à leur pique-nique.

Mais elles avaient toutes oublié, y compris maman, que ce dimanche était le Dimanche de Baignade chez les Delaney. Pas question de manquer une fête pareille ! Le village entier y allait, même ceux qui n'aimaient pas nager. Amelia se demandait parfois ce que pouvait ressentir une personne qui n'aimait pas se baigner, mais cela dépassait son entendement. Tous les gens qu'elle connaissait aimaient nager, elle, bien sûr, Katie, maman, et même papa quand il avait très chaud.

Elles ne s'étaient souvenues du Dimanche de Baignade que la veille, en rencontrant devant l'épicerie Mme Delaney qui leur avait demandé si elles comptaient venir. Maman lui avait répondu que cette année, malheureusement, les filles ne pourraient pas participer à la fête. Katie en avait presque fondu en larmes en pleine rue. Amelia, plus âgée, s'était dominée, mais à peine remontée en voiture elle avait demandé d'un ton désespéré : « On ne pourrait pas aller à la baignade demain et remettre la pêche à un autre jour ? » Maman avait d'abord répondu que non, bien sûr que non, d'un ton sévère. De retour à la maison, elle avait de nouveau refusé, mais en reconnaissant que c'était vraiment dommage. Un peu plus tard, elle avait dit que papa accepterait peut-être de les emmener à la pêche un autre jour. Et le soir, en les couchant, elle leur avait dit que quand papa serait là elle lui poserait la question et qu'elle pensait qu'il serait sans doute d'accord.

— Je recommence ! annonça Amelia en sautant. Quelle chaleur ! Je suis en sueur.

— Moi aussi, je suis bouillante ! renchérit aussitôt Katie. J'ai hâte d'aller me baigner.

— Moi, je vais tout de suite plonger, déclara Amelia. Sans même tâter d'abord l'eau du bout du pied.

— Et moi donc ! Je me précipiterai dans la piscine.

— Pff ! Tu ne sais pas plonger, la rabroua méchamment Amelia.

— Si, je sais ! protesta Katie. J'ai appris en même temps que j'ai appris à nager. On s'assied sur le bord et…

— Ce n'est pas comme ça qu'on plonge !

— Si !

— Non !

— Si, je te dis ! C'est comme ça qu'on plonge ! riposta Katie avec rage. J'étais la meilleure de ma classe ! Mme Tully m'a même dit que j'étais une vraie petite otarie !

Un silence suivit. Amelia fronça le nez d'un air dégoûté.

— Pouah !

Katie eut l'air déconfite.

— Quoi ? Pourquoi tu dis : « Pouah » ?

— Parce qu'une otarie, c'est dégoûtant.

Amelia lança à sa petite sœur un regard de défi, que cette dernière soutint sans rien dire quelques secondes.

— Tu ne sais même pas ce que c'est qu'une otarie, hein ? reprit Amelia d'un air triomphant.

— Si, je sais.

— Alors, qu'est-ce que c'est ?

Mortifiée, Katie fouilla dans sa mémoire sans rien trouver d'autre que des images plus ou moins imaginaires. Mme Tully leur avait-elle vraiment dit ce qu'était une otarie ? Voyons, une otarie… à quoi cela peut bien ressembler ? Katie ne vit qu'une surface d'eau turquoise aux reflets argentés d'où un petit corps vaguement en forme de poisson jaillissait avant d'effectuer un plongeon parfait.

— C'est comme une fée des fleurs, dit-elle enfin, mais c'est une fée des eaux. Elle vit dans l'eau et elle est bleu et vert.

Amelia laissa échapper un gloussement méprisant.

— Pas du tout ! Tu n'y connais rien, Katie Kember !

— Qu'est-ce que c'est, alors ? renchérit sa sœur, en colère.

Amelia se pencha vers elle pour lui parler droit dans les yeux.

— C'est un animal visqueux avec un corps couvert de poils. Il a des pattes palmées et gluantes. Comme toi ! Et tu croyais que c'était une fée des eaux !

Katie s'assit dans l'herbe. Amelia ne pouvait pas avoir tort, elle ne mentait presque jamais ni n'inventait d'histoires.

— Je n'ai pas les pieds palmés et je ne suis pas visqueuse, dit-elle d'une voix mal assurée. Et je n'ai pas de poils sur le corps, juste des cheveux normaux.

Elle repoussa d'une main sa frange de cheveux bruns en levant vers sa sœur ses yeux bleus et angoissés. Touchée, Amelia mit fin à ses taquineries.

— Non, je sais. Mais les otaries nagent très, très bien. C'est sans doute ce que voulait dire Mme Tully.

— Oui, c'est exactement ce qu'elle voulait dire ! approuva la petite avec un profond soulagement. Je suis la meilleure nageuse de ma classe, tu sais. Il y en a même qui doivent encore mettre une bouée pour aller dans l'eau.

— Il y a dans ma classe un garçon comme ça, pouffa Amelia. Et il a neuf ans !

— Neuf ans ! répéta Katie avec dédain.

Elle venait d'en avoir sept et savait nager sans bouée depuis l'été précédent.

On entendit tout à coup le bruit d'une voiture qui s'arrêtait devant la maison.

— Voilà papa ! s'exclamèrent-elles à l'unisson.

Elles contournèrent la maison en courant. Leur père était en train de descendre de voiture, toujours aussi grand, vêtu d'un short et d'une chemisette bleue

14

à carreaux plutôt fripée. Il y avait dans son aspect un mélange de familiarité et d'étrangeté qui frappa Amelia au point qu'elle s'arrêta. Katie la bouscula en la dépassant.

— Papa ! s'écria-t-elle.

Leur père se retourna en souriant. Et, comme prévu, Katie fondit bruyamment en larmes.

Dans sa jolie cuisine, Louise Kember attendait que Barnaby entre. Elle avait entendu la voiture arriver, les filles courir au-devant de leur père et, maintenant, elle entendait les sanglots de Katie. Barnaby avait quitté la maison depuis cinq mois déjà, mais leur cadette pleurait toujours chaque fois qu'il arrivait ou qu'il partait. Et, chaque fois, une main invisible serrait le cœur de Louise jusqu'à ce qu'un nouvel accès de remords lui emplisse la poitrine au point de l'étouffer.

Ne lui avait-on pas assez souvent dit qu'il valait beaucoup mieux pour des enfants que leurs parents se séparent plutôt qu'ils ne restent ensemble à se quereller ? Durant les abominables semaines précédant la période de Noël, lorsque les scènes entre Barnaby et elle avaient atteint leur paroxysme, quand ses frustrations à elle et ses soupçons à lui se mêlaient jusqu'à altérer leur vie quotidienne, empoisonner leurs moindres gestes et teinter de quiproquo les propos les plus anodins, Louise s'était convaincue qu'une séparation constituerait un réel soulagement pour toute la famille. Pour Barnaby et elle, sûrement, mais aussi pour leurs deux filles.

Larch Tree Cottage n'était pas assez grand pour loger deux adultes vociférants et deux fillettes endormies. Plus d'une fois, le soir, les flots d'injures que Barnaby et elle se jetaient à la tête avaient été interrompus par l'apparition à la porte de la cuisine d'une petite personne au visage aussi pâle que sa chemise de nuit. Après un échange de regards accusateurs, ils adoptaient aussitôt un ton apaisant, offraient un verre d'eau fraîche ou de lait chaud et engageaient gaiement la conversation avec M. Nounours ou Mme Lapine. Inévitablement, ils montaient ensuite tous les deux recoucher celle des filles dont leur dispute avait troublé le sommeil. Affectant une intimité, ils la bordaient et se retiraient en marchant sur la pointe des pieds, comme s'ils étaient encore un jeune ménage en adoration devant son premier bébé.

Le simulacre durait quelques instants. Ils descendaient l'escalier sur un nuage de bonne volonté, offraient l'image de parents heureux, amoureux et comblés par la vie. Puis, à peine de retour à la cuisine, l'atmosphère se chargeait de nouveau des propos malveillants trop récents pour avoir été oubliés. Les sourires s'effaçaient. Barnaby marmonnait quelques mots inintelligibles, où il était question d'un saut au *George's*, le pub du village, pour un demi bien frais. Louise se faisait couler un bain chaud et versait des larmes amères qui se perdaient dans la mousse flottant à la surface. Lorsque Barnaby rentrait, elle était déjà couchée. Parfois, elle faisait semblant de dormir ou, au contraire, restait bien éveillée, adossée à ses oreillers, après avoir formulé avec précision ce qu'elle avait à dire. Mais, immanquablement, Barnaby ne lui laissait pas le loisir d'entamer des discours.

— Je suis trop fatigué, Lou. J'ai une journée chargée demain. Ça ne peut pas attendre ?

— Non, ma vie ne peut pas attendre ! avait-elle une fois riposté. Cela fait dix ans qu'elle est au point mort.

Mais Barnaby, déjà sur pilote automatique, ne voyait rien, n'entendait rien et se déshabillait sans répondre. Folle de rage, Louise, cette fois-là, avait explosé.

— Écoute-moi quand je parle ! avait-elle hurlé, sans penser aux enfants qui dormaient ou à autre chose que son besoin vital de communiquer. Si tu m'aimais vraiment, tu m'écouterais !

Barnaby avait levé les yeux vers elle, effaré.

— Je t'aime, Lou, avait-il répondu d'un air ulcéré en pliant son pantalon. Tu le sais bien, que je t'aime.

Là-dessus, il avait détourné son regard. Louise avait détourné le sien à son tour. Parce que, en réalité, elle savait que Barnaby l'aimait toujours.

Sauf que savoir que Barnaby l'aimait ne lui suffisait plus.

Sur le talus gazonné devant la maison, Katie était assise à côté de Barnaby qui la serrait contre lui. Si elle tremblait encore un peu, elle ne pleurait plus. Assise de l'autre côté de son père, Amelia avait elle aussi envie de pleurer, mais elle résistait, parce qu'elle était trop grande pour fondre en larmes à tout bout de champ.

— Voilà, ça va mieux maintenant, dit Barnaby.

Il serrait ses deux filles si fort qu'il écrasait leur visage contre sa chemise. Au bout d'un moment, Katie se débattit.

— Je ne peux plus respirer, murmura-t-elle d'un ton dramatique.

Amelia ne dit rien. Pressée contre la poitrine de papa à sentir son odeur, à entendre son rire, elle se sentait en sûreté. Maman aussi les serrait contre elle, bien sûr, mais ce n'était pas pareil. Ce n'était pas aussi... douillet. Un bouton de la chemise lui rentrait dans la joue et elle avait le cou un peu tordu, mais elle aurait quand même pu rester toute la matinée blottie dans les bras de papa.

Barnaby finit pourtant par les lâcher et se leva pour prendre quelque chose dans sa voiture.

— Tenez, vous deux, dit-il en posant un paquet sur les genoux de chacune. De l'équipement indispensable pour la journée.

Les deux fillettes entreprirent de déballer leurs paquets. Barnaby les regarda faire avec un sourire heureux. Il avait apporté à chacune un cadeau approprié. Pour Katie, une petite canne à pêche pliable, et pour Amelia, qui en avait déjà une, un coffret d'accessoires de pêche : hameçons, bouchons, plombs et lignes de rechange.

Katie finit la première de déballer son paquet. Elle se leva d'un bond en poussant des cris de joie.

— Une vraie canne à pêche ! Merci, papa ! Tu peux garder ta vieille canne poisseuse, Amelia.

Sa sœur avait à peine regardé son coffret que la réalité lui revint à l'esprit.

— On pourra quand même aller nager ? demanda-t-elle avec appréhension

— Nager ? reprit Barnaby. Pour aujourd'hui, vous laisserez la nage aux poissons. Vous pourrez quand même faire trempette.

— Mais non ! s'écria Katie qui lâcha sa canne à pêche dans l'herbe pour se précipiter contre son père. Aujourd'hui, c'est la grande baignade chez Mme Delaney. On peut y aller au lieu d'aller à la pêche ?

Barnaby s'efforça de dissimuler son étonnement.

— Quoi ? Vous ne voulez plus aller à la pêche ?

— Je préfère me baigner, implora Katie. Il fait tellement chaud !

Pour illustrer sa déclaration, elle éventa ses jambes avec le bas de sa jupe. L'aspect familier de la robe à rayures roses et blanches rappela soudain à Barnaby qu'elle avait d'abord appartenu à Amelia. Il revit sa fille quelques années plus tôt dans cette même robe, qu'elle avait portée fièrement pour l'anniversaire d'une amie, sous le regard jaloux de Katie qui se tenait sur une marche de l'escalier.

Amelia essaya désespérément de faire signe à Katie de se taire. Si elles insistaient avec maladresse, papa se fâcherait et leur défendrait d'aller à la baignade.

— Maman a dit que ça te serait peut-être égal, papa, intervint-elle avec diplomatie. On pourrait aller à la pêche dimanche prochain. Et merci pour le beau cadeau.

— Oui, merci encore, papa, enchaîna Katie. J'adore ma belle canne à pêche ! Mais on peut quand même aller se baigner ? S'il te plaît ?

Barnaby s'efforça de garder son calme.

— Je ne sais pas encore. Je vais en parler à maman.

Pour se donner une contenance en attendant que Barnaby se décide à entrer, Louise commença à préparer du café. Un léger sourire aux lèvres, elle allait et venait dans la cuisine en notant avec satisfaction l'effet produit par les citronniers qu'elle avait elle-même décalqués huit jours auparavant sur le bois brut de la porte de derrière. Ces décorations et les nouveaux rideaux, imprimés de grandes fleurs orange et jaunes, redonnaient vie à la pièce. Elle avait l'intention de poser aussi des décalcomanies sur la rampe de l'escalier et, pourquoi pas, au salon. Depuis dix ans qu'ils y vivaient, Larch Tree Cottage avait toujours été agréable, mais son décor trop classique devenait démodé et Louise était désormais résolue à transformer la maison afin de la rendre plus gaie, plus belle, digne d'être admirée par ceux qui y viendraient.

En entendant dans le vestibule le pas lourd de Barnaby, elle jeta un rapide coup d'œil autour d'elle, comme pour mieux affirmer dans son propre esprit l'image qu'elle projetait : celle d'une femme indépendante et heureuse, parfaitement à l'aise chez elle dans sa belle cuisine.

Malgré tout, quand elle retourna près du comptoir, sa main tremblait légèrement en appuyant sur le couvercle du moulin à café. Le bruit strident de l'appareil l'empêcha d'entendre Barnaby la saluer.

— Louise !

Elle lâcha le couvercle, le bruit cessa et la voix de Barnaby résonna avec une force agressive. Louise se retourna lentement en réprimant vite un sursaut d'émotion mêlée de crainte.

— Bonjour, Barnaby, dit-elle d'un ton savamment modulé.

— Qu'est-ce que signifie cette ânerie de baignade ?

En entendant la brusquerie provocante de sa voix, Barnaby se rendit compte qu'il entamait mal la discussion. Au lieu de s'emporter, il aurait dû commencer par se montrer raisonnable. Soudain, il se sentit blessé. Il avait préparé cette partie de pêche avec soin et s'en faisait un réel plaisir depuis que l'idée lui en était venue. Il ne reprochait pas à ses filles la désinvolture avec laquelle elles en avaient balayé la perspective – elles n'étaient que des enfants –, mais leur mère aurait dû faire preuve d'un peu plus de jugeote. Son ressentiment croissait à mesure qu'il la regardait lui tourner à moitié le dos, l'expression du visage masquée par de vaporeuses mèches blondes. Que cherchait-elle ? À saboter les seuls moments qu'il pouvait passer avec ses filles ? À les monter contre lui ? Au plus profond de lui-même, une blessure encore fraîche se rouvrit douloureusement et sa respiration s'accéléra.

Louise, qui se retourna à ce moment-là, ne put ignorer la mine accusatrice de Barnaby et se sentit rougir.

— Ce n'est pas une ânerie, répondit-elle sans pouvoir s'empêcher d'élever la voix. Elles voudraient aller nager dans la piscine des Delaney. Ce n'est pas moi qui le leur reprocherai. Il fait une chaleur accablante, aujourd'hui.

Elle transféra le café du moulin dans la cafetière, puis versa de l'eau chaude. Une délicieuse odeur se répandit dans l'air.

La voix perçante de Katie retentit soudain dans le vestibule :

— Maman ! On peut avoir quelque chose à boire ?

On entendit des claquements de sandales sur le plancher, et les deux filles firent irruption dans la cuisine.

— Je vais leur verser du soda, offrit Barnaby.

— Nous n'en avons plus, répondit Louise. De l'eau fraîche fera aussi bien l'affaire.

La main de Barnaby s'immobilisa à mi-chemin de la porte du réfrigérateur.

— Pourquoi plus de soda ? voulut-il savoir en adressant à Amelia un sourire complice.

— Oui, pourquoi ? renchérit cette dernière.

— C'est trop sucré, et le sucre est mauvais pour tes dents, tu le sais bien, répondit Louise sans relever l'intervention de Barnaby.

— J'ai envie de soda ! geignit Katie.

— Elles n'ont pas tort, commenta son père.

— J'adore les sodas qui piquent ! insista Katie, encouragée par le soutien de son père.

— Bon, d'accord ! cria Louise.

Pendant le silence qui suivit, elle plongea la main dans un pot de grès posé sur le comptoir.

— Allez, toutes les deux, dit-elle. Allez à l'épicerie de Mme Potter vous acheter des « sodas qui piquent ».

Les deux sœurs la regardèrent en hésitant.

— Allez-y, je vous dis, répéta Louise. Mais ce sera exceptionnel, parce qu'il fait très chaud aujourd'hui.

Marchez dans l'herbe du bas-côté et revenez tout de suite après.

— Et ensuite, on ira se baigner ? demanda Katie.

— Peut-être, dit Louise en tendant des pièces de monnaie à Amelia. Cela dépend de ce que papa dira.

Le silence retomba après le départ des fillettes. Les lèvres serrées, Louise enfonça lentement le piston de la cafetière. Elle resta un instant à contempler la surface brillante du couvercle chromé en préparant les phrases dans sa tête.

— J'aimerais, Barnaby, dit-elle en détachant ses mots, que tu fasses l'effort de ne pas saboter systématiquement tout ce que je fais pour l'éducation des filles.

— Je ne sabote rien du tout ! protesta-t-il. Je ne savais pas que tu avais décidé d'un seul coup de leur supprimer les sodas. Comment diable voulais-tu que je m'en doute ?

Le silence revint. Louise versa le café fumant dans deux tasses.

— De toute façon, reprit Barnaby en se rappelant le motif initial de sa colère, j'aimerais que tu fasses toi aussi l'effort de ne pas imposer tes volontés pendant les rares moments que je passe ·avec les filles.

— Je n'impose rien ! Comment oses-tu dire cela ? C'est elles qui veulent aller se baigner, pas moi !

— Quoi, tu ne vas pas aller à cette baignade ?

— J'irai peut-être pour le principe, mais je n'avais pas prévu d'y emmener les petites.

— Tu prévoyais sans doute d'y emmener quelqu'un d'autre, n'est-ce pas ? ricana Barnaby. Je me demande bien qui.

Louise rougit malgré elle.

— Tu dis n'importe quoi !

— Je sais ce que je dis, répliqua Barnaby en élevant

la voix. Mais si tu tiens à aller te baigner avec ton nouvel amoureux, je me garderai bien de t'en empêcher.

Sans le vouloir, Louise avisa une photo épinglée depuis peu sur le panneau de liège à côté de la porte. Le regard de Barnaby suivit la même direction, et son cœur fit un bond désagréable. Un grand sourire aux lèvres, Louise se tenait à côté d'un élégant jeune homme au teint hâlé et aux cheveux noirs sur le perron d'un bâtiment d'allure imposante, que Barnaby ne reconnaissait pas. Ils étaient tous deux en tenue de soirée, Louise dans une robe de soie bleue que Barnaby n'avait encore jamais vue, l'autre en smoking croisé avec des souliers vernis aussi luisants et lisses que sa chevelure.

Barnaby se sentit submergé par une vague de désespoir et de dégoût. Il examina la photo comme pour y déceler des détails, des indices, en s'efforçant de ne pas s'attarder sur l'expression de bonheur qui éclairait le visage de Louise au côté d'un homme inconnu devant un bâtiment inconnu, souriant à un photographe lui aussi inconnu.

Il s'arracha enfin à sa contemplation.

— Tu t'es fait couper les cheveux.

S'attendant à une remarque plus agressive, elle eut l'air surprise.

— Oui, admit-elle. Ma coiffure te plaît ?

— Elle te donne une allure... sexy.

Le ton de Barnaby parut si accablé qu'elle sourit malgré elle.

— Ce n'est pas bien ? Tu n'aimes pas me voir sexy ?

Elle savait qu'elle s'aventurait sur un terrain dangereux, mais Barnaby ne mordit pas à l'hameçon. Ses yeux bleus assombris par la tristesse se bornaient à la dévisager fixement.

— Tu as peut-être l'air sexy pour quelqu'un d'autre, mais pas pour moi.

Ne sachant que répondre, Louise but une gorgée de café. Barnaby se laissa tomber sur sa chaise, comme subitement vaincu.

Ils restèrent l'un et l'autre immobiles quelques minutes dans un silence presque amical. Les pensées de Louise se détachèrent peu à peu du présent pour flotter au hasard dans son esprit, comme des grains de poussière dans un rayon de soleil, en changeant brusquement de trajectoire lorsqu'elles s'approchaient d'un sujet trop sérieux ou trop douloureux. Assise là à siroter son café, sous le soleil qui chauffait son visage, elle aurait presque pu oublier tout le reste. Pendant ce temps, en dépit de ses efforts, Barnaby imaginait Louise, serrée dans des bras robustes sous des manches de smoking, qui dansait, riait, tournoyait, était heureuse… Comment pouvait-elle, comment *osait*-elle être heureuse ?

Un bruit à la porte de derrière brisa le silence. Louise leva les yeux. À la fenêtre, Katie brandissait triomphalement une canette de soda en fer-blanc qui brillait au soleil. Amelia ouvrit et entra.

— Nous avons rencontré Mme Seddon-Wilson qui nous a ramenées en voiture, annonça-t-elle. Elle nous a demandé si nous allions à la baignade.

— Et nous avons répondu oui, presque sûrement, enchaîna Katie qui était entrée à son tour. On peut y aller, papa ? On peut aller se baigner dans la piscine ?

— Nous n'en avons pas encore parlé, intervint Louise.

— C'est pas possible ! déclara Katie, stupéfaite. Vous avez parlé sans arrêt pendant que nous allions à l'épicerie... Je n'ai pas trouvé mon soda préféré, mais j'ai pris du Fanta. Tu peux ouvrir ma canette, maman ?

— Dans une minute, répondit cette dernière distraitement.

— On peut aller se baigner, maman ? demanda Amelia avec inquiétude. Mme Seddon-Wilson dit que ce sera follement amusant.

— Follement amusant, répéta Katie. Je lui ai parlé de mon nouveau maillot de bain et elle a dit qu'il était très joli.

— Qu'en penses-tu, Barnaby ? dit Louise. Elles peuvent y aller ?

Les joues rouges, Barnaby leva enfin les yeux.

— Je pense que les filles doivent aller avec moi à la partie de pêche que nous avions prévue, répondit-il d'un air buté. Voyons, Katkin, tu n'as pas envie de te servir de ta canne à pêche neuve ?

— Si, admit Katie. Mais j'ai aussi envie d'aller me baigner.

— Mais tu nages chaque semaine à l'école, lui fit observer son père en se dominant de son mieux.

— C'est vrai, papa, intervint Amelia pour tenter d'arranger les choses. Mais ce n'est pas pareil. C'est le grand Dimanche de Baignade, il n'a lieu qu'une fois par an.

— Eh bien, tu sais quoi, répondit Barnaby avec un sourire, j'en parlerai à Hugh Delaney pour qu'il nous invite un autre jour à sa piscine. Qu'est-ce que tu en dis, hein ?

La tête basse, Amelia se balança d'un pied sur l'autre.

— Ce ne sera pas pareil, dit-elle enfin d'un ton à peine audible.

La bonne humeur forcée de Barnaby vola en éclats.

— Pourquoi ? tonna-t-il. Pourquoi tenez-vous tellement les unes et les autres à aller vous baigner aujourd'hui ? Quelle lubie vous passe par la tête ? Vous êtes folles ou quoi ?

Les yeux de Louise lancèrent des éclairs.

— Les filles ne sont pas folles parce qu'elles souhaitent passer agréablement une journée torride dans une piscine avec leurs amies, riposta-t-elle d'un ton glacial.

Elle posa une main possessive sur l'épaule de sa fille aînée, qui fixait toujours le bout de ses pieds. Katie laissa échapper un sanglot.

— J'irai à la pêche, papa ! J'irai avec toi. Où est ma canne ?

Elle partit en courant dans le jardin.

— Bravo, commenta Louise sèchement. Si tu veux les emmener avec toi en leur faisant du chantage, je te félicite.

De rose, le teint de Barnaby était devenu rouge brique et son front se couvrait de sueur.

— Tu as du culot ! Ce n'est pas du chantage ! Katie a envie d'aller à la pêche, un point c'est tout. Amelia l'aurait voulu elle aussi si tu n'avais pas...

Il s'interrompit brusquement.

— Si je n'avais pas quoi ? insista Louise. Si je n'avais pas fait quoi, Barnaby ? Explique-toi, je te prie.

Il regarda alternativement la mère et la fille avant de secouer la tête, comme pour admettre sa défaite.

— Rien, marmonna-t-il. Rien.

La porte se rouvrit avec bruit pour laisser entrer Katie, sa canne à pêche dans une main et un long élastique emmêlé dans l'autre.

— Je ne trouvais plus mon élastique, expliqua-t-elle.

— Tu es sûre que tu veux aller à la pêche ? lui demanda sa mère.

— Oui, j'en suis sûre, affirma Katie. Et puis, j'ai déjà mon maillot de bain sous ma robe, je pourrai nager avec les poissons.

Barnaby ouvrit la bouche pour parler, mais la referma aussitôt.

— Bon. Eh bien, nous te reverrons plus tard. Pas trop tard, je te prie, ajouta Louise à l'adresse de Barnaby.

— Et toi, Amelia ? lui demanda-t-il. Tu ne veux vraiment pas venir à la pêche avec nous ?

La fillette rougit. Son regard alla de sa mère à son père.

— Pas vraiment, répondit-elle à voix basse. Je préfère aller me baigner. Tu veux bien, papa ?

Barnaby se domina de son mieux.

— Cela me ferait plaisir, bien sûr, que tu viennes avec nous. Mais si tu préfères aller te baigner, va te baigner. Tu as le droit de faire ce qui te plaît le plus.

— Moi, je préfère aller à la pêche ! déclara Katie. J'ai horreur de nager !

— Mais non, tu adores nager, la corrigea sa mère.

— Plus maintenant. Papa est comme moi, il a horreur de nager, ajouta-t-elle en se tournant vers lui. N'est-ce pas, papa ?

Louise serra les dents.

— Bon. Tu es une grande fille, Katie, tu peux prendre tes décisions seule. J'espère seulement que tu ne le regretteras pas.

— C'est quoi, regretter ? s'enquit Katie.

— Regretter, dit Barnaby, c'est se rendre compte qu'on n'aurait pas dû faire quelque chose qu'on a fait. Ce ne sera pas le cas, n'est-ce pas, Katkin ?

Mais la petite n'écoutait déjà plus. Elle dansait dans la cuisine en tenant sa canne à pêche et en fredonnant une comptine.

— Nous ne regretterons pas d'être allées à la baignade, n'est-ce pas, maman ? dit Amelia.

— Non, nous en serons très contentes, répondit Louise. Katie, arrête de danser et va avec ton père.

Katie s'arrêta net, un pied encore en l'air.

— Je ne regrette pas d'aller à la pêche.

— Tu n'es pas encore partie, lui fit observer sa grande sœur.

— Et alors ?

— Allons, viens, intervint Barnaby qui perdait patience. Va dans la voiture, je te suis. À ce soir, Amelia. Nous nous raconterons nos journées respectives.

Après son départ, Amelia ne se sentit plus aussi sûre d'elle et fut sur le point de pleurer. Elle chercha le regard de sa mère pour y trouver du réconfort, mais Louise ne la regardait pas. Elle fixait des yeux le panneau à côté de la porte. Amelia comprit qu'elle regardait la photo où elle était avec Cassian.

— Cassian viendra lui aussi ? demanda-t-elle en hésitant.

Louise sursauta.

— Non ! Non, ajouta-t-elle plus doucement, il est à Londres.

— Ah ?

Sans savoir pourquoi, la nouvelle rassura Amelia sur sa décision d'aller à la piscine avec sa mère plutôt qu'à la pêche avec son père.

— Nous allons passer une belle journée, toi et moi, à nager et à bronzer, dit Louise en souriant. Qu'en penses-tu, ma chérie ?

La merveilleuse image de son corps flottant sans effort sur l'eau bleue d'une piscine scintillant au soleil s'imprima dans l'esprit d'Amelia, qui rendit à Louise son sourire.

— Je pense que oui, répondit-elle avec conviction.

— Bon. Eh bien, va chercher tes affaires ! Il faut profiter de cette journée sans plus attendre.

Amelia se précipita et monta deux à deux les marches de l'escalier. Louise la suivit à une allure plus mesurée en chantonnant gaiement. Elle se demandait quelle capeline elle allait choisir, tout en s'efforçant d'effacer de sa mémoire l'image de l'expression indignée et douloureusement blessée sur le visage de Barnaby.

2

Hugh et Ursula Delaney avaient pour la première fois offert l'usage de leur piscine au bénéfice d'œuvres de charité plus de vingt ans auparavant. Leurs deux fils étaient alors encore enfants, et les propriétaires de Melbrook Place, la plus grande propriété du village, refusaient d'ouvrir leurs portes à des fêtes communes. Sans être tout à fait aussi imposante, Devenish House, la demeure des Delaney, était par sa taille la deuxième du village, et possédait une piscine.

Le premier Dimanche de Baignade avait eu lieu par une chaleur accablante, à une époque où la piscine publique la plus proche se trouvait à Braybury, à plus de quarante kilomètres de là. Elle empestait le chlore et était installée dans un bâtiment au carrelage verdâtre déprimant. Inaccoutumés au luxe d'une piscine de plein air, chauffée par-dessus le marché, parents et enfants s'étaient précipités dans l'eau bleue comme des phoques en extase et s'ébattaient avec d'autant plus d'entrain qu'ils savaient leur plaisir temporaire. Les photos de cette grande occasion, conservées dans l'album des Delaney, montraient des hommes et des femmes attifés de maillots de bain mal ajustés, imprimés de motifs aux couleurs criardes, en train de sauter du plongeoir, de faire la planche, ou assis sur la margelle les pieds dans l'eau, comme pour ne pas perdre une minute le contact avec le précieux liquide. Autour d'eux, dans le bassin, sous l'eau ou y sautant à pieds joints, grouillaient des enfants visiblement surexcités. Ceux qui ne savaient pas nager s'accrochaient au bord, d'autres flottaient béatement, maintenus à la surface par une bouée. Les uns avaient de vrais maillots, d'autres non. Beaucoup, en tout cas, ne s'étaient jamais baignés de leur vie dans une piscine.

Depuis deux décennies, beaucoup de choses avaient changé. Les habitants de Melbrook disposaient désormais à Linningford, tout proche, d'un centre nautique flambant neuf, équipé de piscines intérieure et extérieure, d'un jacuzzi, d'un hammam et d'un sauna. Les enfants du village savaient tous nager depuis leur plus jeune âge. L'attrait exercé par une simple piscine, déjà vieillissante et dépourvue d'équipements annexes tels que des vélos d'exercice ou des agrès, s'était largement émoussé. Entre-temps, les nouveaux propriétaires de Melbrook Place s'étaient déclarés disposés à organiser chez eux la fête du village. Le Dimanche de Baignade des Delaney n'avait donc plus vraiment de raison d'être.

Mais les habitants de Melbrook étaient aussi fidèles que conservateurs. Lorsque Hugh et Ursula avaient timidement laissé entendre, six ou sept ans plus tôt, que leur petite fête était passée de mode, ils avaient soulevé un tollé unanime. Des gens que Hugh et Ursula n'avaient jamais vus et qui, à leur connaissance, n'étaient même jamais venus aux Dimanches de Baignade, les accostaient dans la rue pour leur demander d'un ton angoissé si les rumeurs qui couraient étaient ou non fondées. Les résidants du nouveau lotissement à la limite du village avaient lancé une pétition. Une jeune femme, installée à Melbrook depuis à peine quelques mois, avait même abordé Ursula un dimanche à la sortie de l'église pour lui reprocher avec véhémence de piétiner les traditions et de saper le moral de la communauté villageoise.

Devant l'inutilité de leur lutte, Hugh et Ursula avaient fini par capituler et accepter de maintenir le Dimanche de Baignade annuel qui, désormais, paraissait devoir perdurer éternellement.

Les Delaney n'avaient annulé la fête qu'une seule fois. Trois ans auparavant, Simon, leur fils cadet, était mort subitement d'une tumeur au cerveau à l'âge de vingt-huit ans.

Il avait rendu l'âme un matin de février gris et froid, un froid qui avait étreint le cœur de ses parents pour le reste de l'année. Après les obsèques, ils s'étaient terrés chez eux sans sortir, évitant tout contact avec le monde extérieur, alors que les bourgeons s'ouvraient, que l'air se radoucissait, et que les rayons du soleil jouaient à la surface de la piscine. Puis, quand les feuilles des arbres avaient commencé à jaunir et la température à fraîchir, ils avaient bouclé leurs valises et étaient partis pour la France, où ils possédaient une petite maison. Hugh avait confié à son assistant la gestion de son affaire d'importation de vins, et Ursula avait annoncé à leurs amis et voisins qu'ils ne reviendraient pas avant Noël.

Ils n'avaient personne à qui parler. Matthew, leur fils aîné, était à Hongkong, où il noyait son chagrin dans le travail. Leurs familles respectives, qui résidaient l'une dans le Derbyshire et l'autre en Écosse, étaient à la fois trop éloignées pour avoir intimement connu Simon et trop proches par le sang pour leur prodiguer un réconfort efficace.

Seule leur belle-fille, Meredith, la veuve de Simon, pouvait comprendre la situation.

32

Simon avait fait sa connaissance à un vernissage dans une galerie. Américaine, artiste ayant déjà écumé la plupart des métropoles européennes, elle était un peu plus âgée et plus brillante que lui – et sensiblement plus riche. Hugh la trouvait fascinante, Ursula terrifiante. Pour leur mariage, dans un bureau d'état civil de Londres, elle avait porté une queue-de-pie et un haut-de-forme. Pendant la réception, elle avait décoré au feutre rouge la chemise du directeur général de Simon, enchanté d'acquérir ainsi une œuvre originale d'une artiste de renom.

Après les obsèques de Simon, devant le visage livide, les longues mèches brunes en désordre et les mains tremblantes de Meredith, Hugh et Ursula l'avaient affectueusement pressée de rester chez eux le temps qu'elle voudrait. Ursula lui avait rempli sa chambre de fleurs et fait couler des bains chauds, Hugh versé des rasades de vieux whisky et offert des cigarettes. Pourtant, au bout de deux jours, Meredith avait disparu. Le lendemain, une carte postale envoyée de l'aéroport leur annonçait qu'elle regagnait sa ville natale de San Francisco.

Des mois durant, ils étaient restés sans nouvelles d'elle. Ils n'avaient eu ni le temps ni l'occasion de bien la connaître, et il n'y avait pas de petits-enfants pouvant les rapprocher. Il leur avait donc semblé que Meredith, à son tour, était définitivement sortie de leur vie.

Jusqu'à ce qu'elle reparaisse en France. « Je ne me doutais pas que vous prendriez la fuite vous aussi » – tels avaient été ses premiers mots.

Toujours livide, elle paraissait encore plus mal en point que le jour de l'enterrement. « L'Amérique, s'était-elle bornée à leur expliquer, ça n'a pas marché. »

Une atmosphère de malaise avait régné la première semaine dans la petite maison de village. Ils se côtoyaient avec hésitation, évitaient toute allusion à Simon. Et puis un soir, tandis que les fenêtres de la cuisine se couvraient de buée et que Hugh allumait une flambée dans la cheminée, Meredith s'était mise à parler. De Simon, d'elle-même, d'elle-même avec Simon, d'elle-même et de sa famille. Les mains tremblantes, elle fumait des cigarettes à la chaîne avec une sorte de rage. Elle faisait sur Simon des commentaires provocants en dévisageant tour à tour Hugh et Ursula dans l'attente d'une réaction. Vers minuit, elle avait commencé à pleurer. Bouleversée, désemparée, effarée par les propos que tenait Meredith, Ursula avait elle aussi fondu en larmes. Hugh avait tendu la main à travers la table pour serrer celle de Meredith. « Pleurez, lui avait-il dit. Pleurez tout votre soûl. Et ne partez plus, je vous en prie. »

Ils étaient restés tous les trois en France jusque peu après le premier anniversaire de la mort de Simon. Hugh avait recommencé à communiquer avec son assistant en Angleterre, Meredith à dessiner et à peindre. Mais c'était Ursula qui, avec une fermeté inaccoutumée, avait décidé au début de mars, dès les premiers signes avant-coureurs du printemps, qu'il était temps de rentrer.

Leur retour à Melbrook avait eu lieu par une belle matinée claire et fraîche. Pendant que Hugh et Ursula défaisaient les bagages, Meredith explorait la maison et le jardin comme si elle y venait pour la première fois, et ne les avait rejoints qu'au bout d'un long moment.

— Vous avez deux granges, avait-elle observé.

— C'est exact, avait répondu Hugh, étonné de cette remarque. En réalité, l'une d'elles était une étable et...

— Ce que je veux savoir, l'avait interrompu Meredith avec un geste impatient, c'est dans laquelle je peux aménager mon atelier.

Une bouffée de joie était montée à la gorge de Hugh. Meredith était toujours restée vague sur ses intentions. Ursula et lui étaient convaincus qu'elle leur annoncerait bientôt son départ pour Londres ou plus loin encore. Après tout, s'étaient-ils résignés à admettre, un village comme Melbrook n'avait rien qui puisse retenir une jeune femme indépendante, énergique et cosmopolite telle que Meredith. En entendant sa question, Hugh chercha le regard d'Ursula, qui dévisageait Meredith avec un évident désarroi.

— Cela veut dire que ?... avait-elle commencé.

Incapable de dissimuler sa jubilation, Hugh s'était hâté de l'interrompre :

— Prenez celle qui vous plaît, les deux si vous voulez ! Prenez même toute la maison.

Depuis, Meredith ne les avait plus quittés. Lorsque Matthew s'était marié à Hongkong, elle avait dessiné une toilette originale pour Ursula et s'était rendue avec eux au mariage. Quand Hugh avait emmené sa femme dans une tournée de dégustations en Bourgogne, Meredith avait été du voyage.

De temps en temps, Meredith partait quand même seule pour Londres, Amsterdam ou New York. Une fois, elle avait même passé un mois à Sydney. Pendant ses absences, l'atmosphère était tendue. Ils redoutaient autant l'un que l'autre qu'elle décide de ne plus revenir et l'attendaient avec autant d'appréhension qu'un étudiant attend le résultat d'un examen capital. Pourtant, elle revenait toujours reprendre possession de sa chambre peinte en rouge, de sa salle de bains dorée et de son atelier aux murs de pierres brutes. Hugh en éprouvait un intense soulagement, puis s'efforçait de chasser de son esprit la perspective trop probable que Meredith finirait par trouver quelqu'un avec qui partager son existence et laisserait de ce fait Ursula et lui reprendre le cours de la vie qu'ils menaient avant – mais sans plus savoir quoi en faire.

C'est Meredith qui avait pris en main l'organisation du premier Dimanche de Baignade après la mort de Simon. Cette année-là, le temps était resté exécrable et lugubre pendant tout le mois de mai. Hugh et Ursula s'attendaient à une assistance clairsemée, mais c'était compter sans la curiosité du village. Tout le monde avait entendu parler de Meredith, presque personne ne l'avait rencontrée. Lorsque, famille après famille, les villageois étaient arrivés en groupes compacts, ils avaient eu sous les yeux le véritable objet de leur visite, assis à l'entrée, affichant un sourire carnassier à la vue des donations qui s'accumulaient dans la bassine de plastique posée sur la table. Il faisait réellement trop froid pour se baigner cette année-là. Seuls les plus intrépides des enfants s'étaient aventurés dans la piscine. Mais il ne faisait pas trop frais pour rester assis dans l'herbe à dévorer Meredith du regard en disant à ses voisins que c'était une femme peu ordinaire et que son histoire était tragique.

Désormais, Meredith faisait tout autant partie intégrante du rituel du Dimanche de Baignade que le cordial au sureau d'Ursula. Cette année, la chaleur laissant présager une foule importante, elle s'était assuré la collaboration de Frances Mold, l'épouse du pasteur, pour l'accueil des visiteurs. Après leur première rencontre au service funèbre de Simon, à l'issue duquel Meredith s'était déclarée « plutôt agnostique ou athée, bouddhiste, à la rigueur », les deux femmes s'étaient liées d'une improbable mais réelle amitié. On pouvait souvent les voir déambuler ensemble à travers champs, l'une en jupe de tweed et grosses chaussures de marche, l'autre en jodhpurs de velours et bottes d'équitation.

Hugh et Ursula prenaient le café dans la serre quand Meredith passa la tête par une ouverture.

— Il y a déjà beaucoup de monde, dit-elle en montrant derrière elle la petite foule qui grossissait.

— Oui, en effet, répondit Hugh. Tant mieux ! Nous venons vous aider dans quelques instants.

— Ce que je suis venue vous demander, c'est la liste des gens qui ont déjà versé leur cotisation. Vous savez, la liste ? répéta-t-elle à l'adresse d'Ursula. Vous l'aviez hier.

— Ah oui, la liste, répéta distraitement Ursula en ajustant sa coiffure avant de boire une gorgée de café.

— Savez-vous où est cette liste ? insista la jeune femme. L'avez-vous retrouvée hier soir ?

— Pas hier soir, non, répondit Ursula en fronçant les sourcils. Elle n'était pas sur le buffet ?

Ses grands yeux bleus écarquillés brillaient dans la pénombre verdâtre de la serre.

— Non. Elle n'était pas sur le buffet. Vous ne vous rappelez pas ? Nous en avions parlé hier soir, je ne parvenais pas à la retrouver, vous m'aviez dit que vous l'aviez reprise pour ajouter quelques noms et que vous la chercheriez.

— Ah oui, c'est vrai ! Je m'en souviens, maintenant.

— Alors, l'avez-vous cherchée ?

— Oui, sans doute, dit Ursula sans conviction.

Meredith et Hugh échangèrent un regard. Exactement le comportement qui rendait Simon furieux contre sa mère, se dit-elle. Penser à Simon déclencha malgré elle une série d'évocations : le mariage, l'hôpital, les obsèques… Après un bref pincement de douleur, son esprit s'éclaircit et les souvenirs reprirent leur place au fond de sa mémoire, ne laissant derrière eux qu'une profonde affection pour Ursula.

— Mais vous ne l'avez pas retrouvée, suggéra-t-elle.

— Je ne crois pas, non, répondit Ursula au bout d'un instant de réflexion. Mais je vais tout de suite me mettre à sa recherche. Vous savez, ma chérie, je suis pourtant sûre que cette liste est sur le buffet.

— Elle n'y est pas, dit Meredith avec un grand sourire. C'est là tout le problème, j'ai déjà regardé.

— Allons, ma chérie, on ne sait jamais, elle aurait pu vous échapper.

Ursula posa sa tasse de café sur le guéridon de bambou et se leva en faisant bruisser le crêpe de Chine de sa robe.

— Bien, j'y vais tout de suite, enchaîna-t-elle.

— Parfait. Hugh, vous pourriez peut-être regarder vous aussi ? Ailleurs que sur le buffet ?

— Je verrai ce que je peux faire, répondit-il avec un clin d'œil.

Lorsque Louise et Amelia arrivèrent à Devenish House, Hugh avait retrouvé la liste sur la cheminée de la salle à manger, derrière la pendule, Meredith était allée se changer pour se mettre en maillot de bain, et Ursula officiait avec Frances Mold à la table d'accueil.

Le mari de Frances, le révérend Alan Mold, conduisait ce matin-là un office au village voisin de Trenton. Chargé des deux paroisses, Melbrook et Trenton, il alternait ainsi chaque dimanche. Cela durait depuis dix ans et, au début, on avait de l'avis général pensé que la congrégation de Melbrook le suivrait à Trenton et vice-versa. Dans la pratique, cet arrangement n'avait fourni aux paroissiens qu'une bonne excuse pour n'aller à l'église qu'un dimanche sur deux.

La seule personne de Melbrook qui suivait fidèlement Alan à Trenton n'était autre que Frances elle-même. Ce jour-là, toutefois, elle avait renoncé au service solennel pour se contenter d'une rapide communion matinale à huit heures, afin de se libérer pour aller aider les Delaney. C'est ainsi qu'elle bavardait gaiement avec Ursula à la table d'accueil en regardant autour d'elle avec un plaisir évident.

Bien que nommée « table d'accueil », celle-ci ne correspondait cependant pas à l'accès à la piscine. Depuis la petite terrasse devant les portes-fenêtres et la serre – ou jardin d'hiver – de la façade arrière, le parc, orné de murets de pierre sculptée, d'urnes et de statues, déroulait des ondulations inspirées des jardins à l'italienne jusqu'à redevenir plat quelques centaines de mètres plus bas. C'est là, enchâssée dans un dallage décoratif au milieu du gazon s'étendant à perte de vue, qu'avait été creusée la piscine en forme de haricot. Elle avait été installée par les précédents propriétaires de Devenish House à une époque où les bassins en forme de haricot représentaient le summum des marques de standing. Souvent, depuis l'emménagement des Delaney, Hugh avait menacé de la combler ou de la remplacer par un plan d'eau rectangulaire, plus fonctionnel, ou même de l'éloigner de la maison, voire de la supprimer purement et simplement.

— Cette partie du jardin ferait un bon green de golf, s'exclamait-il les jours où la bâche claquait dans le vent et où la seule idée de se plonger dans autre chose qu'une baignoire bien chaude donnait la chair de poule. On pourrait en faire quelque chose d'utile ou, au moins, de bon goût.

— Bénissez plutôt votre chance, lui avait rétorqué Meredith la première fois qu'elle l'avait entendu fulminer. Elle aurait pu être carrelée en noir et en forme de pénis.

Lorsque Louise s'approcha de la table, Ursula leva les yeux.

— Ah, Louise ! Quel plaisir de vous voir ! Amelia est venue aussi ! Pas Katie ?

— Elle est allée à la pêche avec Barnaby.

— Quel dommage ! Hugh sera désolé de ne pas voir Barnaby... Mais je comprends que cela aurait été gênant.

Elle sourit à Amelia. Quand Meredith avait récemment réussi à lui faire admettre que la séparation des Kember était une réalité et non un vulgaire ragot de voisinage, Ursula en avait été bouleversée.

— Tout cela est bien triste, soupira-t-elle. Je suppose que... qu'il vous est pénible de voir Barnaby.

— Pas particulièrement, répondit Louise.

Elle rendit à Frances Mold le sourire que celle-ci lui adressait tout en accueillant Amelia avec une bonne humeur un peu forcée, pendant qu'Ursula restait plongée dans ses réflexions.

— Pauvre cher Barnaby..., soupira-t-elle.

Soudain consciente de sa gaffe, elle sursauta.

— Oh ! Je vous demande pardon, je ne voulais pas...

— Aucune importance. Tenez, poursuivit Louise en tendant un billet de banque à Frances. C'est bien cela, n'est-ce pas ?

— Tout à fait, répondit l'épouse du pasteur avec un sourire contrit après la gaffe d'Ursula. À tout à l'heure, sans doute ?

— Peut-être, dit Louise d'un ton désobligeant.

En s'éloignant, elle se rendit compte qu'elle avait été injustement désagréable avec la pauvre Frances, toujours pleine de tact, qui n'était pour rien dans la maladresse de leur hôtesse. Cette étourderie, pourtant anodine et prévisible de la part d'Ursula, avait exaspéré

40

Louise pour une raison qu'elle ne s'expliquait pas. Elle bouillait de colère et marchait vers la piscine, les poings serrés, en marmonnant : « Espèce d'idiote ! Quelle idiote ! Quelle idiote ! »

Louise n'avait jamais été aussi amie avec Ursula que Barnaby l'était avec Hugh. Les deux hommes s'étaient liés d'amitié des années plus tôt, quand Amelia n'était encore qu'un bébé. Un soir, au pub, Barnaby avait entendu Hugh parler de ses haies qu'il n'arrivait pas à tailler seul et lui avait aussitôt offert de l'aider. Hugh l'avait remercié par une caisse de bourgogne et, depuis, ils étaient restés très proches. Louise avait tenté de nouer les mêmes rapports avec Ursula, mais sans y parvenir. Elle trouvait Mme Delaney vieux jeu, ennuyeuse et, surtout, d'une rare stupidité. Agacée par les attentions puériles qu'elle prodiguait à Amelia puis à Katie, Louise invoquait de plus en plus souvent des excuses pour ne pas accompagner Barnaby à Devenish House.

Tout avait changé depuis un an, avec la mort du fils des Delaney, leur longue absence du village et, surtout, l'arrivée de Meredith.

Louise n'avait jamais pu supporter Meredith. À leur première rencontre, cette dernière avait écouté avec une impatience visible ses condoléances soigneusement formulées, et avait tourné les talons sans même en attendre la fin. Elle s'en était excusée ensuite, mais Louise n'en avait pas moins été vexée. Depuis, elle avait l'impression, injustifiée peut-être, que Meredith la snobait et même se moquait de son mode de vie conventionnel, à l'horizon étroitement limité.

Préférant l'éviter, Louise allait donc de moins en moins à Devenish House et né voyait pour ainsi dire plus Ursula. Barnaby et Hugh étaient restés bons amis, mais Barnaby observait parfois avec tristesse que Hugh paraissait ne pas avoir autant besoin de compagnie depuis quelque temps. Grâce à la présence de Meredith, les Delaney se sentaient moins seuls et comptaient moins sur les autres.

Daisy Phillips arriva à Devenish House peu après onze heures, s'engagea dans l'allée et s'arrêta à mi-chemin, soudain paralysée par le trac.

Elle n'avait jamais encore eu l'occasion d'aller chez les Delaney. Ses parents n'avaient acheté le cottage que quelques mois auparavant, sans chercher depuis à lier connaissance avec les habitants de Melbrook. C'est Mme Mold qui avait incité Daisy à venir au Dimanche de Baignade en lui promettant de la présenter à tout le monde. Daisy aimait beaucoup Mme Mold. La femme du pasteur était aussi professeur de piano et, passant un jour devant le cottage pendant que Daisy répétait une sonate, elle s'était empressée de frapper à la porte.

— Une pianiste à Melbrook ! s'était-elle exclamée. Quelle chance !

Daisy devait entrer à l'Académie royale de musique en automne. Elle venait de passer près d'un an à Bologne pour étudier avec Arturo Fosci et apprendre un peu d'italien. Mais son retour en Angleterre avait soulevé le problème de savoir où elle allait vivre. Jouer du piano à longueur de journée chez ses parents, qui travaillaient tous deux au calme dans leur apparte-ment de Londres, était hors de question. « Cela allait encore quand tu ne venais ici que pendant les vacances, lui avait gentiment expliqué son père. Mais pendant des mois... » Là-dessus, son téléphone portable avait sonné, et Daisy avait attendu la fin de sa phrase jusqu'à ce qu'il interrompe sa conversation une seconde pour lui dire distraitement : « Nous en reparlerons plus tard, Daisy. »

Un de ses frères habitait Londres, mais il n'y avait pas de place pour un piano à queue dans son appartement minuscule, et l'autre voyageait constamment dans le monde entier. Il semblait donc qu'elle serait obligée de chercher son propre logement quand, un soir au dîner, sa mère s'était exclamée :

— Mais bien sûr ! Le cottage.

— Quel cottage ? avait demandé Daisy.

— Le cottage de Melbrook, avait répondu son père. Nous l'avons acheté quand tu étais en Italie. Il est ravissant.

— C'est un investissement fiscalement très rentable, avait ajouté sa mère en avalant une bouchée de pousses d'épinards. Nous n'y allons pas très souvent.

— Nous n'y allons même jamais, avait précisé son père.

— Mais si, nous y sommes allés une fois ! Tu ne t'en souviens pas ? Il faisait un froid glacial, avait-elle ajouté avec un frisson.

— C'est possible. Et alors ?

— Alors, Daisy pourrait y vivre et jouer du piano autant qu'elle voudrait. Et si nous pouvions la faire figurer dans la liste du personnel...

— Elle est déjà inscrite.

— Eh bien, toutes ses dépenses seront déductibles de nos impôts ! Qu'en penses-tu, Daisy ?

— Son piano ne tiendra jamais dans le cottage ! avait objecté son père avant que Daisy ait pu répondre.

— Allons donc ! Bien sûr que si ! Le salon est assez grand, voyons !

— Pas pour un piano à queue.

— Il n'est pas aussi grand que cela.

— Quand l'as-tu bien regardé pour la dernière fois ?

La discussion s'était poursuivie pendant tout le dîner. La mère de Daisy était allée chercher les plans du cottage et avait dessiné un piano à queue dans le salon, en le casant devant la cheminée. Son père avait bruyamment éclaté de rire.

— Ce n'est pas un piano à queue, ça, c'est un crapaud ! Sincèrement, Diana, tu n'y es pas du tout ! C'est dans ce sens-là qu'il faut le mettre. Ce sera peut-être un peu juste, mais il devrait tenir…

À la fin de la soirée, le plan du salon était couvert d'esquisses raturées de piano à queue et la question de savoir si Daisy elle-même acceptait ou non de vivre en pleine campagne dans un cottage isolé totalement passée sous silence. Le lendemain matin, sa mère avait annoncé qu'elle avait appelé l'agent immobilier et que celui-ci lui avait confirmé qu'il y avait effectivement eu naguère un piano à queue dans le salon.

— Tu vois, tout est arrangé ! avait-elle dit à sa fille d'un air triomphant. Il ne te reste plus qu'à emménager là-bas.

Daisy était installée maintenant depuis trois semaines et commençait à s'y habituer. Vivre seule ne lui pesait pas, elle en avait déjà fait l'expérience à Bologne et elle passait le plus clair de ses journées au piano. Mais ne connaître personne autour d'elle était déconcertant. Elle avait toujours été entourée d'amis, à l'école, à Londres et même à Bologne. Non qu'elle soit particulièrement sociable. De fait, à l'école, elle était considérée comme une solitaire. Mais être solitaire au milieu de quatre cents élèves était autre chose que vivre seule au milieu de prés déserts.

Ses parents lui demandaient souvent si elle avait fait la connaissance des autres habitants du village.

— Ils sont sûrement très sympathiques, lui disait sa mère au téléphone. Comme entrée en matière, demande-leur si la récolte sera bonne et si les vaches se portent bien…

— Pour la plupart, ils ne sont pas agriculteurs, objectait Daisy.

Mais sa mère n'écoutait pas.

— Si on te demande ce que tu fais, n'oublie pas de dire que tu travailles pour nous.

La jeune fille s'en était souvenue quand Mme Mold était venue la voir pour la première fois.

— Je travaille avec mes parents, avait-elle dit avant que la femme du pasteur lui ait demandé quoi que ce soit. Ils dirigent un cabinet de conseil en management...

Mais Mme Mold n'y prêtait aucune attention. Elle caressait amoureusement les courbes du piano.

— Un Bösendorfer ! Quelle merveille ! Vous en avez de la chance. Vous permettez que je l'essaie ?

Mme Mold ne jouait pas très bien, pensa Daisy en regardant les fenêtres de Devenish House qui brillaient au soleil. Mais elle était vraiment très gentille et Daisy se réjouissait de la revoir aujourd'hui.

Elle recula de quelques pas, jusqu'à ce qu'elle sorte de l'ombre d'un massif de rhododendrons et que le soleil lui brûle les joues. C'était bien le Dimanche de Baignade, elle en était sûre, mais où cela se passait-il ? Devait-elle passer par l'arrière ou le côté de la maison ? Et si elle s'était trompée d'adresse ? Elle se voyait déjà faisant irruption dans le jardin d'une famille inconnue en train de boire tranquillement un rafraîchissement sur la pelouse...

En serrant contre elle son maillot de bain, elle entendit la voix de sa mère, froide et impatiente : « Pour l'amour du Ciel, Daisy, sonne à la porte ! Ces gens ne vont pas te manger ! »

Sous un porche d'allure imposante, entre des colonnes aux socles sculptés, elle vit un cordon de sonnette en fer forgé à côté d'une porte bleu foncé.

Elle sonna et, en attendant qu'on vienne lui ouvrir, regarda autour d'elle sans rien remarquer d'autre qu'un gratte-pieds en forme de hérisson scellé dans le mur. Aucun indice ayant un rapport avec la natation. Elle s'était sûrement trompée de maison. Il devait y avoir deux propriétés portant le nom de Devenish House, peut-être une ancienne et une nouvelle...

— Bonjour !

Un homme aux cheveux gris, le visage hâlé, lui souriait.

— Bonjour, monsieur, répondit-elle d'une voix mal assurée. On m'a dit que...

La panique la saisit. Comment dire à un inconnu qu'on vient nager dans sa piscine ?

— Vous êtes venue pour la baignade ? l'encouragea Hugh.

— Oui, c'est ça, répondit-elle, soulagée. Je m'appelle Daisy Phillips et Mme Mold m'avait dit...

— Ah ! Bien sûr, vous venez de la part de Frances. Entrez donc, soyez la bienvenue.

Daisy hésita. Devant sa mine déconfite, Hugh fronça légèrement les sourcils.

— Les pancartes sont en place, n'est-ce pas ?

— Les... Quelles pancartes ?

Hugh sortit, s'écarta de quelques pas.

— J'aurais dû m'en douter ! Ils ne font jamais ce qu'on leur demande. Je suis désolé, il aurait dû y avoir des pancartes pour indiquer l'entrée. La piscine est au fond du jardin.

— Ah bon, je ne me suis donc pas trompée ! dit Daisy avec soulagement. Où pourrais-je me changer, s'il vous plaît ?

Hugh l'observa avec plus d'attention. Grande, mince, Daisy Phillips ne paraissait pas avoir plus de dix-huit ans. Elle avait un nuage de cheveux bruns qui cascadaient jusqu'à sa taille, le teint clair, presque pâle, les yeux timidement baissés. En voyant ses mains se crisper sous son regard et ses pieds chaussés d'espadrilles tracer nerveusement des cercles sur le carrelage du porche, Hugh essaya de l'imaginer en train de se dévêtir sans pudeur avec les femmes du village dans l'atmosphère moite de la tente-vestiaire.

— Eh bien, répondit-il, beaucoup de gens se changent avant de venir. Pourquoi ne pas vous servir d'une de nos chambres ?

— Vraiment ? Vous êtes sûr que je peux ?

— Tout à fait sûr, affirma Hugh d'un ton paternel et rassurant. Allez, grimpez donc l'escalier et, quand vous redescendrez, passez par le jardin d'hiver : la piscine est au bout du jardin. Par là, vous voyez ? Pendant ce temps, je vais planter les pancartes à l'entrée.

— Euh, monsieur... Quelle chambre puis-je utiliser ?...

— Oh, n'importe laquelle, lança Hugh par-dessus son épaule.

Ce n'était pas la faute de Daisy si la première porte qu'elle vit sur le palier était celle de la chambre de Meredith. Elle ouvrit lentement et, voyant la pièce occupée, recula sans pouvoir retenir un cri horrifié. Un grand lit d'acajou dominait la chambre peinte en rouge. Une cheminée de marbre gris se dressait contre un des murs, un grand miroir au cadre doré couvrait celui d'en face. Entre les deux se tenait une femme mince, musclée, brune aux longs cheveux, à l'expression sévère... et nue comme un ver.

— Vous ne savez pas frapper aux portes ? demanda la grande brune avec un léger accent américain en enfilant un maillot de bain.

Pourquoi n'avait-elle pas frappé, en effet ?

— Je vous demande pardon, bredouilla Daisy, rouge et tremblante de confusion. Je croyais... Je cherchais une chambre pour me changer.

— Et la tente-vestiaire ? Elle est là pour cela, dit Meredith sèchement. C'est là que vous auriez dû aller.

La jeune fille resta bouche bée.

— C'est-à-dire... Le monsieur m'a dit de monter...

— Qui cela ?

— Monsieur, euh... monsieur...

Elle ne connaissait pas son nom – à moins que Mme Mold ne le lui ait dit ? S'appelait-il Devenish, comme la maison ?

— Bon, ça ne fait rien. Puisque vous êtes là, aidez-moi donc à mettre ce truc. Vous voyez ces bretelles ? Je n'arrive pas à les démêler.

Daisy s'approcha avec précaution et découvrit un réseau de fines bretelles noires qui retombaient en désordre dans le dos nu de la brune.

— Tirez dessus et essayez de les mettre comme il faut.

Daisy tira une bretelle vers le haut, une autre vers le bas.

— Je dois avoir une photo quelque part, elle pourrait être utile, commenta Meredith en allant vers une petite table de toilette victorienne surchargée de papiers, de livres et de magazines. Voilà !

Elle lança un épais magazine à Daisy, qui sursauta et le laissa tomber.

— Pas de muscles, lança Meredith avec dédain. Ce n'est quand même pas trop mal, poursuivit-elle en se regardant dans la glace.

Elle rejeta ses longues mèches en arrière et darda sur la jeune fille le feu étincelant de ses yeux verts.

— Alors, comment vous appelez-vous ? demanda-t-elle. Et qu'est-ce que vous faites, dans la vie ? Rien qui exige une bonne coordination des gestes, j'espère.

— Je m'appelle Daisy Phillips, répondit-elle en rougissant de plus belle. Et je...

Un bruit l'interrompit, qui interpella Meredith. On entendait à l'extérieur un ronronnement de moteur et un crissement de pneus sur le gravier de l'allée. Meredith courut à la fenêtre. Par-dessus son épaule, Daisy aperçut une voiture vert foncé d'où descendait un homme mince aux tempes grisonnantes. Au bout d'un moment, Meredith se tourna distraitement vers Daisy.

— Changez-vous ici, si vous voulez, mais emportez vos affaires avec vous quand vous sortirez. Et n'oubliez pas de payer votre participation à la table d'accueil. D'accord, Daisy Phillips ?

— Oui, merci beaucoup.

Meredith se lança un nouveau coup d'œil dans le miroir.

— Mon maillot de bain me va bien ?

— Il est superbe sur vous.

— Heureusement, il m'a coûté assez cher !

Là-dessus Meredith empoigna une grande serviette de bain rouge, glissa ses pieds dans des sandales de cuir noir et sortit en refermant la porte derrière elle.

Sur le palier, elle marqua une pause pour laisser s'épanouir la bouffée de plaisir qu'elle sentait monter en elle. Par l'œil-de-bœuf au-dessus de l'escalier, elle pouvait voir le capot de la voiture d'Alexis Faraday. Il était venu ! Alexis était là, en bas, peut-être même déjà allongé dans l'herbe en train de se dorer au soleil... Meredith redressa les épaules, commença à descendre et, se rappelant soudain qu'elle avait oublié ses lunettes de soleil, remonta en courant. Elle ouvrit sa porte à la volée, ce qui fit sursauter Daisy, en petite culotte.

— J'avais oublié mes lunettes. Je ne vous dérange pas, au moins ?

Le nuage rose apparu sur les joues de Daisy se répandit jusqu'à ses seins blancs et fermes. Meredith observa avec un intérêt amusé le trouble qui s'atténuait peu à peu.

— Vous risquez le coup de soleil, commenta-t-elle en empoignant des lunettes noires aux verres opaques. Vous avez ce qu'il faut ?

— Euh, oui.

— Tant mieux, vous en aurez besoin.

Sur quoi, sans rien ajouter, elle mit ses lunettes, dévala l'escalier et sortit dans le jardin en direction de la piscine – et d'Alexis.

Une quinzaine de kilomètres plus loin, coincé dans un embouteillage sous une chaleur insoutenable, Barnaby finit par éclater.

— Ça suffit, Katie ! Arrête de pleurnicher ! Si tu as réellement changé d'avis, si tu veux vraiment te baigner, allons-y !

Le silence retomba dans la voiture. Furieux, le cœur serré, Barnaby enclencha la marche arrière et, ignorant les protestations des autres automobilistes, effectua un demi-tour au milieu de la route. Sa manœuvre terminée, il accéléra à fond pour reprendre le chemin de Melbrook, de la maison des Delaney et de la piscine.

3

Amelia et Katie faisaient des culbutes dans le petit bain. Katie adorait faire des culbutes dans l'eau ! Elle se renversa en se bouchant le nez d'une main et jaillit un instant plus tard sous le soleil, ruisselante comme un poisson, avec un sourire de triomphe.

— J'en ai fait deux ! s'écria-t-elle en écartant de ses yeux ses cheveux mouillés. J'ai fait deux culbutes !

— Non, une seule ! la corrigea Amelia qui sautillait sur le fond. Je te regardais.

— Si ! J'ai tourné deux fois !

— C'était une culbute plus longue, concéda sa sœur, mais il n'y en avait qu'une. Même moi, je n'en fais pas deux d'un coup, je ne peux pas retenir ma respiration aussi longtemps. Tiens, justement ! enchaîna-t-elle en prenant Katie par le bras avant qu'elle ne replonge. Je vais me mettre debout sur les mains, tu verras combien de temps je tiens. Tu compteras comme ça : mille et un, mille et deux…

— Si tu veux. Après, ça sera mon tour.

Amelia disparut sous l'eau et Katie attendit de voir ses jambes reparaître à la surface avant de commencer à compter : « Mille et un, mille et deux… » Allait-elle trop vite ? « Mille… et… trois », reprit-elle. Non, c'était peut-être trop lent. Elle trempa un doigt dans

51

l'eau. La température était parfaite, ni trop chaude ni trop froide. Idéale !

Maintenant qu'elle était dedans, elle se demandait pourquoi elle avait d'abord voulu aller à cette barbante partie de pêche avec papa. Dans la voiture, c'était horrible ! Elle avait chaud, ça sentait mauvais, le siège lui brûlait les cuisses. Et puis, quand papa s'était trouvé bloqué dans l'embouteillage, il s'était mis à se fâcher et à crier, pas contre elle, contre les autres conducteurs, mais c'était quand même désagréable. Alors, en pensant à maman et Amelia, elle avait commencé à se dire qu'elle aurait bien voulu être avec elles pour nager dans l'eau fraîche. Plus elle y pensait, plus elle avait chaud et plus le trajet en voiture lui paraissait long.

Au début, elle ne disait rien et restait bien sage. À mesure que le trajet durait, elle avait dit quelques petites choses comme : « J'ai très chaud ! », « On peut s'arrêter pour boire quelque chose ? » ou « On est encore loin ? » Puis, quand papa était devenu de mauvaise humeur, elle avait soupiré en étouffant un sanglot : « Je voudrais bien qu'on aille se baigner ! » Elle l'avait dit deux ou trois fois puis, comme papa ne l'écoutait pas, elle avait insisté jusqu'à ce qu'il se mette à crier et qu'il fasse demi-tour. En la voyant pleurer, papa lui avait dit qu'il n'était pas vraiment en colère, juste un peu énervé, et qu'en fin de compte la piscine était peut-être ce qu'il y avait de mieux par une chaleur pareille.

Il avait bien raison, se dit Katie en se penchant pour admirer son nouveau maillot de bain décoré d'étoiles de mer. L'eau était si bonne qu'elle aurait voulu y rester toute la journée, toute la nuit ! Elle s'accroupit, se mit un instant la tête sous l'eau. Que c'était bon !...

Elle se redressa d'un bond en se rendant compte qu'elle avait arrêté de compter. « Mille et huit, mille et neuf, mille et dix », dit-elle en hâte au moment où les jambes d'Amelia vacillaient et disparaissaient de nouveau sous la surface.

— Combien de temps ? demanda sa sœur en émergeant.

— Mille et dix.

— C'est tout ?

— Oui. À mon tour !

La fillette se boucha le nez et plongea la tête la première en prenant appui d'une seule main sur le fond. Mais ce n'était pas facile de se maintenir de cette manière et elle dut se relever presque tout de suite.

— Mille et trois ! annonça Amelia. Tu ferais mieux d'y mettre les deux mains, tu sais.

— Non, l'eau me rentre dans le nez et ça me fait trop mal.

— Tu peux au moins ouvrir les yeux sous l'eau ?

— Bien sûr que je peux !

— Bon, alors nous allons plonger pour ramasser des pièces sur le fond. Allons demander des pennies à Maman.

Couchée dans l'herbe, Louise sentait avec plaisir la chaleur du soleil sur son visage. Elle s'était volontairement installée un peu à l'écart du groupe de femmes qu'elle aurait normalement dû rejoindre. En ce moment, par-dessus les cris des enfants et les clapotis de l'eau dans la piscine, elle entendait Sylvia Seddon-Wilson entamer le long récit d'une anecdote, sans doute aussi exagérée que distrayante. Mais Louise n'avait envie ni de bavarder ni même d'écouter. Elle préférait rester seule pour réfléchir tranquillement.

En levant un peu la tête et en tournant les yeux vers la droite, elle pouvait voir Barnaby assis dans un transat à côté de Hugh Delaney. Malgré elle, il lui faisait pitié. Il aurait pourtant dû savoir que Katie était incapable de rester plus de trois minutes en voiture sans émettre plaintes et récriminations. S'il avait poursuivi sa route sans en tenir compte, Katie aurait vite oublié ses jérémiades, et ils auraient probablement passé ensemble une journée très agréable.

Il était arrivé depuis une vingtaine de minutes, dans un état d'autant plus affligeant que Katie avait dégagé sa main de la sienne pour courir en criant à tue-tête : « Maman ! Maman ! On est quand même venus se baigner ! » Tout le monde l'avait entendue et tous les regards s'étaient posés alternativement sur Louise et Barnaby.

Barnaby s'était approché d'elle pour lui expliquer en quelques courtes phrases ce qui s'était passé. Louise avait réussi à prononcer des mots compatissants puis, sous les regards curieux, il était parti de l'autre côté de la piscine, où Hugh avait déjà déplié un transat à son intention. Le village entier avait profité du spectacle, se disait la jeune femme avec amertume. Il ne manquait plus que l'entrée en scène de Cassian, l'Antéchrist du voisinage.

Louise savait ce que les habitants pensaient de Cassian et quelle version des faits circulait dans le village. Si personne ne demandait rien, tout le monde supposait. Quand Louise allait passer la soirée au cottage de Cassian, c'était parce qu'il s'y passait à coup sûr quelque chose de louche. Quand Barnaby arrivait seul au pub, d'humeur sombre et taciturne, c'était parce qu'il devait avoir découvert une preuve de son infortune. Mais personne, se dit Louise en se tortillant nerveusement sur sa serviette, personne n'avait jamais remarqué que leurs problèmes de couple remontaient à bien avant l'arrivée de Cassian au village.

Louise et Barnaby s'étaient mariés peu après qu'elle

avait quitté l'université. Leur mariage avait été un événement considérable, la moindre des choses pour la fille unique de celui qui, récemment encore, était député de la circonscription et ancien ministre. Louise Page, de son nom de jeune fille, était une personnalité très connue de la scène politique locale. Elle collaborait déjà aux campagnes de son père quand elle était à l'école, et son rôle s'était accru après la mort de sa mère. Quand une élection avait eu lieu pendant sa première année de faculté, elle était revenue de Bristol tous les week-ends coller des affiches et faire du porte-à-porte, sourire aux lèvres, pour encourager les électeurs à aller aux urnes – et voter pour le « bon » candidat.

En sonnant à la porte de Barnaby, elle avait été fraîchement accueillie par un groupe de copains de l'école d'agronomie qui regardaient un match de foot à la télévision en buvant de la bière et qui n'appréciaient pas d'être dérangés.

— Voter ? avait dit l'un d'eux en lui tendant une canette. Pour quoi faire ?

— Comment, pour quoi faire ? avait répliqué Louise en levant les yeux au ciel, scandalisée. Voter affecte votre vie entière ! Si vous ne votez pas pour le bon candidat...

— Moi, l'avait interrompue un autre, je ne voterai pour personne. C'est une foutue perte de temps.

— Mais il faut voter ! C'est votre devoir civique ! Vous êtes jeune, grand dieu ! Votre avenir ne vous intéresse donc pas ?

— Je voterai, moi, fit la voix de Barnaby du fond de la pièce.

Louise s'était tournée vers lui. Il est énorme, avait-elle d'abord pensé. Assis sur une petite chaise qui menaçait de s'écrouler sous son poids, il serrait une canette de bière dans l'épais battoir qui lui tenait lieu de main. Mais sa voix était douce et Louise lui avait souri.

— Très bien…, avait-elle commencé.

— Mais pas pour votre équipe. Je voterai Green, l'avait-il interrompue, ce qui avait provoqué les regards goguenards de ses camarades.

— Tu voteras pour Green ? Sans blague !

— Tu es un vrai hippy, Barn !

— Tu comptes aussi prendre une carte du parti ?

Sans tenir compte de ces commentaires, Louise avait regardé le jeune homme dans les yeux.

— Eh bien, je vous félicite ! Vous, au moins, vous vous intéressez aux sujets importants.

Les choses en seraient restées là si Barnaby n'était pas allé voter au bureau où Louise siégeait comme scrutateur. Quand il s'était approché de la table, elle lui avait souri en pointant déjà son nom sur la liste électorale.

— Je n'ai pas besoin de vous demander pour qui vous allez voter.

— Pas pour vous, si c'est ce que vous voulez dire.

— Je n'y comptais pas. De fait, j'aurais été déçue que vous ayez changé d'avis.

Barnaby lui avait lancé un regard étonné.

— Combien de temps devez-vous encore rester ici ?

— Deux bonnes heures.

— Et après ?

— Je rentrerai à la maison pour attendre les résultats, avait-elle répondu en rougissant. Mon père est le candidat conservateur.

— John Page, je sais. Nous ne sommes pas tous des rustres ignares, vous savez, avait-il dit en s'amusant de l'air surpris de Louise. Va-t-il gagner, à votre avis ?

— Je crois, oui. Ce sera plus serré que la dernière fois, mais…

— Et après, vous fêterez sa victoire ?

— Oui, nous la fêterons.

— Et demain ?

— Sans doute la gueule de bois.

— Il se trouve que je connais un excellent remède contre la gueule de bois.

Son remède avait consisté à la mettre dans son lit, d'une manière si directe que la jeune fille, accoutumée aux approches plus graduelles de ses condisciples de la faculté, en avait été abasourdie. Après avoir fait l'amour, il était allé lui préparer une tasse de thé en la laissant seule dans le lit étroit, le drap tiré jusqu'au menton. Avec un léger tremblement, elle se sentait en proie à des sentiments contradictoires, allant du pur plaisir à l'indignation, qui voletaient et tournoyaient comme des papillons dans sa tête. Par la fenêtre dominant le terrain de sport d'une école, elle voyait entrer en courant une équipe de rugby en maillots rouge vif. Les grosses jambes musclées des joueurs lui rappelèrent celles de Barnaby et elle fondit en larmes.

— Je croyais que tu étais parti, avait-elle dit en le voyant revenir dans la chambre avec le thé.

Ce n'était pas du tout ce qu'elle aurait voulu dire, mais il était trop tard. Barnaby lui avait avoué par la suite être resté un long moment rongé d'anxiété à faire les cent pas dans la cuisine, en se demandant si ce qu'il venait de faire avec elle était un acte d'amour ou un viol. En l'entendant, il avait accouru auprès d'elle avec une sollicitude mêlée de soulagement. Le thé était si fort et si âcre que Louise en avait frémi, tout en lui disant qu'il était délicieux et en souriant avec des larmes encore au bout des cils. Submergé par un accès de tendresse, Barnaby s'était aussitôt précipité pour lui en préparer une autre tasse – aussi imbuvable que la première.

Depuis, ils n'avaient plus parlé sérieusement de politique. Le père de Louise ne s'était pas représenté à l'élection suivante, un an avant leur mariage et deux ans avant d'être anobli.

— Si on avait su ! disait parfois Louise. Nous aurions pu nous marier à la Chambre des lords.

— Oui, mais il aurait fallu attendre un an de plus et j'aurais dû m'installer tout seul à Melbrook, répondait Barnaby.

Celui-ci avait accepté la direction d'une exploitation agricole de taille moyenne, située à dix minutes de Melbrook, et avait pris ses fonctions deux mois après leur mariage. Il y était toujours dix ans plus tard. Louise avait depuis longtemps abandonné l'idée de le pousser à chercher un poste plus important, plus ambitieux ou plus lucratif.

— Nous sommes heureux ici, c'est l'essentiel, disait-il.

En effet, ils avaient longtemps été heureux après avoir acheté Larch Tree Cottage. Directrice commerciale d'une petite maison d'édition de Linningford, tout proche, Louise avait quitté son job à la naissance d'Amelia, et Katie était née ensuite. Elle ne s'occupait plus de politique, puisque son père n'était plus député et que Melbrook se trouvait dans une autre circonscription – d'ailleurs, elle n'éprouvait plus la même ferveur militante. Des années durant, le soin des enfants et de la maison, les bavardages du village et les fêtes de la paroisse avaient suffi à la satisfaire. J'ai de la chance, se disait-elle souvent. Je n'ai pas de carrière, mais j'ai une famille aimante et une vie heureuse.

Il ne lui était jamais venu à l'idée de se demander pourquoi elle avait parfois besoin de se rassurer

58

ainsi. Elle ne comprenait pas non plus pourquoi, à mesure qu'approchait le dixième anniversaire de son mariage, elle devenait de plus en plus nerveuse et irritable, couvrait Barnaby de plaintes et de reproches injustifiés, déversait des critiques acerbes sur le village, son existence, le travail de Barnaby et jusqu'à la Grande-Bretagne tout entière. Le fait que son frère, récemment installé à New York, lui vante les charmes de sa nouvelle vie et que son mari paraisse ne rien comprendre ni même compatir à ses malheurs réels ou supposés n'arrangeait rien.

— Mais enfin, que signifient ces critiques absurdes ? Tu es née et tu as passé presque toute ta vie à la campagne ! avait-il tonné un soir, poussé à bout par une diatribe contre Melbrook qui avait empoisonné tout le dîner.

— Je sais, mais ce n'était pas pareil ! Nous menions une vie stimulante ! Nous fréquentions des gens importants, nous avions des conversations intéressantes, nous avions un appartement à Londres, nous allions à des réceptions à la Chambre des communes…

Consciente du caractère dérisoire de sa justification, elle s'interrompit.

— Tu ne peux pas comprendre, avait-elle conclu avec lassitude.

— Si, je comprends ! Tu regrettes de ne pas avoir épousé quelqu'un d'important, d'intelligent et de brillant au lieu d'un péquenot borné comme moi.

— Mais non ! avait réagi Louise – quelques secondes trop tard. Pas du tout, voyons, tu dis n'importe quoi.

Et puis, policé, sophistiqué, intelligent et débordant de charme, Cassian Brown était arrivé au village. Barnaby s'en était méfié au premier coup d'œil, mais Louise, en faisant sa connaissance lors d'une réunion au presbytère, avait été ravie de découvrir que le jeune homme s'intéressait à la politique et qu'il considérait depuis toujours lord Page comme un de ses héros.

Cassian était un jeune avocat attaché à un cabinet prestigieux ayant des bureaux à Londres et dans le monde entier. Spécialiste du droit commercial, affecté pour deux ans au bureau de Linningford, il s'était décidé à s'installer dans ce cottage de Melbrook à cause de la merveilleuse vue sur l'église que l'on découvrait de ses fenêtres, avait-il expliqué à Frances Mold de son air le plus séduisant, en lui décochant un sourire qui dévoila d'irréprochables dents blanches se détachant sur un teint légèrement basané, pas tout à fait britannique.

— J'en suis enchantée, avait murmuré Frances, déconcertée.

— Il est puant, avait chuchoté Barnaby à l'oreille de Louise.

Mais son épouse ne l'avait pas trouvé puant le moins du monde. En revenant du presbytère, elle avait parlé de lui avec enthousiasme.

— Il se souvient même d'un discours de papa ! disait-elle en marchant dans la nuit. Tu sais, celui sur le logement.

— C'est un discours célèbre, avait répliqué Barnaby. Tout le monde s'en souvient.

Absorbée dans ses pensées, Louise n'avait même pas entendu.

— Ses grands-parents étaient italiens. Tu le savais ?

Barnaby ressentait un furieux désir de ne rien comprendre.

— Quels grands-parents ?

— Ceux de Cassian, voyons ! Ils s'appelaient Bruni et ont changé leur nom en Brown quand ils sont arrivés en Angleterre. C'est un peu dommage, tu ne trouves pas ? Il a fait ses études à Oxford. Comme papa, avait-elle inutilement ajouté.

Pour Barnaby, ces propos dithyrambiques devenaient insupportables.

— On ne peut pas parler d'autre chose que de ce type ?

Sa voix trop forte résonnait dans la rue déserte. Louise s'était arrêtée, sans savoir comment elle devait réagir.

— Bon, eh bien..., avait-elle commencé sur un ton conciliant.

Puis, en remettant de l'ordre dans ses pensées, son désir initial d'apaisement fit place à une bouffée d'indignation.

— Alors maintenant, je n'ai plus le droit d'adresser la parole à quiconque, c'est bien ce que tu veux dire ? Une personne intéressante arrive enfin à Melbrook, mais nous ne pouvons même pas en parler ! Parfait ! De quoi veux-tu que nous parlions ? Ah oui, je sais, des brebis sur le point de faire des petits ! Nous n'avions pas abordé le sujet depuis au moins une heure, c'est vrai.

Décontenancé par ce ton sarcastique, Barnaby avait en vain tenté de déchiffrer dans l'obscurité l'expression de sa femme. Puis il avait haussé les épaules et s'était détourné en commençant à s'éloigner. Louise l'avait retenu en l'agrippant par un bras.

— Quoi, c'est tout ? Tu ne dis rien ? Parle-moi, au moins !

Il s'était arrêté en la fixant à nouveau.

— Je n'ai rien à dire.

Louise se retourna sur le ventre, posa ses joues brûlantes de soleil sur ses mains encore fraîches. Si Barnaby m'avait parlé davantage au lieu d'écouter ces rumeurs absurdes, s'il m'avait fait un peu plus confiance, peut-être n'aurions-nous pas eu ces affreuses querelles, songea-t-elle. Le souvenir d'une des dernières en date lui donna un pincement au cœur. Elle était rouge de colère, lui entêté comme une mule pour lui dire, non, pour exiger qu'elle cesse de voir Cassian. Elle avait riposté, la voix sifflante de rage, qu'elle verrait qui elle voudrait quand elle le voudrait, et que si cela ne lui plaisait pas il n'avait qu'à déguerpir.

Elle ne savait pas vraiment d'où lui étaient venus ces derniers mots mais, une fois lâchés, elle ne pouvait plus les ravaler. Barnaby l'avait dévisagée avec stupeur dans un silence vibrant de menaces. La jeune femme s'était laissée tomber sur une chaise avec l'envie, ou plutôt le besoin, de lui demander pardon, de lui dire que ses paroles avaient dépassé sa pensée, mais elle en avait été incapable.

— Maman ! Je peux avoir un penny pour le repêcher dans l'eau ?

Des gouttes d'eau tombaient sur le dos de Louise, une ombre lui cachait le soleil.

— Je peux en avoir un moi aussi ? Ou une pièce d'une livre ?

Louise leva les yeux. Piaffantes d'excitation, Amelia et Katie aspergeaient son maillot de bain de gouttes froides et laissaient des empreintes de pieds mouillés sur sa serviette.

— Tu m'as vue debout sur les mains ? Tu as vu Amelia faire des culbutes en arrière ?

La fillette sautillait sur place.

— Attention ! Vous allez mouiller tout le monde, dit Louise en s'asseyant. Où est mon sac à main ?

— Le voilà, s'empressa de répondre Amelia, qui la regarda avec avidité sortir son porte-monnaie. Je veux juste un penny.

— Et moi une livre, déclara Katie.

— Tu es idiote, la rabroua Amelia. Maman n'a pas de pièces d'une livre. Et si tu la perds, qu'est-ce que tu feras ?

— Je ne la perdrai pas ! protesta Katie avec un regard incendiaire.

— Voilà, dit leur mère. Une pièce de deux pence chacune. Maintenant, allez jouer.

— Regarde-moi plonger, implora Amelia. Je plonge vraiment bien, tu sais.

— Plus tard, répondit Louise. Je viendrai vous regarder toutes les deux après le déjeuner.

Arrivée au bord de la pelouse, Daisy se demanda où elle irait s'installer. Après le départ de Meredith, elle s'était dépêchée de se changer et de sortir au soleil. Mme Mold l'avait gentiment accueillie à l'entrée en s'excusant d'être encore occupée pour un moment, mais que la jeune fille n'hésite pas à se présenter d'elle-même, les gens étaient tous très aimables et seraient enchantés de faire sa connaissance.

Daisy l'avait remerciée du conseil par un sourire. Maintenant qu'elle était au pied du mur, elle regardait anxieusement autour d'elle en s'efforçant de maîtriser les sursauts nerveux de son estomac, de prendre un air sûr d'elle-même et de deviner qui elle pourrait aborder. À sa droite, il y avait un groupe de femmes qui bavardaient et riaient, mais elles paraissaient toutes plus âgées qu'elles et Daisy ne savait pas de quoi elle pourrait leur parler. Une seule paraissait à peu près de son âge, mais elle était très occupée avec un enfant en bas âge.

Des familles, quelques personnes seules et des groupes d'amis étaient disséminés autour de la piscine, étendus sur des transats ou des serviettes. Aucun d'eux ne regardait Daisy, ne lui souriait ni ne lui faisait signe de le rejoindre. En désespoir de cause, elle chercha des yeux l'Américaine dans la chambre de laquelle elle était entrée par inadvertance, mais elle n'était nulle part en vue, pas plus que le propriétaire de la maison qui l'avait si aimablement accueillie.

Elle fit un pas en avant. Il fallait bien qu'elle s'asseye quelque part. Si elle restait plantée tout l'après-midi sur la pelouse, les gens finiraient par la regarder avec étonnement. Elle devait donc trouver elle-même un endroit pour s'installer, décida-t-elle. Peut-être pourrait-elle un peu plus tard lier connaissance avec ses voisins.

Lentement, paralysée par la timidité, Daisy louvoya entre les groupes, enjambant soigneusement les serviettes ou les sacs parsemés çà et là, s'excusant si elle posait le pied près du bord d'une serviette, et repéra finalement un endroit calme à l'écart de la piscine. Arrivée là, elle se hâta de déplier sa serviette et de s'étendre dessus, dans l'espoir de dissimuler aux regards la rougeur d'embarras qu'elle sentait sur ses joues et qui menaçait de gagner le reste de son corps.

De son transat près du bord de la piscine, Alexis Faraday observait avec une curiosité amusée la lente progression de la jeune fille à travers la pelouse. Sous ses paupières à demi baissées, il la suivit du regard en détaillant ses cheveux, ses yeux, son teint clair et sa grâce pleine de gaucherie. Elle marchait avec un luxe de précautions et s'excusait à tout bout de champ en se mordant les lèvres avec une angoisse visible. Parvenue à destination, elle avait regardé autour d'elle d'un air craintif avant de déployer sa serviette avec précipitation et de s'étendre dessus.

Alexis l'observa encore un instant. Puis, quand il

devint évident qu'elle ne se relèverait pas, il finit par se détourner. Qu'est-ce qu'il lui prenait, bon sang, de couver du regard une gamine comme celle-là ? Elle n'avait sûrement pas plus de dix-huit ans ! Moins de la moitié de son âge, se dit-il avec une pénible lucidité. S'adossant de nouveau à la toile du transat, il ferma les yeux. Un instant plus tard, une voix fraîche et mélodieuse au léger accent américain les lui fit rouvrir.

— C'est donc ainsi qu'un estimable homme de loi prépare ses dossiers ? En se dorant au soleil ?

Alexis sourit.

— C'est ainsi qu'une grande artiste compose ses tableaux ? rétorqua-t-il sur le même ton.

Meredith tira un transat et s'installa à côté de lui.

— Je travaille, moi, répondit-elle avec un regard complice. Il faut bien puiser son inspiration quelque part.

— Bien sûr, l'inspiration ! Dois-je m'attendre à voir un *Homme assoupi près d'une piscine* dans votre prochaine exposition ? Me reconnaîtrai-je, au moins ?

— Je ne crois pas. Mais on ne sait jamais, vous pourriez vous retrouver dans une aquarelle d'Ursula.

— C'est bien possible.

Ils se tournèrent tous deux vers la terrasse d'où Ursula, vêtue d'une vieille blouse tachée de peinture empruntée à Meredith par-dessus son maillot de bain, contemplait la scène, le pinceau à la main.

— Dites-moi, reprit Alexis, comment se débrouille-t-elle ?

— Elle peint beaucoup, répondit évasivement Meredith.

— Elle doit donc faire des progrès ?

La jeune femme se mordit les lèvres.

— Si on veut...

Un rire étouffé lui échappa une seconde plus tard. Alexis la dévisagea en feignant l'étonnement.

— Vous voulez dire ?...

— Elle est au-dessous de tout, la pauvre ! admit Meredith en laissant libre cours à son hilarité. Je croyais qu'elle s'améliorerait, mais j'ai beau lui donner des conseils et l'encourager...

Alexis pouffa à son tour.

— Le problème, dit Meredith en s'essuyant les yeux, c'est que tout le monde à Melbrook la prend pour un génie. Elle a même eu droit à une exposition et je lui ai acheté son premier tableau ! Mais au fait, où étiez-vous ce jour-là ? Nous vous avions envoyé une invitation.

— Je sais. J'avais beaucoup de travail.

— Vous travaillez trop. Vous ne venez jamais nous voir. Je croyais que les avocats de province passaient tous leurs après-midi à jouer au golf.

— C'est vrai. Malheureusement pour moi, je ne joue pas au golf. Mais vous avez raison, je ne viens pas assez souvent vous voir. Je devrais, pourtant, je n'habite pas si loin. Mais ces temps-ci, vous savez, j'ai souvent l'impression de n'en faire jamais assez...

Il semblait prêt à en dire davantage et Meredith, intéressée, se penchait un peu vers lui quand la voix d'Ursula retentit derrière eux :

— Meredith, ma chérie, je peins comme un ange, aujourd'hui ! Il faut que vous veniez voir. Et Alexis est là ! Quand êtes-vous arrivé ? Hugh ne m'a rien dit.

Alexis se leva, élégant, mince, dans une forme de jeune homme que démentait la présence de cheveux gris à ses tempes.

— Bonjour, Ursula ! Quel plaisir de vous revoir. J'ai hâte d'admirer votre tableau ! Venez aussi, Meredith. Vous nous donnerez votre opinion d'experte.

Il donna le bras aux deux femmes, en serrant celui de la jeune femme avec complicité. Et, tandis qu'ils marchaient dans l'herbe, la peau nue de leurs bras et de leurs jambes s'effleurant, Meredith sentit son estomac se nouer, ses joues rosir et, en dépit d'elle-même, son cœur se mettre à battre un peu plus vite.

4

Au début de l'après-midi, l'air sembla plus lourd, le soleil plus fort et la chaleur plus intense. Autour de la piscine, le brouhaha des voix s'atténua comme si les gens se confiaient des secrets. Leur pique-nique avalé, beaucoup avaient cédé à la torpeur.

Assis côte à côte sur des transats, Hugh et Barnaby gardaient un silence amical. Debout à côté du plongeoir, les bras croisés, Louise regardait se démener Amelia et Katie, à qui de temps à autre elle donnait un conseil ou proposait de l'aide. Leurs cris « Regarde-moi ! » résonnaient dans l'air pesant, couvrant parfois les piaillements des plus jeunes qui pataugeaient dans le petit bain.

Hugh lança un coup d'œil à Barnaby en montrant Louise :

— C'est dur, pour vous.

Son ami haussa les épaules avec fatalisme.

— Ça va, ça pourrait être pire.

Hugh fit un hochement de tête compréhensif.

— Si vous aviez un jour envie de prendre le large…, dit-il après un nouveau silence.

Barnaby poussa un long soupir.

— Oui, ça m'arrive. Souvent.

— Il y a toujours notre maison en France. Ne vous

gênez pas, vous pouvez y aller en voiture. Je veux dire, si vous avez besoin de prendre un peu de recul, d'être seul un moment… Nous y sommes allés après la mort de Simon.

Barnaby tourna la tête, leva les yeux vers lui.

— Oui, je m'en souviens. Je vous remercie sincèrement de me le proposer.

— Ce n'est pas facile de remettre les choses en perspective quand on doit les affronter tous les jours. Difficile pour tous les deux. Pas plus facile pour votre femme que pour vous, j'imagine.

Barnaby se sentit soudain ulcéré, comme si Hugh prenait le parti de Louise contre lui. Il réussit toutefois à se dominer.

— Non, ce n'est sûrement pas facile pour elle, marmonna-t-il.

Hugh lui lança un regard amusé.

— Vous ne le pensez pas vraiment. D'ailleurs, c'est normal, vous n'en auriez aucune raison. Je pense pourtant que je n'ai pas tort de croire que vous souffrez autant l'un que l'autre en ce moment. En tout cas, poursuivit-il en changeant de position, mon offre tient toujours. Prenez la maison quand vous voudrez, nous n'avons pas de projets particuliers pour y aller cet été.

— Merci, dit Barnaby.

Il aurait voulu se confier davantage à Hugh, lui demander des conseils, lui expliquer pourquoi il se sentait trahi, lui décrire la colère et la douleur qu'il éprouvait, mais il n'avait jamais extériorisé ses sentiments qu'en présence de Louise. La pudeur le retint et il se borna à répéter « merci » d'une voix un peu altérée. Puis il ferma les yeux et s'apprêta à subir l'assaut de ses pensées et l'inévitable angoisse qu'elles provoquaient.

Malgré elle, Louise était en plein soleil pendant qu'Amelia et Katie s'ébattaient dans l'eau. Chaque fois que leur mère voulait s'éloigner, elles la rappelaient pour la supplier d'assister à un nouvel exploit. De sa place, elle voyait Barnaby et Hugh qui se parlaient en faisant parfois un geste dans sa direction. Elle sentait la fureur la gagner, car elle se doutait de ce que Hugh pensait d'elle. Les Delaney avaient toujours été les amis de son mari plutôt que les siens. Barnaby devait donc être en train de déverser ses lamentations dans des oreilles compatissantes.

— Dépêche-toi donc ! dit-elle d'un ton agacé à Katie qui sautillait sur le plongeoir.

Elle affectait de ne pas remarquer le regard de Hugh posé sur elle. À quoi pensait-il ? Sans doute ajoutait-il à la longue liste de ses défauts celui de passer ses nerfs sur un enfant innocent. Katie se retourna, étonnée du ton de sa mère.

— Je fais juste des assouplissements ! expliqua la fillette.

— Oui, dépêche-toi ! intervint Amelia qui attendait derrière elle. Ça prend toujours des heures avec toi.

— Ça ne prend pas des heures !

— Si ! Tu n'es qu'une traînarde.

— Maman ! Elle me traite de traînarde !

— C'est vrai, vas-y, l'encouragea Louise.

— Mais oui, vas-y puisque maman te le dit ! renchérit sa sœur.

Katie ne bougea cependant pas du bout du plongeoir. Bouillant d'impatience, Amelia courut en tapant des pieds sur la planche et la fillette, effrayée, sauta en poussant un cri de détresse.

— C'est pas juste ! cria-t-elle quand elle refit surface.

Amelia ne lui laissa pas le temps d'en dire plus et

sauta derrière elle en provoquant un remous qui la submergea.

Ursula, qui passait à ce moment-là le long de la piscine, observa avec inquiétude les deux fillettes et s'approcha de leur mère.

— Je crois, ma chère amie, que vous devriez les calmer. Elles m'ont l'air un peu trop surexcitées.

Louise se retourna, excédée. De quoi se mêlait-elle ? Encore des critiques, encore des reproches ? La voilà qui passait non seulement pour une femme sans cœur et sans principes qui rejetait son pauvre mari, mais également pour une mère indigne qui ne surveillait pas ses enfants !

— Elles ne font rien de mal, elles s'amusent, répondit-elle sèchement en s'attendant à ce qu'Ursula ajoute une remarque déplacée sur le sort du pauvre Barnaby. Quelque chose comme : « C'est bien triste pour les enfants, votre séparation... »

Mais la vieille dame ne disait rien et continuait à regarder Katie.

— Bonjour, Katie ! lui lança-t-elle.

— Bonjour, madame Delaney ! Vous voulez voir Amelia nager entre mes jambes ? Elle le fait très bien, vous savez !

— Bonne idée, surveillez donc les filles, dit Louise avec ironie. Vous verrez, c'est follement amusant.

Et sans laisser à Ursula le temps de protester, elle tourna les talons et s'éloigna.

Meredith s'était assoupie sur son transat à côté d'Alexis. Un moment, le regard à l'abri de ses lunettes de soleil, il la contempla avec affection, allant de son visage hâlé à ses jambes longues et fines, de ses pieds nerveux à ses mains vigoureuses. Il s'y arrêta le temps de compter jusqu'à dix avant de tourner son regard, mais pas sa tête, vers la toute jeune fille au teint clair et au visage auréolé de mèches brunes.

Assise sur sa serviette, elle rejetait en arrière ses cheveux qui lui tenaient chaud et regardait autour d'elle avec appréhension. À cette heure de l'après-midi, le coin de la pelouse où elle se trouvait était en partie abrité par l'ombre d'un arbre, dont le feuillage projetait sur elle des formes qui jouaient sur sa peau claire. Elle finit par se lever en ajustant gauchement son maillot de bain et lança un regard timide à la famille assise non loin d'elle. Mais, quand le père leva les yeux vers elle d'un air interrogateur, elle se détourna en hâte.

Fasciné, Alexis la regarda marcher vers la piscine. Arrivée au bord, elle s'arrêta d'un air dubitatif, semblant se demander si elle avait vraiment le droit d'y entrer. Puis, avec la même lenteur hésitante, elle y trempa un pied. Un bref instant, son reflet se détacha sur l'eau bleue comme si son corps entier n'était qu'une longue jambe blanche.

— Daisy ! fit une voix de l'autre côté de la piscine.

En entendant son prénom, Daisy retira précipitamment son pied de l'eau d'un air coupable. Alexis chercha d'où venait la voix. Il reconnut sur un transat au milieu d'un groupe la femme du pasteur, en maillot de bain écarlate, qui faisait à la jeune fille des gestes amicaux et rassurants.

— L'eau est délicieuse ! Baignez-vous bien et venez ensuite bavarder avec nous !

Alexis tourna de nouveau les yeux vers la jeune fille. Daisy, elle s'appelait Daisy... Un sourire timide apparut sur ses lèvres. L'homme sentit son cœur faire un bond inattendu dans sa poitrine quand il la vit plonger, ses longs cheveux formant comme un sillage derrière elle. Et il eut tout à coup envie de la revoir sourire – mais à lui, cette fois.

— Alors, Louise ? dit Sylvia Seddon-Wilson avec un sourire charmeur en tirant sur sa cigarette. Où est donc votre bel homme sexy ?

Louise fit un haussement d'épaules interrogateur.

— De qui parlez-vous ?

— Voyons ! s'esclaffa Sylvia. Vous ne pensez quand même pas que je pense à Barnaby !

Elle parlait volontairement un peu trop fort, d'une voix qui portait loin. Louise se crispa. Elle n'avait pas cherché à se mêler à la coterie de Sylvia, mais, après avoir ouvertement snobé Ursula, elle pouvait difficilement retourner s'asseoir à l'écart sans provoquer des commentaires désobligeants. Et puis, Sylvia était, sinon une amie intime, du moins une relation de longue date. De quelques années plus âgée qu'elle, l'absence de ses deux fils adolescents, pensionnaires, lui permettait de mener une vie agréablement oisive dans l'ancien presbytère – dont elle renouvelait la décoration aussi souvent que celle de sa propre personne – et d'observer d'un regard vigilant et critique les faits et gestes des habitants du village.

Louise lança un regard inquiet en direction de Barnaby, mais il était trop éloigné pour avoir entendu les propos de Sylvia.

— Non, je pense à votre délicieux chevalier servant, claironna cette dernière en feignant de ne pas remarquer que Louise devenait cramoisie. Cassian Brown. Le beau Cass ! Vous l'appelez bien Cass, n'est-ce pas ?

— Non, répondit sèchement Louise.

Elle avait décidément commis une erreur en rejoignant le groupe.

— Pour ma part, poursuivit Sylvia en s'étirant langoureusement dans son transat, je le trouve divin !

Sexy au possible. Ah, ses cheveux ! Il est italien, je crois ?

— En partie, marmonna Louise.

Elle aurait dû tenter de protester, au moins pour corriger les insinuations de Sylvia, mais que pouvait-elle dire ? Que se passait-il réellement entre Cassian et elle ? Elle-même n'était pas sûre de la réponse. Et, tout en s'efforçant de définir en termes simples ses rapports avec lui, elle était consciente d'éprouver une certaine fierté devant les commentaires admiratifs de Sylvia et un désir, à peine esquissé, de voir Cassian et elle former un vrai couple évoluant dans des cercles plus prestigieux que la petite bourgeoisie provinciale dans laquelle elle stagnait.

Elle se détourna pour effacer de son champ de vision la silhouette culpabilisante de Barnaby et fit un grand sourire.

— Ses grands-parents étaient italiens, dit-elle d'un ton impliquant qu'elle connaissait la famille autant que l'homme lui-même.

— Ah, ces Italiens ! s'exclama Sylvia avec un frisson d'extase. Quels hommes ! À se pâmer !

— Pas du tout, voyons ! Ils sont abominables !

Louise reconnut Mary Tracey, une jeune femme toujours joviale, qui habitait non loin de chez elle et avait souvent été la baby-sitter d'Amelia et de Katie. Ruisselante, elle sortait de la piscine en portant un bébé dodu à la mine réjouie.

— Nous sommes allés une fois en vacances à Pise, poursuivit-elle. J'avais le derrière tout bleu d'avoir été pincé dans la rue par les Italiens ! Si au moins cela avait pu le faire un peu maigrir. Mais non, aucun résultat !

Louise pouffa.

— Je ne parlais pas des paysans d'un trou comme Pise, dit Sylvia, mais de jeunes et beaux avocats.

Mary lança un bref coup d'œil à Louise et sa mine parut s'assombrir. Cette dernière se détourna, gênée. La séparation des Kember avait bouleversé Mary, à peine revenue de la clinique où elle avait mis au monde son fils, Luke. Depuis, Louise avait la pénible impression que Mary lui en voulait, sans avoir pourquoi.

Le bébé commença à se tortiller. Mary le fit sauter sur ses genoux et il en profita pour lui attraper une mèche de cheveux.

— Aïe ! cria-t-elle. Lâche mes cheveux tout de suite !

— Vous devez être contente d'avoir dépassé ce stade, dit Sylvia à Louise.

Le bébé se tortillait de plus belle et lançait au petit bonheur des mains possessives. Louise le fixait d'un regard fasciné.

— Amelia et Katie n'ont jamais été aussi insupportables que ce gros tas de Luke. De vrais petits anges ! Tu ne peux pas être un peu comme elles ? ajouta-t-elle d'un ton faussement sévère au bébé qui, surpris, se mit à brailler. Je vais être obligée de lui donner sa tétée, soupira Mary en se levant. À tout à l'heure.

Pendant qu'elle s'éloignait, Sylvia alluma nerveusement une autre cigarette, sortit son poudrier et se regarda dans le miroir avec complaisance.

— En tout cas, déclara-t-elle une fois son examen terminé, il faut absolument que vous veniez dîner à la maison un de ces soirs. Avec le beau Cassian, bien sûr.

— Volontiers, répondit Louise sans conviction.

Elle ferma les yeux et essaya de s'imaginer à un dîner du village accompagnée de Cassian dans le rôle d'amant officiel ou de prétendant en titre. Le dîner du barreau, une quinzaine de jours auparavant, ne lui avait pas posé problème. Il avait eu lieu à Londres, personne n'était au courant ni ne se souciait des rapports qu'ils pouvaient entretenir. Elle y était venue en simple invitée. Elle avait mangé de bon appétit une excellente cuisine, écouté les discours des intervenants, participé au débat qui avait suivi, et même contredit un collègue de Cassian sur une question de politique générale qu'il interprétait de travers. Dans l'ensemble, ç'avait été une merveilleuse soirée qui lui laissait un bon souvenir. Mais celle-ci s'était passée à Londres, pas à Melbrook, au su de Barnaby et de tout le village. Les événements qui se déroulaient ici, y compris les réceptions privées, nourrissaient des commentaires sans fin. S'afficher en public avec Cassian serait à tout le moins gênant, au pire scandaleux. Sylvia devrait le savoir, pensa Louise. Mais en voyant le petit sourire ironique au coin de ses lèvres, elle comprit que cette dernière le savait effectivement.

Quand Meredith se réveilla, un nuage cachait le soleil et le transat à côté d'elle était vide. Alexis a dû aller se dégourdir les jambes, se dit-elle en se soulevant sur un coude et en clignant des yeux. L'ombre inattendue du nuage obscurcissait la scène et faisait paraître glaciale l'eau de la piscine. Les têtes des nageurs avaient l'air de bouchons flottant au gré des remous, et les criailleries des enfants, plus aiguës qu'avant, retentissaient comme des appels de détresse.

Le soleil revint peu à peu. Meredith se redressa sur le transat, s'assit en tailleur, s'étira voluptueusement avec des gestes de félin – et s'interrompit brusquement en voyant Alexis dans l'eau, lui qui se vantait presque de ne pas savoir nager ! Elle écarquilla les yeux, regarda. Les cheveux mouillés, il faisait des efforts visibles pour avoir l'air de nager, mais il souriait. À quelqu'un.

La jeune femme se recoucha et remit ses lunettes noires en se couvrant de reproches de vouloir épier son ami de cette manière. Mais il fallait qu'elle voie à qui il continuait de parler et de sourire. D'après le maillot de bain, il s'agissait d'une femme – Meredith ne la voyait que de dos. Elle passa rapidement en revue les femmes du village, qu'elle éliminait une à une d'un jugement éclair : trop vieille, trop chipie, trop mariée... L'inconnue se tourna enfin de profil et Meredith sursauta presque en éprouvant un soudain soulagement : ce n'était pas une femme mais une enfant, la gamine à peine pubère qui avait fait irruption dans sa chambre. Comment s'appelait-elle, déjà ? Ah oui, Daisy. Daisy Phillips.

Meredith se leva, s'approcha de la piscine et plongea.

— Salut, Alexis ! lança-t-elle en émergeant à côté de lui. Rebonjour, Daisy !

Alexis regarda Daisy avec étonnement :

— Vous connaissez Meredith ?

— Oui... Du moins, je ne connaissais pas son prénom. Veuillez m'en excuser, dit-elle en trébuchant quand elle voulut se retourner vers elle. Merci encore de m'avoir permis de me changer dans votre chambre.

À la fin de ce petit discours à demi bredouillé, Meredith leva les sourcils d'un air sarcastique en essayant d'accrocher le regard d'Alexis. Mais il dévisageait toujours Daisy, apparemment fasciné.

— Pas de problème ! répondit-elle avec désinvolture. Revenez-y quand vous voudrez.

Elle constata alors avec incrédulité qu'Alexis lui souriait comme s'il la remerciait. De quoi diable me remercierait-il ? se demanda-t-elle. Qu'est-ce que cette gamine représente pour lui ? Une fille adoptive ?

— Vous pourrez aller vous y changer à la fin de la journée, reprit-elle avec son sourire le plus amical pour faire bonne figure.

Daisy lui adressa un sourire plein de gratitude. Alors, comme un reflet dans le miroir, Alexis en fit autant. Qu'est-ce qui se passe entre ces deux-là ? Que signifie cette comédie ? eut envie de hurler Meredith. Si cela continue, je vais finir par demander à cette petite cruche de venir m'aider à faire une fournée de cookies…

— À plus tard, se borna-t-elle à dire sans cesser de sourire.

Et elle nagea souplement vers le bout du bassin, l'esprit agité de doutes et de questions.

Au cours de la demi-heure suivante, les nuages revinrent cacher le soleil sans paraître vouloir s'éloigner. Les gens qui lézardaient autour de la piscine commencèrent peu à peu à se lever, à s'étirer, à regarder leurs montres et à ramasser leurs affaires pour partir.

Pendant ce temps, manifestement insensibles au changement du temps, Amelia et Katie s'étaient approprié le plongeoir, l'aînée des sœurs pour s'entraîner à plonger en arrière et sa cadette en avant.

— L'année prochaine, à l'école, je ferai partie de l'équipe de plongeon, annonça fièrement Amelia qui se tenait au bout de la planche, le dos tourné vers la piscine.

Après avoir pris son élan, elle cambra le dos, sauta en arrière et pénétra dans l'eau les mains jointes, sans créer de remous.

— Moi aussi ! déclara Katie dès que la tête de sa sœur émergea. Regarde mon plongeon, il est super !

Elle sauta le plus haut qu'elle put et tendit les jambes avant de les replier pour tomber en boule.

— C'est pas un plongeon, ça ! dit Amelia avec dédain.

— Si ! protesta la petite en attrapant la margelle.

Remontée au bord, elle se précipita sur le plongeoir et s'exécuta de nouveau en se bouchant le nez d'une main.

— Tu ne sauras jamais plonger, même en avant ! ricana Amelia. Je vais te montrer comment on plonge en arrière !

— Je vais te montrer, moi, comment je plonge en arrière ! cria Katie. Je le ferai mieux que toi, tu verras !

Louise ramassait ses affaires et se préparait à partir quand Barnaby s'approcha d'un pas décidé.

— Je pensais emmener les filles dîner, dit-il sans préambule. Une pizza, elles aiment ça.

— Elles vont en classe demain matin. De toute façon, elles seront trop fatiguées pour veiller après avoir nagé toute la journée.

— Il n'est pas question de les faire veiller ! Il n'est que cinq heures de l'après-midi. Nous dînerons à six heures et je les ramènerai à sept heures au plus tard. Rien de plus facile.

— Non, ce n'est pas facile ! Il faudra que je les baigne avant de les coucher, que je vérifie leurs devoirs et sois sûre qu'elles seront en état de partir à l'heure demain matin.

— Enfin, bon sang, pour une fois, cette histoire d'école n'a pas d'importance !

— J'aurais dû m'attendre à ce genre de réaction de ta part, dit sèchement Louise en repliant une serviette d'un geste saccadé.

— Qu'est-ce que ça veut dire, ça ? gronda Barnaby.

— Maman ! Regarde ! hurla Katie sur le plongeoir.

— Une minute ! Cela veut dire ce que tu voudras, poursuivit-elle.

Un silence suivit, pendant lequel Amelia arriva en trottinant, ruisselante et tremblante de froid.

— Où est ma serviette ? demanda-t-elle.

— Amelia ! dit Barnaby sans tenir compte des regards furieux de Louise. Tu veux venir avec moi manger une pizza ?

— Une pizza, oh oui ! répondit-elle, ravie.

— Maman ! Amelia ! Regardez-moi, toutes les deux ! cria Katie.

Louise n'écoutait pas, trop occupée à fusiller son mari du regard.

— Barnaby ! Si tu continues à me contredire, je…

— Tu quoi ? tonna Barnaby, furieux. Qu'est-ce que tu comptes faire ?

— Amelia ! Maman ! Regardez-moi faire un plongeon en arrière !

L'appel de la fillette était si strident que, cette fois, ils tournèrent tous les trois leurs regards vers elle.

Le dos à la piscine, Katie sautait et rebondissait sur le plongeoir jusqu'à faire vibrer la planche. Puis, avec un regard de défi à Amelia, elle sauta en arrière dans la piscine.

La dernière voix que Louise fut en état d'entendre fut celle d'Amelia qui disait : « Elle n'a encore jamais plongé en arrière. » Ensuite, elle n'eut plus que la vision de Katie effectuant avec maladresse une trajectoire trop courte qui la dirigeait la tête la première sur le bout du plongeoir. Encore vibrante de l'élan pris par la fillette, la planche se détendit avec un claquement sec en frappant violemment Katie à la tête. Et, dans le silence qui suivit, il n'y eut plus que le bruit du petit corps inerte qui retombait dans l'eau.

5

En revenant de Londres en voiture, Cassian était fort satisfait de lui-même. Il venait de passer le plus clair du week-end à participer à des réunions avec un client du Moyen-Orient, l'un des plus importants de la firme, au bénéfice duquel avait été élaboré un règlement amiable se montant à près de huit cent mille livres. Une somme, devait-il admettre, presque insignifiante pour le client, mais qui représentait un triomphe d'habileté dans la négociation. Même s'il n'avait lui-même joué dans l'affaire qu'un rôle mineur, sa contribution n'était sûrement pas passée inaperçue de ceux qui comptaient.

Il se demandait s'il devait téléphoner à Desmond Pickering, chef du service des litiges au siège de Londres. Un simple coup de fil amical, juste pour s'assurer que Desmond avait bien noté sa participation à la négociation et que personne d'autre n'en revendiquait le mérite. Il pourrait proposer à Desmond de le retrouver au déjeuner à son prochain passage à Londres, ou même l'inviter à venir passer un week-end à Melbrook. Les Londoniens, savait-il depuis longtemps, adorent aller à la campagne quand ce n'est pas à plus d'une heure d'autoroute. Ils prendraient l'apéritif avec un bon vin blanc dans le jardin du joli cottage et parleraient affaires de manière décontractée, à l'écart des oreilles indiscrètes. Cassian lui ferait visiter les sites les plus pittoresques autour du village et même, pourquoi pas, lui présenterait Louise. Desmond en serait sûrement impressionné. L'honorable Louise Kember, fille unique de lord Page, pensez donc !

Kember… Cassian fronça les sourcils. Un patronyme aussi disgracieux que son titulaire, Barnaby. Pourquoi Louise conservait-elle le nom de ce rustre ? Et surtout, pourquoi diable l'avait-elle épousé ?

Il aimait se dire qu'il avait discerné le potentiel de la jeune femme avant même d'avoir appris sa filiation. Il avait immédiatement remarqué qu'elle étouffait, s'ennuyait et s'étiolait, faute de stimulation. Intelligente et cultivée comme elle était, on ne lui demandait rien de plus que s'occuper de ses enfants, de la vie étriquée du village et de son insupportable paysan de mari.

La silhouette de Barnaby se dessina brièvement dans sa mémoire, avec sa mine soupçonneuse, son expression obtuse, sa carrure de déménageur, ses grosses pattes calleuses – et ses godillots couverts de boue en permanence. Incapable d'articuler trois mots de suite, ce type ! Cassian n'avait pas oublié leur première rencontre au pot de bienvenue organisé par le pasteur. Il avait essayé de nouer avec lui une conversation intelligente et distrayante, il n'en avait tiré que des grognements ou des monosyllabes.

Louise, en revanche, avait été éblouissante de charme et d'esprit. Elle connaissait le monde entier, parlait des ministres en les appelant par leur prénom, de la cantine de la Chambre des communes avec la familiarité blasée d'une habituée. Cassian en avait eu le frisson. Un peu plus tard, après quelques verres de plus, elle lui avait raconté comment, une fois, alors qu'elle était seule à la maison, le Premier ministre avait téléphoné à son père, qu'elle avait cru à une blague et n'avait pas transmis le message.

Charmante idiote ! pensa-t-il avec un sourire attendri. Car il avait vite pris conscience que, sous son brillant vernis, Louise n'était pas aussi avertie des arcanes de la vie politique qu'elle avait aimé le croire. Elle avait tendance, avait-il observé, à suivre les ornières du raisonnement féminin, un travers agaçant qu'il avait souvent remarqué chez ses collègues femmes. Elles s'attachaient toutes à des détails sans importance, ramenaient de graves problèmes juridiques ou politiques à des dimensions anecdotiques, s'intéressaient plus aux personnes en cause qu'aux concepts et aux théories.

Quoi qu'il en soit, Louise ne manquait pas d'atouts. À l'aise dans le monde politique, elle connaissait de l'intérieur les rouages des partis, la vie publique et privée d'un député et, surtout, possédait l'expérience des campagnes électorales. Elle avait tout pour être l'épouse idéale d'un homme politique ambitieux...

À cette pensée, Cassian sentit son souffle s'accélérer et, en baissant les yeux, vit que ses mains s'étaient crispées sur le volant. Il se détendit, prit une profonde inspiration. Il ne fallait surtout pas risquer de gâcher ses chances par trop de précipitation. Il savait ce que tout le monde disait de lui, qu'il était un don Juan éhonté ayant détourné Louise de son honnête mari. Les gens devaient croire qu'ils avaient depuis le début une liaison torride, se dit-il avec un sourire ironique. Louise était jolie, certes, mais d'une fade beauté de jeune fille qui ne l'attirait pas le moins du monde. Mais cela importait peu du moment qu'elle serait pour lui une épouse présentable – et utile.

Il imaginait leur mariage à Londres, entourés d'une foule de personnalités du monde politique et du droit, avec, pourquoi pas, les deux fillettes comme demoiselles d'honneur, quand son téléphone sonna. Il le brancha sur les haut-parleurs, qui retentirent d'une voix jeune et angoissée.

— Cassian ? C'est Jamie.

Il fit une grimace agacée. Jamie était un des jeunes stagiaires du bureau de Linningford.

— Comment avez-vous eu ce numéro ? demanda-t-il sèchement.

— J'ai appelé votre secrétaire chez elle, bafouilla-t-il. Je suis désolé de vous déranger, mais c'est que…

— Que quoi ?

— Eh bien, j'ai cherché tout le week-end sans pouvoir trouver le dossier que vous vouliez et, euh… je me suis demandé si vous pouviez me donner quelques renseignements de plus sur…

— Quel dossier ? l'interrompit Cassian avec impatience.

— Celui pour préparer les conclusions sur l'affaire Simmons Ltd. Vous vouliez que je vérifie les détails…

— Vous ne l'avez pas encore fait ?

— Euh, non… Je voulais d'abord consulter le dossier et…

— Pas de mauvaises excuses, Jamie ! Cette affaire est urgente !

— Je sais, c'est pour cela que je cherchais le dossier. Je suis aux archives en ce moment même, mais vous ne m'avez pas donné beaucoup d'éléments pour…

— Tant pis pour vous ! Démerdez-vous comme vous voudrez, mais je veux voir le dossier et les conclusions sur mon bureau demain matin. Compris ?

— Compris.

— Et ne m'appelez plus jamais à ce numéro. Est-ce clair ?

— Oui, oui… Je suis vraiment désolé, Cassian, je…

Cassian avait déjà coupé la communication.

Il lui fallut un instant pour reprendre le fil de ses pensées. Peu à peu, une série d'images agréables lui revint en mémoire – des cheveux blonds, des yeux bleus, un rire cristallin, un père influent, un accès facile aux plus hautes sphères du pouvoir...

En arrivant à Melbrook, il décida d'aller directement chez Louise lui raconter son triomphe du week-end. Et puis, se dit-il en tournant dans sa rue, il serait peut-être temps de placer nos rapports sur un autre niveau. Le flot d'adrénaline du week-end ne s'était pas encore tout à fait dissipé et laissait en lui un sentiment de désir insatisfait. Il allait s'en débarrasser en commençant par coucher avec Louise, ce qui aurait au moins le mérite de mettre fin à l'ambiguïté qui planait sur leurs rapports réels. Ceux-ci restaient depuis trop longtemps quasi platoniques, bon sang ! Barnaby avait déguerpi depuis des mois, Louise était sûrement mûre pour faire l'amour et ne le repousserait pas.

Sourire aux lèvres, il traversa la pelouse d'un pas allègre et sonna en passant dans ses cheveux une main conquérante. Quand la porte s'ouvrit, souriant de plus belle, il fit un pas en avant pour donner un baiser à Louise – et se figea sur le seuil : ce n'était pas Louise qui lui ouvrait, mais Mary Tracey, son bébé dans les bras.

Cassian fronça les sourcils, décontenancé, et remarqua avec angoisse le visage et les yeux rouges de Mary, ses joues ruisselantes de larmes. Il est arrivé malheur à Louise, pensa-t-il aussitôt.

— Que se passe-t-il ? demanda-t-il.

Avec une grimace de chagrin, la jeune femme laissa échapper un sanglot.

— C'est Katie, parvint-elle à répondre avant de

verser un nouveau torrent de larmes. Elle a eu un accident.

Aux urgences de l'hôpital de Braybury, Barnaby tremblait au point de devoir se cramponner à la porte de la chambre. Là, à quelques pas de lui, Katie gisait inconsciente sur un lit avec une chose en plastique dans la bouche. Un faisceau de tubes et de fils électriques reliaient son corps à des écrans de contrôle et une machine monstrueuse était installée au-dessus d'elle. Quelqu'un lui avait expliqué qu'il s'agissait d'un appareil de radiographie et qu'il devait s'éloigner quelques instants du lit de sa fille pendant son fonctionnement. Louise avait eu le droit de rester avec une infirmière en se protégeant par un gilet doublé de plomb, mais tous les autres s'étaient écartés pour laisser Katie seule, comme un cadavre.

— J'ai fini !

La voix de l'opérateur résonna dans le silence et la machine commença lentement à reculer. Immédiatement, comme au signal de départ d'une course, les médecins et les infirmières se précipitèrent, chacun à son poste et prêt à agir. Seul Barnaby resta immobile, accroché au chambranle de la porte, paralysé par la peur et un sentiment d'impuissance, hors d'état de penser à ce qu'il pourrait faire, dire ou même ressentir. Les images du drame tournoyaient devant ses yeux, brouillées par des nuages de douleur et d'incrédulité.

Il avait été le premier à secourir l'enfant. Au milieu des cris, des appels et même des rires de ceux qui n'avaient rien vu ni rien compris, il était arrivé à la piscine en trois bonds et s'était jeté à l'eau dans un effort désespéré pour repêcher, avant qu'il ne coule au fond, le petit corps inerte de sa fille. En un instant, il avait réussi à la sortir de l'eau et à la coucher dans l'herbe. Elle n'avait pas eu le temps de se noyer, elle respirait faiblement, mais elle respirait. Autour d'elle s'élevait un concert de soupirs de soulagement mêlés de « Dieu soit loué ! ».

L'ambulance était arrivée peu après. Et c'est en voyant les secouristes maintenir la tête de Katie dans une sorte de cadre de bois, la coucher sur un brancard rigide et poser un masque à oxygène sur son visage, pendant que le chauffeur appelait l'hôpital pour demander que l'équipe d'urgence se tienne prête, que Barnaby s'était senti submerger par une vague de panique qui paraissait ne jamais vouloir refluer.

Aucun des ambulanciers ne lui avait souri ni lancé : « Rien de trop grave, cette petite demoiselle sera vite sur pied. » Ils avaient travaillé vite et avec efficacité dans un silence de plus en plus pesant. Heureusement, Louise avait réussi à conserver un peu de lucidité, assez en tout cas pour demander à Mary Tracey de s'occuper d'Amelia et parler à Katie d'un ton apaisant. Comme foudroyé, Barnaby était resté muet, pétrifié dans ses vêtements trempés qui gouttaient sur place, incapable même de voir clairement ce que faisaient les hommes en blanc qui emportaient sa fille.

Un seul parent pouvait monter dans l'ambulance, lui avaient-ils dit. Barnaby les avait regardés sans les voir, sans comprendre, sans répondre. Louise, livide, s'était tournée vers Hugh qui, avant même qu'elle le lui demande, avait proposé de conduire Barnaby à l'hôpital, juste derrière le véhicule de secours. Dès leur arrivée, les spécialistes s'étaient affairés sans perdre une seconde pendant que lui restait planté là, silencieux, ruisselant sur le carrelage, inconscient de tout ce qui n'était pas l'indicible terreur qui l'étreignait comme un étau.

Assise dans la cuisine de Louise, Mary Tracey tenait son bébé sur ses genoux en observant Cassian du coin de l'œil. Après l'avoir fait asseoir avec douceur, il était en train de lui préparer du thé. Appuyé au comptoir en attendant que la bouilloire chauffe, il lui paraissait très élégant, même en tenue décontractée de week-end. Mary détailla son teint hâlé, son épaisse chevelure brune, sa bouche sensuelle, ses dents blanches et dut s'avouer, en dépit de ses préjugés défavorables, qu'il était bel homme et plaisant à regarder.

Mary avait toujours eu de la sympathie pour les Kember. Quand les rumeurs sur leur mésentente avaient commencé à courir, elle avait refusé de les admettre, et quand la séparation avait eu lieu, elle avait été bouleversée. Si un couple aussi uni, aussi heureux en arrive à une telle extrémité, se disait-elle, quel espoir reste-t-il aux autres ?

Du fond du cœur, elle en faisait porter le blâme au seul Cassian Brown. S'il n'était pas arrivé au village, avait-elle décidé, rien de tout cela ne se serait produit. Ne l'ayant jamais rencontré personnellement, elle s'était fait de lui l'image d'un personnage foncièrement perverti, d'un débauché cynique choisissant ses proies parmi les innocentes femmes mariées. C'est son sang italien, pensait-elle. Probablement un complice de la mafia qui avait jeté son dévolu sur Louise pour l'avilir et l'entraîner dans une existence criminelle.

Maintenant qu'elle le voyait de près, elle commençait à réviser son jugement, tandis qu'il versait le thé dans deux tasses avec un sourire charmeur. Il n'a pas l'air aussi mauvais que je le croyais, se dit-elle à contrecœur. Il était très gentil avec elle, il l'avait écoutée attentivement lui raconter les circonstances de l'accident – et puis, il était si séduisant. Pas étonnant que Louise…

— Voulez-vous du sucre ? demanda-t-il.

Sa voix arracha Mary à ses réflexions.

— Euh, oui. S'il vous plaît.

Elle baissa les yeux vers Luke, essuya un filet de bave qui coulait sur son menton et se demanda de quoi elle avait l'air. Toute bouffie, chiffonnée, laide à faire peur... Sans transition, ses pensées revinrent à la petite Katie. Le cœur serré, elle changea de position sur sa chaise sans se sentir mieux. Elle se sentait presque coupable d'être assise là à ne rien faire.

— Je vais monter dans une minute apporter quelque chose à boire à Amelia et je lui demanderai ce qu'elle veut pour le dîner, la pauvre chérie.

— Je suppose que Louise voudra rester cette nuit à l'hôpital si les choses vont mal, dit Cassian.

Mary leva vers lui un regard angoissé.

— Vont mal ? Vous croyez que ?..., bredouilla-t-elle sans pouvoir en dire plus.

— Un traumatisme crânien n'est pas une plaisanterie, répondit-il sobrement. Tenez, buvez donc votre thé pendant qu'il est chaud.

— Merci.

L'homme lui inspirait soudain du respect. Il était encore jeune, bien sûr, mais c'était un professionnel qui savait beaucoup de choses et avait les réponses aux questions qu'elle se posait.

Mary but son thé à petites gorgées et sentit la chaleur se répandre dans son corps et lui redonner des forces. Cassian était resté debout pour boire le sien. Il parut soudain prendre une décision à laquelle il réfléchissait depuis un moment.

— Je crois que je vais aller l'hôpital. À moins que vous ne vouliez que je reste vous aider ? demanda-t-il avec un sourire interrogateur.

Mary ne put répondre que par un signe de tête négatif.

— Non, bien sûr, je comprends, enchaîna Cassian. Vous êtes tout à fait capable de vous en sortir toute seule. De mon côté, j'aimerais me rendre utile auprès de Louise.

— Dites-leur à tous les trois que je les aime. Surtout à Katie.

La voix de Mary se brisa. Elle sentit des picotements au nez et les larmes lui monter de nouveau aux yeux.

— Vous pouvez compter sur moi, répondit Cassian en remettant sa veste. Je ne manquerai pas de le leur dire.

Louise et Barnaby avaient été parqués dans une petite salle d'attente meublée de trois chaises au capiton beigeasse et d'un vase de fleurs en plastique sur une table. Livide, muet, chacun d'eux luttait de son côté contre les émotions qui le torturaient.

Les pensées de Louise tournaient dans sa tête en un cycle infernal. Elle revoyait en boucle Katie sauter sur le plongeoir en criant « Regardez-moi ! » avant de se jeter à l'eau. Elle entendait le claquement sec de la planche se détendant brutalement, le *plouf* de sa fille tombant dans l'eau, inerte, le hurlement d'horreur des témoins. Chaque image, chaque son lui fouaillaient le cœur comme un couteau avant de lui monter à la tête sans qu'elle puisse les arrêter. Les « si » désespérés et désespérants s'accumulaient comme autant de condamnations : *si* j'étais intervenue pour la calmer et l'empêcher de sauter, *si* je lui avais dit plus tôt de se préparer à partir, *si* j'avais défendu aux filles de monter sur le plongeoir, *si* Katie était allée à la pêche avec son père, *si* nous étions toutes les trois allées à la pêche. L'image de leur famille heureuse et insouciante dévorant une pizza revenait la hanter en lui apportant un illusoire soulagement, vite effacé par la froide réalité : le petit corps de Katie inconsciente, emprisonné dans un réseau de fils et de tubes. Et cette dernière image ramenait inéluctablement les premières, celle de Katie sur le plongeoir, celle de Katie se jetant à l'eau...

Elle était incapable d'échapper à ce cercle douloureusement, cruellement vicieux. Tapies dans les recoins les plus sombres de son esprit, des émotions monstrueuses et terrifiantes se tenaient prêtes à s'emparer d'elle, à la consumer jusqu'à l'anéantir. Aussi, pour le moment, essayait-elle de toutes ses forces de les refouler. L'esprit de Louise vagabondait trop vite, ne s'attardant pas assez longtemps sur une pensée pour que celle-ci ait le temps de se développer et de lui permettre d'en tirer des conclusions autres que hâtives.

Elle évitait même de poser les yeux sur Barnaby. Un seul mot, un seul regard de sa part aurait ouvert en grand la porte de la cage où ses émotions restaient enfermées. Si elle y succombait, elle ne serait plus bonne à rien ni à personne. Elle gardait donc les yeux baissés, le visage livide, tout entière absorbée par son combat intérieur, en attendant que les médecins arrivent, et en laissant les images du drame tournoyer de plus en plus vite dans sa tête.

Mary allait monter dans la chambre d'Amelia quand elle entendit frapper à la porte. Étonnée, elle alla ouvrir. C'était Cassian, qui venait pourtant de partir.

— Désolé de vous déranger, Mary, dit-il avec un sourire qui lui fit bondir le cœur.

— Pas du tout, répondit-elle, un peu haletante. Vous avez oublié quelque chose ?

— Pas vraiment. Je voulais juste préciser avec

vous un détail sans grande importance, dit-il d'un ton désinvolte accompagné d'un nouveau sourire. Quand l'accident est survenu, il y avait encore beaucoup de monde autour de la piscine, n'est-ce pas ? Des gens qui y ont assisté. Des témoins, si vous voulez.

Surprise, Mary remonta sur sa poitrine le bébé qui gigotait et risquait de glisser.

— Ah ? Euh... oui, sans doute. Il y avait encore beaucoup de monde. Presque tout le village, en fait. Mais ils ne regardaient pas tous la piscine quand c'est... Quand l'accident s'est produit.

— Bien sûr, bien sûr, se hâta de répondre Cassian en la voyant sur le point de fondre de nouveau en larmes. Voilà, c'est tout ce que je voulais savoir. Merci encore.

Déconcertée par sa curiosité, la jeune femme le suivit des yeux pendant qu'il retournait vers sa voiture d'un pas presque allègre.

Louise se leva d'un bond en entendant s'ouvrir la porte de la salle d'attente. Un jeune homme en blouse blanche, le nez chaussé de lunettes rondes, passa la tête par l'ouverture.

— Monsieur et madame Kember ? Michael Taylor. Je suis le médecin chargé de suivre Katie, dit-il en venant s'asseoir en face d'eux. Comme vous le savez, elle a subi un traumatisme sévère quand elle est tombée la tête la première sur le plongeoir. Nous avons maintenant les résultats de son scanner. Nous avons découvert, comme nous le soupçonnions, la présence d'un caillot de sang qui s'est formé sous la boîte crânienne et exerce une pression sur le cerveau de Katie. Je ne veux pas vous donner l'impression de vous bousculer, ajouta-t-il en regardant alternativement Louise et Barnaby, je sais qu'une telle décision est difficile à prendre. Mais nous devons retirer ce caillot de sang le plus vite possible si nous voulons accroître les chances de guérison de votre fille.

Il y eut un silence. Barnaby se détourna. Louise regarda le médecin dans les yeux.

— Vous voulez dire… la trépaner ?

Sa voix se brisa.

— Cela peut vous paraître effrayant, répondit le médecin d'un ton rassurant, mais c'est en réalité une opération assez simple et couramment pratiquée. Il faut donner au cerveau le maximum de chances de se remettre du choc. Nous aimerions l'emmener au bloc opératoire le plus tôt possible.

Louise entendait le bruit de sa propre respiration, soudain haletante, en se demandant si elle n'était pas la proie d'une hallucination. Ce fut finalement Barnaby qui brisa le silence.

— Sera-t-elle… Est-ce qu'elle récupérera ? demanda-t-il d'une voix rauque.

— Il y a de fortes chances, une fois éliminée la pression que le caillot exerce sur son cerveau, pour que Katie récupère normalement. Cependant, reprit-il après avoir marqué une pause, n'oubliez pas que son cerveau a subi de graves dommages non seulement à cause du choc, mais aussi du manque d'oxygène pendant que votre fille a été immergée. Elle n'est pas restée sous l'eau plus de quelques secondes, n'est-ce pas ?

— Je suis allé la repêcher aussi vite que j'ai pu. Combien de secondes, je ne sais pas.

— Eh bien, vous lui avez sans doute évité de sérieuses lésions.

— Mais vous n'êtes sûr de rien ? intervint Louise.

— Non, nous n'avons pas de certitudes, je le crains. Du moins, pas encore. Après l'opération, nous y verrons plus clair, répondit le Dr Taylor en consultant son dossier. Nous avons déjà noté plusieurs facteurs encourageants. Il n'y pas de paralysie, même partielle, la moelle épinière paraît intacte et le volume du caillot moins important que nous aurions pu le craindre. Mais, jusqu'à ce que Katie reprenne connaissance, nous ne pouvons pas savoir avec précision l'étendue et la nature des lésions qu'elle a subies, ni même si elle en a subi.

— Et dans combien de temps le saurez-vous ? demanda Louise en se dominant de son mieux.

— Je ne peux encore rien vous dire de précis, madame. Mais je vois que vous tremblez. Voulez-vous qu'une infirmière vous apporte quelque chose de chaud ? Une tasse de thé ?

— Non, merci. Je voudrais voir Katie avant l'opération.

— Bien sûr. Avez-vous d'autres questions ?

Avant que Louise ou Barnaby ait pu répondre, on frappa à la porte et une infirmière passa la tête par l'ouverture.

— Excusez-moi. Un M. Cassian Brown est là. Il dit qu'il ne veut pas vous déranger, mais il a apporté des vêtements de rechange et des sels de bain pour Mme Kember. Il pensait que si vous deviez rester assez longtemps ici, vous aimeriez prendre un bain.

— Bonne idée, dit le médecin. Pendant que Katie sera au bloc opératoire, une infirmière vous conduira à une chambre avec une baignoire. Vous pourrez vous reposer et vous rafraîchir jusqu'à ce que l'opération de votre fille soit terminée. Vous pouvez vous en occuper, Sandra ? ajouta-t-il en s'adressant à l'infirmière.

— Bien sûr, docteur. Dites-moi simplement quand vous serez prête, dit-elle à Louise. Je vous ferai couler un bon bain chaud.

Louise leva les yeux vers le visage compatissant

de l'infirmière et, sans pouvoir se retenir, lâcha un sanglot déchirant, aussitôt suivi d'un torrent de larmes.

— Vous êtes très gentille, parvint-elle à articuler avant de donner de nouveau libre cours à ses larmes.

Le médecin et l'infirmière échangèrent un regard.

— Je dois vous quitter, dit-il, mais Sandra s'occupera bien de vous. Sandra, reprit-il en se dirigeant avec cette dernière vers la porte, ils voudraient voir Katie avant qu'elle aille au bloc opératoire.

— C'est tout naturel.

L'infirmière revint sur ses pas, s'assit à côté de Louise et lui tendit une boîte de mouchoirs en papier.

— Merci...

Un instant, Louise parut se ressaisir. Elle se redressa, s'essuya les yeux. Mais à peine eut-elle fini que ses larmes se remirent à couler et les sanglots à la secouer.

— Je sais, je comprends ce que vous ressentez, lui dit Sandra en la serrant contre elle d'un bras protecteur.

Louise enfouit son visage au creux de son épaule et continua à pleurer de plus belle. Barnaby regardait devant lui sans rien voir, paralysé par la douleur, la peur et une rage impuissante. Tout le monde paraissait capable de se rendre utile – sauf lui. Une infirmière inconnue réconfortait Louise, des médecins et des chirurgiens qu'il n'avait jamais vus allaient opérer sa fille, quelqu'un d'autre avait pensé à apporter des vêtements et des sels de bain. L'image de l'expression satisfaite de Cassian passa brièvement devant ses yeux, accompagnée d'une amère bouffée de ressentiment chargée d'envie et de soupçons. Pourquoi fallait-il que ce soit Cassian qui apporte le nécessaire ? Que venait-il faire à l'hôpital ? Et de quel droit se mêlait-il de ce qui ne le regardait pas ?

Écrasé par le poids du désespoir, Barnaby se courba jusqu'à ce que sa tête repose sur ses genoux et que sa vision se limite au tissu beige de sa chaise. Mais même cela était trop pour lui. Il ferma les yeux, n'entendit plus que les sanglots étouffés de Louise. Et, contre toute logique et toute raison, il en arriva à souhaiter de pouvoir remonter le temps, et recommencer sa journée depuis le début.

6

Le lendemain matin, à la fin d'un mauvais rêve concernant Simon et dont le souvenir la fuyait sans qu'elle puisse le retenir, Meredith se réveilla tard avec un sentiment de malaise. Elle se leva péniblement, ouvrit les rideaux sur une nouvelle journée radieusement ensoleillée, puis se regarda dans la glace. Elle avait le visage pâle, bouffi et marqué d'un côté par un sillon rouge, imprimé par la couture de sa chemise de nuit. Comme une cicatrice, se dit-elle sombrement. Tout lui revint alors en un éclair : l'accident, l'ambulance, les heures interminables pendant lesquelles elle s'était épuisée à persuader les gens de rentrer chez eux, à répondre au téléphone, à éconduire les curieux qui avaient entendu des versions fantaisistes de l'accident. Hugh, Ursula et elle ne s'étaient pas couchés avant minuit, quand on leur avait enfin téléphoné pour leur dire que l'opération s'était bien déroulée, mais que Katie était encore dans le coma.

Rapides comme des flashes, des images d'infirmières, de chambre d'hôpital et de machines barbares avaient défilé devant elle. Simon n'était resté hospitalisé que trente-six heures avant de mourir, mais cette courte période avait pris dans l'esprit de Meredith les proportions d'une vie entière passée au chevet de son mari à lui parler, à lui tenir la main, à lutter contre les démons de la peur et du défaitisme. À faire des efforts surhumains pour garder un ton calme, apaisant, optimiste, juste pour le cas où il l'entendrait. Mais elle ne saurait jamais s'il avait pu sentir, dans ce qu'elle lui avait dit, tout l'amour, le respect et toute la foi en lui qu'elle avait cherché à lui transmettre.

Ils avaient débranché ses machines de survie au petit matin, et elle était restée là de longues secondes à le fixer d'un regard désespéré en croyant que, si elle y mettait toute sa volonté, il allait rouvrir les yeux et se réveiller. Bien entendu, il ne l'avait pas fait ni ne le ferait jamais. Peut-être, se dit-elle la gorge soudain nouée par l'appréhension, que la petite Katie ne le fera pas non plus.

Elle s'habilla en hâte, ouvrit la porte de sa chambre. Du rez-de-chaussée montaient les voix de Hugh, d'Ursula, de Frances Mold, ainsi qu'une voix d'homme qui ressemblait à celle d'Alexis. Son humeur s'améliora malgré elle et, un instant, elle fut sur le point de refermer sa porte, de changer de tenue et de vérifier son aspect dans la glace, mais le sens des priorités la rappela à l'ordre. Ce n'était pas le moment de penser à elle-même.

Elle trouva Hugh et Ursula dans la cuisine, pièce spacieuse et ensoleillée aux murs peints d'un jaune lumineux, au milieu de laquelle trônait une grande table de chêne. Les restes du petit déjeuner étaient entassés à un bout de la table et, à l'autre, Alexis buvait du café, la mine soucieuse. Attifée d'une robe à fleurs sur fond beige qui ne lui allait pas du tout, Frances avait elle aussi une expression inquiète.

Meredith les regarda à tour de rôle d'un air interrogateur.

— Vous avez des nouvelles ?

— Elle est encore dans le coma, répondit Frances.

— Mon Dieu...

Meredith se laissa tomber sur une chaise et se versa du café.

— Je me sens tellement... inutile, dit Hugh avec tristesse.

— Rien que d'y penser, ça me donne le frisson, dit Ursula. Pauvre Louise. Pauvre Barnaby...

— Pauvre Katie, ajouta Meredith d'un air sombre. Les médecins ne peuvent pas donner de pronostic ? demanda-t-elle à Frances.

— Non, je ne crois pas. Ils attendent sans doute que Katie reprenne connaissance.

— Attendre..., soupira la jeune femme. C'est pire que tout ! Rester assis sans rien pouvoir faire...

Un silence suivit, si profond qu'on n'entendit plus que le tic-tac régulier de l'horloge du vestibule.

— En fait, dit Frances au bout d'un moment, il y aurait quelque chose à faire, si vous le voulez bien. Alan tiendra ce soir à six heures un service de prières pour Katie. Nous pensons que beaucoup de gens voudront venir et qu'il faudra donc mettre des chaises supplémentaires au temple. Je me demandais si vous pouviez nous aider à les transporter. En en prenant quelques-unes chacun, ce ne sera pas très long.

— Bien sûr que nous vous aiderons, dit Hugh. C'est la moindre des choses. Pensez-vous que Louise et Barnaby viendront au service ?

— Franchement, je n'en sais rien, répondit Frances. Cela dépendra de ce qui se passera...

Il y eut un nouveau silence.

— Bon, fit Meredith en reposant sa tasse de café, allons-y.

— Mais non, protesta Frances, je ne veux pas vous bousculer. Finissez d'abord votre petit déjeuner.

— Non, je ne déjeunerai pas.

— Se priver de manger n'aidera en rien la petite Katie, dit Alexis d'un ton grave.

— Je sais, répliqua Meredith avec impatience. Je sais que cela ne sert à rien, mais… j'aurais l'impression de me déshonorer en restant manger tranquillement pendant que…

Elle laissa sa phrase en suspens.

— Voyons, Meredith ! intervint sa belle-mère avec une sollicitude inquiète. Il ne faut pas vous laisser mourir de faim.

— Je ne vais pas me laisser mourir de faim. Vous comprenez quand même ce que j'ai voulu dire, ajouta-t-elle en regardant Alexis.

— Oui, dit-il après une pause. Je comprends parfaitement.

Une fois les autres partis pour l'église, Ursula débarrassa la table du petit déjeuner en empilant les tasses et les assiettes en un équilibre précaire à côté de l'évier. Malgré ce que Meredith lui avait maintes fois répété, elle ne croyait pas qu'ils en salissaient assez à eux trois pour justifier l'utilisation du lave-vaisselle. Elle s'en tenait donc à ses habitudes bien établies consistant, après chaque repas, à mettre des gants de caoutchouc et à faire mine de laver la vaisselle que Meredith empoignait dans l'évier pour la fourrer dans la machine. Aujourd'hui, cependant, Meredith n'était pas là pour l'empêcher de faire à sa guise. C'est pourquoi Ursula put enfin astiquer chaque tasse et chaque assiette à la main, les rincer pour en chasser la mousse et examiner dans le soleil leur surface brillante de propreté. Le processus était lent, mais elle avait eu le temps d'en achever le plus gros quand elle fut interrompue dans sa tâche par un bruit de pas sur le gravier.

Elle crut d'abord que les autres revenaient déjà de

l'église, mais elle n'entendait les pas que d'une seule personne. Et ces pas, au lieu de se diriger comme d'habitude vers la porte de derrière, s'arrêtaient, hésitaient, repartaient, revenaient. Ursula posa la tasse qu'elle était en train d'essuyer, enleva son tablier, rajusta d'une main sa coiffure et sortit. Le visiteur inattendu était sans doute quelqu'un du village venu prendre des nouvelles de Katie.

En arrivant au niveau de la façade, Ursula s'arrêta, surprise. Devant elle, la tête levée en train d'examiner la maison de haut en bas, se tenait le jeune homme brun que tout le monde accusait d'avoir brisé le ménage des Kember. Comment s'appelait-il, déjà ? Quelques noms lui vinrent à l'esprit, mais aucun ne semblait correspondre.

— Bonjour, monsieur, lança timidement Ursula.

Le jeune homme sursauta mais reprit aussitôt contenance et s'approcha, sourire aux lèvres et la main tendue.

— Bonjour, madame Delaney. Je ne sais pas si vous vous souvenez de moi, Cassian Brown.

— Mais oui, bien sûr ! s'exclama Ursula. Le prince Caspian.

— Non, répondit-il, Cassian. Et je suis loin d'être un prince.

— Excusez-moi, dit Ursula en rougissant. Je pensais à un livre de C. S. Lewis, *L'Odyssée du passeur d'aurore*, vous connaissez peut-être ? Le nom du héros n'est pas tout à fait le même, bien sûr, mais...

Incapable de déchiffrer l'expression de son visiteur, elle laissa sa phrase en suspens. Cassian attendit qu'elle eut fini de parler avant de lui accorder un bref sourire.

— Non, je ne le connais pas. Je me demandais si vous pouviez m'autoriser à jeter un coup d'œil à la piscine où Katie a eu son accident hier. Comme je n'y étais pas, j'aimerais me rendre compte par moi-même.

L'expression de bienvenue d'Ursula fit place au chagrin.

— Bien sûr. Pauvre Katie ! Savez-vous comment ?...

— Je crains qu'elle n'ait pas repris connaissance, l'interrompit Cassian en se dirigeant d'une allure déterminée vers l'arrière de la maison.

Mme Delaney lui emboîta le pas. Elle pensait sans savoir pourquoi que ce n'était pas tout à fait normal.

En arrivant à la piscine, Cassian alla droit au plongeoir.

— C'est ici qu'elle a glissé, n'est-ce pas ?

— Oui. Enfin... cet endroit m'est devenu très pénible, vous savez... En fait, j'ignore si elle a glissé ou...

Cassian n'écoutait pas. Il s'était penché et tâtait d'une main la surface de la planche.

— De quand date cette piscine ?

— Je ne sais pas vraiment... Elle était déjà là quand nous nous sommes installés il y a plus de vingt ans.

— Le plongeoir aussi ?

— Eh bien... oui, répondit-elle en frissonnant. Je voudrais me débarrasser de cette chose horrible et dangereuse.

Cassian se redressa, la fixa des yeux.

— Vous avez dit dangereuse ? Pourquoi ?

Ursula prit une mine effarée.

— Voyons, cher monsieur, Katie a eu son accident en essayant de plonger. Il y a beaucoup d'accidents, même chez les plongeurs professionnels, vous savez.

— Oui, je sais, mais vous venez de me dire que cette planche-ci était dangereuse. Pourquoi l'est-elle, selon vous ?

— Je ne sais pas, dit la vieille dame, désemparée.

Je ne la crois pas plus dangereuse que d'autres. Elles le sont toutes.

Cassian abandonna le sujet et regarda autour de lui.

— Vous rappelez-vous combien de personnes sont venues ici hier ? demanda-t-il comme s'il n'y attachait pas d'importance.

— Je pense… Une centaine, environ. Je pourrai vous le dire plus précisément quand nous aurons fait le compte des donations, mais nous n'en avons pas encore eu le temps. Cette comptabilité ne nous paraissait pas urgente. Je veux dire, nous a paru… déplacée…

Elle s'interrompit, porta une main à sa bouche en laissant échapper un léger cri.

— Mais oui, bien sûr, cet argent doit servir à Katie ! Nous lancerons aussi une collecte. Nous commencerons ce soir même à l'église.

Elle quêta en vain un signe d'approbation, mais Cassian paraissait ne pas avoir écouté.

— Qui surveillait les enfants ? demanda-t-il.

— Personne en particulier, mais ils étaient tous venus avec leurs parents et il y avait toujours au moins une grande personne près de la piscine. Louise a longtemps surveillé Katie et Amelia, je m'en souviens. Ensuite, je l'ai relayée un moment.

Elle leva les yeux vers lui sans pouvoir retenir ses larmes.

— Tout cela me bouleverse, vous savez, reprit-elle. Voulez-vous que nous rentrions plutôt à l'intérieur ? Je vous offrirai du café, si vous voulez. Les autres devraient bientôt revenir, vous pourrez leur parler. J'imagine que vous êtes vous aussi très affecté par ce drame.

Quand Meredith et Alexis revinrent à la maison, ils trouvèrent la cuisine vide et la porte ouverte.

— Où donc a bien pu passer ?..., commença Meredith.

Ils entendirent alors dans le jardin la voix d'Ursula qui disait :

— Ah ! Je crois que c'est eux qui reviennent.

Puis elle apparut sur le seuil, les joues un peu rouges. Meredith ouvrait la bouche pour parler, mais elle s'arrêta net en découvrant, derrière Ursula, la présence inattendue de Cassian Brown, en élégant complet à la dernière mode, une lourde serviette de cuir noir à la main. Son premier mouvement fut de l'apostropher en lui demandant ce que diable il était venu faire ici, mais elle se domina et fit un pas vers lui, sourire aux lèvres. Le jeune homme le lui rendit et salua Alexis d'un signe de tête, avec une courtoisie déférente que Meredith jugea trop obséquieuse.

— Bonjour, lui dit-elle. Nous nous sommes déjà rencontrés, je crois. Je suis Meredith.

— Je m'en souviens très bien, vous êtes artiste peintre.

Malgré elle, Meredith se sentit fascinée par le magnétisme de ses yeux noirs ; elle fit l'effort de s'en détourner et termina les présentations :

— Notre ami Alexis Faraday. Avez-vous des nouvelles de Katie ? enchaîna-t-elle. C'est pour cela que vous êtes venu, je pense ?

— Cassian voulait juste jeter un coup d'œil à la piscine, intervint Ursula pendant que celui-ci faisait avec gravité un signe de dénégation.

— Je ne veux pas vous retenir plus longtemps, dit-il. Merci infiniment de votre accueil.

Il tendit la main à la vieille dame, qui hésita avant de la prendre et esquissa un sourire, tel un lapin paralysé de terreur devant un boa constrictor. Meredith lança à Cassian un regard chargé de méfiance en éprouvant soudain le désir de protéger Ursula. Mais contre quoi ? Un homme jeune et trop séduisant ?

Ils suivirent tous Cassian des yeux pendant qu'il sortait par la porte de la cuisine et écoutèrent en silence ses pas décroître sur le gravier. Quand le bruit cessa, Ursula parut se ranimer.

— J'ai eu une idée ! Nous devrions remettre les donations d'hier à Katie et lancer une collecte.

— Bonne idée, dit Meredith distraitement. Que voulait-il au juste, ce Cassian ?

— Voir l'endroit où Katie a eu son accident. Enfin, ajouta-t-elle en fronçant les sourcils, quelque chose comme cela.

— Qui est-ce donc, ce type ? demanda Alexis. Je suis sûr de l'avoir déjà vu quelque part.

— C'est l'amant de Louise Kember, l'informa Meredith.

— Voyons, Meredith ! la reprit gentiment Ursula.

— Pourquoi l'ai-je reconnu ? insista Alexis. L'ai-je déjà rencontré ?

— Il est avocat, répondit Meredith. Peut-être fréquentez-vous les mêmes endroits.

— Avocat ? dit son ami dont l'expression s'assombrit. Vous a-t-il expliqué pourquoi il voulait voir la piscine, Ursula ?

— Non, pas vraiment. Il m'a juste dit qu'il voulait y jeter un coup d'œil parce qu'il n'était pas venu hier. J'ai pensé qu'il devait être très ému par l'accident.

— Il ne m'a pas paru ému du tout, commenta Meredith. Il avait plutôt l'air…

— Vous ne lui avez rien dit, j'espère, Ursula ? l'interrompit Alexis. Vous ne lui avez pas parlé de l'accident ?

— Non. Enfin, si… Que voulez-vous dire ?

demanda-t-elle en regardant à tour de rôle Meredith et Alexis d'un air étonné. Y a-t-il un problème ?

— Non, aucun. Du moins, je l'espère.

Un peu plus tard, en montant dans sa chambre, Meredith entendit une présence dans le cabinet de travail de Hugh. Une voix étouffée poussa un juron. Intriguée, elle ouvrit la porte et découvrit Alexis, devant un tiroir ouvert du bureau, qui lisait une sorte de brochure.

— Quelque chose ne va pas ? demanda-t-elle d'un ton léger. Hugh vous doit de l'argent ?

L'homme se retourna, fit à Meredith un sourire contraint et remit la brochure dans le tiroir qu'il referma en hâte.

— Non, tout va bien, répondit-il sans conviction.

— Il y a un problème, je le sens, insista Meredith. De quoi s'agit-il, Alexis ? Les affaires de Hugh vont mal ?

— Non, sincèrement, tout va bien. Je voulais juste vérifier quelque chose. Et maintenant, dit-il en se dirigeant vers la porte, je boirais volontiers une tasse de ce café bien fort dont vous avez le secret. Cela me mettra en forme pour toute la journée.

Avec un sourire irrésistible, il la prit par le bras. À son contact, la jeune femme eut un petit frisson de plaisir. Pourtant, même en descendant l'escalier, quand elle se vit serrée contre lui dans le miroir du palier, elle ne put chasser une inexplicable sensation d'anxiété qui l'envahissait peu à peu.

Cassian arriva à l'hôpital à quatre heures de l'après-midi. Il avait passé une bonne partie de la journée à flâner entre l'épicerie, la poste et l'église. Il avait ainsi parlé à une vingtaine de personnes, dont il notait soigneusement les noms à la fin de leur conversation.

Il adopta une mine grave en entrant aux soins intensifs où avait été installée Katie et regarda rapidement autour de lui. La petite salle ne comportait que quatre lits, séparés en partie par des rideaux à fleurs. De l'un d'eux, complètement isolé, émanaient de petits gémissements de douleur et des murmures. Un bol de quelque chose à la main, une infirmière sortit de l'espace clos en repoussant le rideau. Cassian s'avança dans la salle.

— Cassian ! le héla une voix altérée.

Il reconnut celle de Louise, assise au chevet de sa fille.

— Louise, répondit-il en prenant un ton compatissant.

Elle lui parut affreuse et vieillie de dix ans. Pâle, les traits tirés, les yeux rouges et bouffis par les larmes, elle se tordait nerveusement les mains. Mais, quand il baissa les yeux vers Katie, Cassian sentit son estomac se nouer. Le crâne de la fillette était presque entièrement rasé, son visage masqué par les méandres d'un gros tube, et une forêt de fils la reliaient à un écran sur lequel dansaient des lignes verdâtres. Au mur, à côté de son lit métallique, un graphique affichait la courbe d'une « échelle de coma » – il ignorait que le coma était mesurable par une échelle comme celle de Richter mesure les séismes ! – qui restait presque horizontale et d'une valeur apparemment basse.

— Comment va-t-elle ? demanda-t-il à mi-voix.

— Elle est toujours dans le coma, mais pas aussi profond qu'avant l'opération. Le caillot de sang a été éliminé, elle a passé un scanner cet après-midi et aucun nouveau caillot ne s'est formé. Les médecins sont satisfaits de l'évolution. Cela aurait pu être pire, dit-elle en levant vers Cassian un regard implorant comme pour se rassurer elle-même.

Ce dernier baissa de nouveau les yeux vers Katie et ne put réprimer un léger frisson.

— Pourrions-nous aller boire un café ? Il doit bien y avoir une cantine ou une cafétéria dans cet hôpital.

Surchauffés, peints de couleurs pastel, les couloirs de l'hôpital rappelaient à Cassian ceux des stations-service d'autoroute. Son impression fut renforcée quand on leur donna, en plus de leurs cafés, un questionnaire sur leur opinion au sujet du décor, du service et de la qualité du menu.

Louise trempa les lèvres dans sa tasse en faisant une grimace.

— J'ai déjà bu trop de café aujourd'hui. Je ne fais rien d'autre, boire du café et rester au chevet de Katie. Je lui parle sans arrêt, je lui chante des chansons, je lui frictionne les pieds, mais cela ne sert à rien. Elle peut rester des semaines dans le coma. Des mois, qui sait ? Et si elle n'en sortait jamais ?

Cassian la fixa un instant sans mot dire, prit sa tasse qu'il posa sur la table et serra ses mains entre les siennes.

— Vous ne devez pas penser à ce genre de chose. Il faut n'avoir que des pensées positives. Elle peut se réveiller d'un moment à l'autre.

— Je sais, mais...

— D'un autre côté, on ne peut pas nier les faits. Katie a été grièvement blessée. Nous ignorons quand et jusqu'à quel point elle se rétablira. Je suis convaincu, poursuivit-il en serrant plus fort les mains de Louise, que c'est à vous, à Barnaby et même un peu à moi qu'il appartient de faire tout notre possible pour Katie. Quoi que cela implique.

La jeune femme eut un regard à la fois inquiet et déconcerté.

— Mais... nous faisons déjà tout ce que nous pouvons. Barnaby viendra dès qu'il aura quitté son travail et nous irons ensemble au service religieux que le pasteur tiendra à l'église. Les médecins disent que nous ne pouvons rien faire de plus qu'attendre. Une des infirmières m'a dit aussi que l'organisme de Katie s'est plongé de lui-même dans le coma parce qu'il a besoin d'un bon repos et que tout se remettra en ordre pendant son sommeil.

Des larmes perlaient aux coins des yeux de Louise à mesure qu'elle parlait.

— Bien sûr, bien sûr, dit Cassian d'un ton conciliant en ouvrant discrètement sa serviette de cuir posée devant lui sur la table. Ils ont certainement raison les uns et les autres, mais nous pouvons faire bien davantage de notre côté. J'ai fait quelques recherches sur cet accident. Je ne veux pas vous troubler, mais il me semble que quelqu'un, d'une manière ou d'une autre, a fait preuve de négligence.

À ces mots, Louise se figea et son visage, déjà pâle, devint livide. Avant qu'elle puisse les chasser de son esprit épuisé, des souvenirs lui revinrent, qu'elle s'était efforcée d'ignorer jusqu'à cet instant : celui d'Ursula la mettant en garde contre la surexcitation des enfants, d'elle-même ne prêtant aucune attention aux cris stridents de sa fille pendant que Barnaby et elle se querellaient, sans même voir la fillette se jeter à l'eau – peut-être au-devant de la mort –, avec une maladresse si évidente qu'elle aurait dû intervenir plus tôt pour lui interdire ce saut absurde.

Tout était sa faute, entièrement sa faute. À elle seule. Une vague de culpabilité et de remords éclata en elle avec la force d'un raz de marée et la fit frissonner. En se tenant le ventre à deux mains, elle lança à Cassian un regard désespéré.

— C'était un accident, dit-elle d'un ton implorant. Un accident stupide, mais un accident.

Ses remords devenaient insoutenables. Elle se méprisait, elle se haïssait.

— C'était un accident, bien sûr, dit Cassian, se hâtant d'approuver en plongeant une main dans sa serviette. Mais cela n'exclut pas la négligence, au contraire. En fait, je suis presque certain que c'est le cas. Par conséquent...

Il s'interrompit, contempla Louise avant de poursuivre :

— Il faut y réfléchir et, naturellement, en parler à Barnaby. Je vous recommande seulement à vous deux d'envisager un procès.

Effarée, Louise le dévisagea sans comprendre.

— Un procès ? Contre moi ? Je serais poursuivie ? Je ne voulais pas... je ne croyais pas... je suis consternée...

— De quoi parlez-vous, Louise ? dit Cassian d'un ton qui parvint à percer l'épais brouillard d'incompréhension dans lequel elle était plongée. Je ne parle pas d'accuser quiconque au pénal, mais d'un procès au civil en dommages et intérêts. D'après ce que j'ai constaté, vous avez de bonnes raisons d'attaquer Hugh et Ursula Delaney.

Arrivé à cinq heures, Barnaby alla directement au chevet de Katie, chargé des dizaines de cartes et de jouets déposés à Larch Tree Cottage depuis le matin. La chaise au chevet du lit était inoccupée et il ne vit Louise nulle part dans la salle. Il regardait autour de lui, désemparé, quand une infirmière entra.

— Je crois que Mme Kember est allée à la cafétéria. Avec, euh... son mari, n'est-ce pas ?

Barnaby en resta un moment bouche bée. Puis, quand il eut repris contenance, il demanda où se trouvait la cafétéria. Avant de quitter la pièce, il se pencha vers sa fille, lui caressa la joue en lui murmurant à l'oreille : « Je reviens dans une minute, Katkin. » Puis il s'éloigna, les joues brûlantes et le cœur battant la chamade.

À la cafétéria, il les repéra tout de suite, assis à une table, détendus comme si de rien n'était. Une bouffée de rage l'étouffa.

— Louise !

— Te voilà, Barnaby ?

Elle se retourna en souriant – oui, en souriant ! En deux enjambées, il les rejoignit.

— Katie est toute seule depuis plus d'une demi-heure !

— Mais non, elle n'est pas toute seule. Elle est entourée par les meilleurs spécialistes.

Furieux, Barnaby abattit brutalement son poing sur la table.

— Non, ils n'y sont pas ! cria-t-il. Tes fameux spécialistes nous ont dit que le son de nos voix l'aiderait à revenir à elle ! Bon Dieu, si tu n'es même pas capable de rester avec elle et de lui parler...

Louise se leva d'un bond, rouge de colère.

— Je suis restée avec elle toute la journée ! Je n'ai pas arrêté de lui parler, de lui frictionner les pieds, de faire tout ce que je pouvais ! Je suis venue ici boire un café. Je n'ai même plus le droit de boire une malheureuse tasse de café, Barnaby ?

Sa voix résonnait dans le silence feutré de la cafétéria, au point d'attirer les regards curieux et inquiets du personnel.

— De toute façon, reprit Louise un ton plus bas,

Cassian et moi parlions de l'accident. Tu devrais écouter ce qu'il a à dire.

Elle se rassit et porta sa tasse à ses lèvres d'une main tremblante.

— Qu'est-ce que vous avez à dire ? voulut savoir Barnaby, méfiant.

— Un peu plus tard, peut-être...

— Non, tout de suite ! tonna-t-il. Louise, dis-moi ce qu'il t'a dit puisque c'était assez important pour que tu délaisses Katie !

— Comme tu voudras, soupira Louise. Il dit que nous devrions faire un procès à Hugh et Ursula Delaney. Au nom de Katie et dans son intérêt.

— Quoi ?

— Je ne crois pas que le lieu et le moment soient bien choisis pour en discuter, intervint Cassian. Vous devriez en parler entre vous et...

Il se leva. Rouge et tremblant de fureur, Barnaby le repoussa rudement sur sa chaise.

— En parler ? Parler de quoi ? Vous plaisantez, j'espère ?

— Apparemment, nous pourrions prouver une négligence de leur part..., commença Louise.

— Hugh et Ursula négligents ? l'interrompit Barnaby avec effarement. Veux-tu dire que c'est eux qui sont à blâmer ? Bon Dieu...

— Il n'est pas question de blâme, intervint Cassian, mais plutôt de... dédommagement.

— Dédommagement ? répéta Barnaby. Vous voulez dire : demander de l'argent à Hugh et Ursula ? C'est bien d'argent qu'il est question, n'est-ce pas ? Katie est à l'hôpital depuis moins de vingt-quatre heures et vous n'êtes pas capable de penser à autre chose que l'argent ?

Il dévisagea tour à tour Cassian et Louise avec une

incrédulité qui attisait en lui la détresse et le désespoir dont il était accablé depuis la veille.

— Vous êtes malades ! tonna-t-il. Des malades, tous les deux !

Dans un mouvement de colère, il lança un coup de pied contre une chaise qui bouscula la table en faisant tinter les tasses et les soucoupes. De l'autre côté de la pièce, les employés de la cafétéria regardaient la scène en chuchotant. Cassian leur adressa un sourire d'excuse tout en surveillant Barnaby du coin de l'œil.

— Ne réagis pas comme ça, Barnaby, je t'en prie, dit Louise en regardant autour d'elle avec inquiétude. Tes crises ne font aucun bien à Katie.

Barnaby la fixa quelques secondes des yeux. Puis, avec un soupir, il se baissa pour redresser la chaise. Louise et Cassian l'étudiaient sans mot dire.

— Je m'en vais, dit-il enfin. Je vais voir ma fille. Ensuite, j'irai prier pour elle à l'église. Toi, fais ce que tu veux, je m'en fous.

— Écoute, Barnaby…

— Laisse tomber, Lou.

Il tourna les talons et partit d'un pas lourd, le dos voûté, sans un regard en arrière. Le coin pailleté d'une carte de vœux pour Katie dépassait de la poche arrière de son jean.

La petite église était bondée quand Barnaby arriva. Les gens murmuraient, tiraient ou repoussaient des chaises, déposaient des jouets ou des fleurs sur une table prévue à cet effet au bout de la nef. L'atmosphère était tendue et, encore sous le porche, Barnaby hésita à entrer. Il sursauta en s'entendant héler. C'était Frances Mold qui venait le rejoindre, puis qui l'attira à l'intérieur et referma la porte derrière eux.

— Barnaby, je suis heureuse que vous ayez pu

venir, dit-elle simplement en lui serrant le bras avec affection.

— Il y a tant de monde. Je n'en connais pas la moitié.

— Pour la plupart, ils connaissent Katie. Les familles de ses camarades de classe, sans doute.

— Louise doit les connaître. Est-elle déjà arrivée ?

Il fit malgré lui une grimace mécontente. Penser à elle ranimait sa fureur mal éteinte.

Frances le regarda, un peu étonnée.

— Non, Louise ne viendra pas, elle nous a téléphoné de l'hôpital. Elle préfère rester auprès de Katie, au cas où elle se réveillerait.

— Ah, bon…, dit-il avec découragement.

Devoir faire face seul à la cérémonie et aux témoignages de sympathie de tous ces inconnus était au-dessus de ses forces.

— Il faut que nous nous installions, dit Frances en consultant sa montre. Je vous ai réservé une chaise à côté de moi.

— Oui… Non… Laissez-moi une seconde, voulez-vous ?

Frances attendit qu'il se ressaisisse. Barnaby prit une profonde inspiration, se redressa, passa une main dans ses cheveux.

— Bien. Je suis prêt. Allons-y.

À mesure qu'il descendait la nef, les gens se tournaient vers lui. Certains se détournaient aussitôt, alors que d'autres continuaient à le suivre des yeux avec des expressions allant de la compassion à un profond chagrin. On entendait dans l'assistance quelques sanglots étouffés et un enfant se mit à pleurer lorsque Barnaby arriva à sa place.

Alan Mold se tenait déjà au pied de l'autel. Il salua Barnaby et commença le service.

114

— Prions, mes frères.

Un bref silence suivit. Barnaby entendit alors une sorte de bruissement : l'assistance entière s'agenouillait. Et quand il suivit l'exemple des autres, il éprouva le sentiment qu'il émanait de cette centaine d'inconnus un puissant courant de soutien et de sympathie.

Le service fut simple. Alan Mold prononça une courte homélie, choisit des prières pleines d'amour et d'espoir, puis entonna un cantique que tous reprirent. À la fin, Barnaby se levait pour partir quand Frances le retint par la manche.

— Vous feriez mieux d'attendre quelques minutes, lui murmura-t-elle. À moins que vous ne vouliez parler à tout le monde...

Barnaby se rassit. Pendant tout le service, il avait été incapable d'ouvrir la bouche, de se joindre aux prières, de chanter une mesure du cantique. Parler à tous ces gens était impensable. Il hocha la tête et remercia Frances d'un regard. Derrière lui, pendant que les gens se retiraient, il entendait le brouhaha des murmures, le frottement des chaises sur les dalles. Il entendit aussi prononcer son nom à plusieurs reprises et crut reconnaître certaines voix, mais il ne se retourna pas.

— Barnaby ? dit une voix à côté de lui.

C'était Ursula, la mine attristée.

— Bonsoir, Ursula, parvint-il à articuler.

— Je ne sais pas si vous avez des projets pour ce soir, lui dit-elle en esquissant un sourire, mais nous nous sommes demandé si vous ne voudriez pas venir à la maison partager notre dîner. Il ne faut surtout pas que vous vous négligiez.

Barnaby s'efforça en vain de sourire.

— Ne vous inquiétez pas, je mange bien.

— Alors, simplement pour notre compagnie ?

— Sincèrement, Ursula, je n'ai guère envie de

compagnie en ce moment. C'est très gentil de me le proposer, mais je crois que je vais plutôt retourner à l'hôpital.

— Bien sûr, je comprends.

Elle eut l'air si déçue qu'il lui prit la main.

— Votre proposition me touche beaucoup, mais il vaut mieux que je reste auprès de Katie. Elle peut... elle pourrait se réveiller d'un instant à l'autre, vous savez.

— Nous prierons pour elle, dit Ursula avec ferveur.

— Je sais, répondit-il. Je vous connais assez pour savoir que vous le ferez.

7

Trois jours plus tard, de bonne heure, Barnaby se réveilla en sursaut. Il se redressa, le cœur battant, dans l'espoir d'avoir été tiré de son sommeil par la sonnerie du téléphone, mais celui-ci était muet. Trois nuits s'étaient écoulées sans un appel de l'hôpital, sans le bonheur d'apprendre que Katie avait repris conscience. Alors, puisqu'il avait les yeux ouverts, Barnaby se leva et alla dans sa kitchenette mettre la bouilloire à chauffer.

Depuis son départ de Larch Tree Cottage, Barnaby louait un petit studio au rez-de-chaussée dans le nouveau lotissement à la périphérie de Melbrook. Dans cette unique pièce, les filles n'avaient pas de place pour jouer quand elles venaient rendre visite à leur père, mais une fois la pension de Louise et des filles déduite de son salaire, Barnaby ne pouvait pas se payer un logement plus grand.

Il se sentait déprimé, désorienté. Tous les soirs, depuis l'accident, il se couchait avec l'espoir qu'un miracle se serait produit à son réveil. Katie aurait repris connaissance, parlé, souri, peut-être même demandé à le voir. Et tous les matins, il se réveillait sans rien avoir vu évoluer. L'état de sa fille restait « stable », comme lui disaient les infirmières. Elles ne pouvaient pas dire quand la petite se réveillerait, pas plus qu'elles ne savaient si son cerveau avait ou non subi des lésions graves. Il était encore trop tôt pour se prononcer, lui répétaient-elles. On ne pouvait qu'attendre.

Jusqu'à présent, Barnaby les avait docilement écoutées. Il était d'accord avec elles pour dire qu'il ne servait à rien de prévoir le pire, il s'était abstenu de leur faire avouer les pensées alarmantes qu'il devinait malgré tout dans leur regard. Par lâcheté, il préférait ne pas savoir ce qu'on choisissait de ne pas lui dire. Mais aujourd'hui, il voulait savoir, pensa-t-il en versant l'eau bouillante sur un sachet de thé. Pendant son rendez-vous avec le médecin, il exigerait des réponses. Auparavant, il écrirait une liste des questions à lui poser et, s'il le fallait, à répéter jusqu'à ce qu'on lui dise ce qu'il voulait savoir.

Sa tasse de thé à la main, il alla s'asseoir devant la pile de lettres qu'il avait décachetées la veille au soir. Beaucoup étaient des cartes de vœux de rétablissement destinées à Katie. D'autres, adressées à lui, des messages de compassion – comme si elle était déjà morte, se dit-il avec rage. Pourquoi les gens ont-ils un esprit aussi macabre ? Katie allait guérir ! Ce n'était qu'une question de jours !…

Il avait mis les autres lettres, des factures pour la plupart, tout en bas de la pile. Depuis son départ du cottage, les factures lui tombaient dessus sans répit, comme une grosse pluie d'orage. Elle paraissait ne jamais devoir cesser, sans qu'il puisse rien faire pour en contrôler le flot. Chaque fois qu'il croyait avoir réussi à établir un budget mensuel, quelque chose survenait qui remettait tout en question. Cette semaine, c'était la facture de révision de la voiture de Louise, trois cents livres qu'il ne s'attendait pas à verser. Il allait devoir encore une fois puiser dans son épargne, qui s'amenuisait à vue d'œil.

Pourquoi la vie devenait-elle soudain de plus en plus chère ? Quand il vivait avec Louise, son salaire suffisait amplement à couvrir leurs besoins, alors que maintenant il n'arrivait plus à faire face à toutes les dépenses. Ses calculs ne semblaient jamais corrects et il se retrouvait à découvert chaque fin de mois – en dépit du fait qu'il avait eu la chance de pouvoir se loger à moindres frais et qu'il économisait sur tout ce qui n'était pas absolument essentiel.

Il avait le devoir, bien entendu, de pourvoir à l'entretien de Louise et des filles, se dit-il avec accablement en glissant la facture du garage en bas de la pile. Elles dépendaient de lui pour leur subsistance, rien de plus normal. Mais est-ce que cela voulait dire qu'il n'aurait plus jamais les moyens de subvenir à ses propres besoins ?

À onze heures moins dix, une infirmière s'approcha du lit de Katie et tapa doucement sur l'épaule de Louise, qui sursauta.

— Qu'est-ce que c'est ?

— Excusez-moi, je voulais simplement vous rappeler que vous devez rencontrer le médecin à onze heures. Peut-être voulez-vous vous recoiffer ou faire un tour aux toilettes ou...

— Oui, c'est vrai, répondit la jeune femme, encore somnolente. Merci. Je dois avoir une tête à faire peur, reprit-elle en se levant péniblement. Quoique mon allure n'ait pas grande importance. Je veux dire, le docteur ne doit guère s'en soucier. Barnaby non plus.

Depuis le lundi, Louise n'avait pas dit plus de trois mots à Barnaby. En fait elle n'avait parlé à personne, à part les infirmières ou l'interne de service qui faisait de brèves incursions dans la salle. À part Katie aussi, bien sûr. Elle passait des heures à la fixer des yeux en murmurant des encouragements, à espérer un signe. Mais ses efforts restaient vains et elle commençait à douter de sa propre capacité à communiquer avec les autres. Par moments, elle se sentait piégée dans un monde irréel où n'existaient qu'elle-même et ses raisonnements confus. Un monde dans lequel elle était assise depuis une éternité au chevet du même lit à épier la moindre trace de vie sur le visage de sa fille, à épuiser sa volonté à la sortir de l'inconscience.

Une infirmière avait donné à Louise un cahier, posé sur la table de chevet, en lui suggérant de tenir un journal des progrès de Katie et de noter ses propres pensées. Jusqu'à présent, il était resté vierge. Les pensées de Louise étaient trop fragmentaires, trop incohérentes, pour être couchées sur le papier. Quand elle s'assoupissait – le verbe « dormir » avait disparu de son vocabulaire –, sa tête s'emplissait de cauchemars dont l'ombre menaçante planait encore à son réveil. Elle sentait son âme distendue, tordue comme une vieille serpillière. Quand elle ouvrait la bouche, elle se demandait parfois si elle savait encore parler.

Elle avait été incapable de prendre sur elle pour aller au service religieux le lundi soir. Elle avait invoqué comme prétexte que Katie pourrait se réveiller en son absence mais, en réalité, elle doutait de pouvoir faire face à une telle cérémonie. S'imaginer assise là sous tant de regards – bienveillants et compatissants, certes, mais également pleins de curiosité – la faisait frémir. Se forcer à dire et répéter à tout un chacun comment allait Katie, exprimer sa gratitude en feignant la sincérité, entendre les autres prier à haute voix pour sa fille en se dominant assez pour ne pas fondre en larmes, ne pas s'écrouler, ne pas donner le spectacle dégradant d'une mère sombrant dans la folie – tout cela aurait été une épreuve insoutenable. En plus, il y avait le problème de Hugh et d'Ursula. Ils avaient aidé les Mold à organiser le service. Si elle y était allée, elle n'aurait pas pu ne pas les voir, ne pas leur parler...

Louise ferma les yeux. Elle ne savait plus que penser de Hugh et d'Ursula. Elle n'arrivait pas à les dissocier logiquement de l'accident, à les effacer des cauchemars qui la hantaient. Ils lui inspiraient une haine irrationnelle, égale à sa haine de leur piscine et de son plongeoir. Elle éprouvait le besoin croissant, désespéré, de les punir, de punir quelqu'un, n'importe qui, pour ce qui était arrivé à Katie. Et puis, quelque chose se déclenchait dans sa tête et elle ne voyait plus que l'image de la douce et souriante Ursula, du gentil Hugh, toujours le cœur sur la main. De vieux amis de la famille qui aimaient Katie comme leur propre petite-fille et n'auraient jamais voulu lui faire le moindre mal. Les larmes lui montaient aux yeux et l'idée même de les traîner devant un tribunal lui paraissait à la fois grotesque et odieuse. Impensable.

Pour Cassian, en revanche, l'idée n'avait rien d'impensable. En allant aux toilettes d'une démarche vacillante de fatigue, Louise repensa à la suggestion qu'il avait faite. Il estimait réellement que l'affaire était juridiquement fondée, comme il le lui avait expliqué en détail le lendemain de la crise de rage de Barnaby à la cafétéria.

— C'est à vous deux de prendre la décision, avait-il conclu. Je ne dirai pas un mot de plus si vous ne voulez plus que je vous en parle.

— Non, parlons-en, avait-elle répondu, à demi convaincue. C'est très intéressant. J'en discuterai avec Barnaby, car je ne crois pas qu'il ait compris ce que vous vouliez lui dire.

— Je le pense aussi. Un dernier mot : j'estime que vous avez tous deux le devoir envers Katie de faire un procès aux Delaney. Vous devez bien cela à votre pauvre petite fille, avait-il ajouté avec émotion.

Lasse, à bout de nerfs, Louise avait senti les larmes ruisseler sur ses joues. Cassian a raison, avait-elle pensé. Il est prêt à livrer bataille pour notre fille. Il est notre sauveur.

Arrivé à l'hôpital un peu en avance pour le rendez-vous, Barnaby alla d'abord à la chambre de Katie. La fillette était seule et, son premier réflexe de colère passé, il en éprouva un certain soulagement. Il allait pouvoir rester en sa compagnie quelques minutes, lui parler normalement, sans avoir Louise derrière son dos en train d'épier ses gestes et ses paroles, le mettant mal à l'aise au point de se sentir ridicule. Il avait à peine parlé à sa femme depuis son accès de fureur à la cafétéria. Au cours de leurs rares et brèves rencontres au chevet de Katie, ils n'avaient échangé que des platitudes, de peur que leur fille ne les entende. De toute façon, Louise paraissait chercher à l'éviter.

Barnaby se pencha vers le lit, prit délicatement la petite main de sa fille en veillant à ne pas déplacer le tube en plastique transparent qui y était collé par un sparadrap.

— Katie, dit-il à mi-voix, c'est papa. Tu iras très bien, ma chérie. Tu te réveilleras bientôt et tu pourras rentrer à la maison…

Il s'interrompit. Quand elle rentrerait à la maison, ce serait au cottage, avec Louise. Pas avec lui.

— Barnaby.

Une voix derrière lui le fit sursauter. Debout près du rideau, Louise était pâle et avait l'air à bout de forces.

— Bonjour, Louise, dit-il d'un ton qui ne lui parut pas naturel. Y a-t-il eu… Rien de nouveau ?

— Non, rien. Il faut y aller, dit-elle en regardant sa montre.

Le médecin était le jeune homme aux lunettes rondes qui leur avait parlé dans la salle d'attente. Janine, l'infirmière responsable de Katie, assistait aussi à l'entretien. Louise parvint à esquisser un sourire, s'assit à côté de Janine et se mit à lui parler à voix basse, sur le ton familier qu'elle aurait pris avec une vieille amie – ou comme si elles partageaient des secrets.

— De quoi parlez-vous ? ne put s'empêcher de demander Barnaby.

— C'est sans importance, dit Louise.

— S'agit-il de Katie ? De quelque chose que je devrais savoir ?

— Je demandais à Janine un analgésique. J'ai une terrible migraine.

— Ah. Je suis désolé…

Louise s'était déjà détournée.

Le médecin s'éclaircit la voix, déplaça quelques papiers sur son bureau et prit la parole.

— Je suis heureux que vous ayez pu venir tous les deux. Nous estimons très utile, voire indispensable, de rencontrer régulièrement les parents des enfants confiés à nos soins, afin de les tenir au courant des progrès éventuels, de leur expliquer les traitements que nous appliquons et de répondre à leurs questions. Dans le cas de Katie, poursuivit-il en baissant les yeux vers le dossier, il est encore trop tôt pour se prononcer. Comme vous le savez sans doute déjà, nous ne pouvons que la garder en observation jusqu'à ce qu'elle reprenne conscience. Nous suivons son évolution avec la plus grande attention et, si nous constatons le moindre changement dans son état, nous vous en informerons immédiatement.

— Quand pensez-vous qu'elle se réveillera ? demanda Barnaby.

— C'est encore très difficile à prévoir, j'en ai peur.

— Vous devez quand même en avoir une idée. Dans une semaine, un mois, un an ?

— Je ne cherche pas le moins du monde à paraître contrariant, mais nous ne pensons pas que ce soit une bonne idée de faire des prédictions sans fondements réels. Katie se réveillera quand elle sera prête, dit le médecin avec un sourire réconfortant.

— Quand même, vous devez au moins…

— N'insiste pas, Barnaby ! l'interrompit Louise. Ils ne le savent pas, d'accord ? Nous ne pouvons qu'attendre.

— Vous avez peut-être l'impression que nous vous cachons quelque chose, reprit le médecin, mais je puis vous assurer que ce n'est pas le cas. Dans tout ce qui concerne les blessures à la tête, personne n'a de certitudes. Mieux vaut s'efforcer de garder l'esprit ouvert, ne pas se nourrir d'espoirs qui risquent d'être illusoires, et prendre chaque jour les choses comme elles viennent. Lorsque Katie se réveillera, tout deviendra plus clair.

Un bref silence s'ensuivit, pendant lequel Barnaby sentit la panique le gagner. Qu'est-ce qui deviendrait « plus clair » ? Qu'est-ce que les médecins évitaient de lui dire ?

— Mais elle se rétablira, n'est-ce pas ? demanda-t-il sur un ton que la peur rendait agressif. Vous avez dit qu'elle n'était pas paralysée. Redeviendra-t-elle capable de marcher, de se mouvoir normalement ? de parler ? Sera-t-elle transformée en légume ?

— Barnaby, je t'en prie ! s'exclama Louise.

— Qu'est-ce qui sera « plus clair », comme vous dites ? De quoi parlez-vous, au juste ?

— Il est évident que vous vous souciez beaucoup de l'état de votre fille, monsieur Kember, dit le médecin.

— Oui, beaucoup. Et je veux savoir dans quel état elle sera quand elle se réveillera.

— Naturellement, nous le voulons tous. Sauf que, pour le moment, nous ne sommes pas en mesure de vous en dire plus.

— Mais vous avez fait des examens, des tests, des scanners, tout un tas de trucs !

— C'est exact, mais un scanner ne peut pas tout nous dire.

— Qu'est-ce qu'il ne peut pas vous dire ? Qu'est-ce qui risque de… ?

— Barnaby, ça suffit ! s'exclama Louise. Pourquoi insistes-tu ? Tu ne peux pas faire preuve de patience, comme tout le monde ?

— Je n'ai pas de patience, je veux savoir ! Je veux savoir si Katie risque de rester infirme pour le restant de ses jours ! Vous devez quand même avoir une idée sur la question, dit-il en se tournant vers le médecin. D'autres que Katie ont subi ce genre de blessure. Pouvez-vous nous dire ce qui leur est arrivé ?

En soupirant, le médecin prit son stylo et se mit à tracer machinalement des cercles sur une feuille de papier.

— Les lésions du cerveau peuvent avoir des conséquences très différentes. Chez beaucoup de victimes, par exemple, elles se manifestent par une certaine confusion de l'esprit, que l'on appelle une amnésie post-traumatique.

— C'est tout ? demanda Barnaby. Une « certaine confusion » ?

— Non, pas toujours. Il peut aussi y avoir des

troubles de l'élocution, des problèmes épileptiques, des modifications de la personnalité. D'autres choses encore. Mais jusqu'à ce que Katie se réveille...

— Est-ce qu'elle pourra marcher ?

— Les premiers temps, il peut y avoir des problèmes d'équilibre, de coordination. Quelques patients doivent réapprendre à marcher, mais je ne parle que d'une infime minorité. Dans la plupart des cas, cependant, une rééducation se révèle très utile.

— Je vois, dit Barnaby.

Il se dominait à grand-peine. Les propos lénifiants du médecin paraissaient confirmer ses pires craintes et lui dévoiler enfin le secret que tous savaient depuis le début.

— Si Katie avait besoin d'une rééducation, demanda Louise d'une voix mal assurée, aurait-elle lieu ici ?

— Non, plutôt à Forest Lodge. C'est un centre de rééducation non loin d'ici.

— Est-ce que... ? commença Louise.

— Forest Lodge ? l'interrompit Barnaby à qui ce nom faisait froid dans le dos. Cette baraque sur la colline, celle où il y a tous ces enfants en fauteuil roulant ?

— Ils ne sont pas tous en fauteuil roulant, répondit le médecin avec un sourire apaisant. C'est un centre très réputé, vous savez. On y vient de tout le pays. Vous avez de la chance d'habiter à proximité.

— De la chance..., marmonna Barnaby d'un air lugubre.

— Mais il est encore trop tôt pour envisager quoi que ce soit dans ce domaine. Pour le moment, consacrons nos efforts au réveil de Katie. Ses camarades de classe ont enregistré une cassette à son intention, je crois ? Voilà le genre de chose qui peut contribuer à ce qu'elle revienne à elle.

126

— Tant mieux, répondit Louise en rougissant légèrement. Autre chose, docteur, enchaîna-t-elle sans regarder Barnaby. Si nous avions besoin de certificats médicaux pour... pour un procès, par exemple, pourriez-vous nous les fournir ?

— Naturellement. Nous en avons l'habitude, n'est-ce pas, Janine ?

— C'est exact, approuva l'infirmière, nous le faisons souvent. Pensez-vous intenter un procès ?

— Non, absolument pas ! gronda Barnaby en lançant à sa femme un regard furieux qu'elle feignit d'ignorer.

— Ce n'est pas impossible, dit-elle.

Le médecin regarda l'un et l'autre d'un air interrogateur.

— Cela ne me concerne pas, bien sûr, mais j'ai connu beaucoup de parents dans votre situation et je crois que, si vous décidiez d'aller en justice, il vaudrait mieux vous mettre d'accord auparavant. Un procès de ce genre est plutôt stressant, vous savez. Et fort coûteux.

— Ce ne serait pas le problème, dit Louise en rougissant encore. Mon père a très généreusement accepté de nous aider pour les frais de justice. D'ailleurs, si nous gagnons, les dépenses seraient...

— Veux-tu dire que ton père est d'accord pour que nous fassions un procès ? l'interrompit Barnaby, scandalisé. J'ai du mal à le croire ! Non, je ne le crois pas !

— Tu ne le crois pas capable de penser avant tout à sa petite-fille ? répliqua Louise, furieuse. Il te paraît invraisemblable qu'on puisse se soucier de son propre sang ? Si c'est le cas, cela en dit long sur ta mentalité...

— Hum !

Le discret raclement de gorge du médecin interrompit la jeune femme.

— Excusez-moi, murmura-t-elle. Continuez, je vous en prie.

— Nous devrions peut-être en rester là pour aujourd'hui. Rappelez-vous seulement que, quelle que soit votre décision, nous serons toujours prêts à vous aider. Nous nous reverrons bientôt. D'ici là, n'hésitez pas à poser à Janine les questions qui vous viendraient à l'esprit.

— Attendez ! intervint Barnaby. Une dernière question. Est-ce que les gens… Est-ce qu'on sort d'un coma comme si on se réveillait ? Est-ce qu'on se retrouve tout de suite dans son état normal ?

Il y eut un bref silence, pendant lequel Louise marmonna des paroles inintelligibles.

— Pour être tout à fait franc, non. Pas toujours. Disons même, pas très souvent.

— Mais ce n'est pas impossible ? insista Barnaby.

— Ce n'est pas impossible, en effet. Mais…

— Soyez tranquille, j'ai fini. Si ce n'est pas impossible, c'est tout ce que je voulais savoir.

Cassian les attendait à la sortie du rendez-vous.

— Alors, en savent-ils davantage ? demanda-t-il.

— Non, répondit Louise en se frottant les yeux avec lassitude. Ils ne savent rien. Ils ne savent pas quand elle se réveillera, ils ne savent pas si elle sera épileptique ni si elle pourra marcher, ils ne savent pas si sa personnalité sera affectée. Ils ne savent rien.

— Ils ont dit qu'elle ne pourrait peut-être plus marcher ?

— Barnaby n'a pas arrêté de harceler le docteur, qui a dû finir par le faire taire.

Ce dernier la fusilla du regard.

— Il a dit aussi qu'elle pourrait se réveiller dans son état normal, gronda-t-il.

— Oh ! Sois réaliste, je t'en prie ! Cela ne se passera pas comme tu l'espères, tu le sais très bien !

— Cela me paraît peu probable, en effet, intervint Cassian d'un ton sérieux et professionnel. Les blessures à la tête peuvent avoir des conséquences très diverses. Katie ne sera peut-être plus jamais comme avant. Même si elle récupère, sa rééducation peut demander des mois. Des années, qui sait ? C'est elle, dorénavant, qui doit devenir votre priorité absolue. Vous devrez la faire passer avant tout le reste.

— Naturellement ! répliqua Barnaby.

— C'est ce que vous dites, commenta l'avocat d'un air détaché. Pourtant, vous ne voulez même pas aller défendre ses droits devant un tribunal.

— Cela n'a rien à voir !

— Je ne vois pas en quoi. Vous avez une chance de préparer son avenir en la mettant financièrement à l'abri, de soulager votre famille du fardeau qu'elle risquera de constituer, d'offrir à Katie et à vous-mêmes une compensation pour les épreuves que vous aurez subies. Il est probable que c'est l'assurance des Delaney qui en assumera la charge. Et malgré tout, vous refusez d'agir parce que les Delaney sont vos... amis.

Il prononça ce dernier mot avec mépris.

— Ce n'est pas seulement pour cela, dit enfin Barnaby en regardant Louise. Comment pouvons-nous aller dire devant un tribunal que c'est la faute de Hugh et d'Ursula si notre fille est à l'hôpital ? Comment pouvons-nous le leur reprocher ? C'était un accident. Un accident !

— Un accident qui aurait pu être évité. Je suis allé examiner ce plongeoir et, franchement, j'en ai été choqué. La surface est glissante, les stries sont complètement usées.

— Il n'est pas en si mauvais état..., hasarda Louise.

— En assez mauvais état pour causer un accident, déclara Cassian. Surtout pour des enfants un peu surexcités. La loi impose au propriétaire d'un lieu de veiller à la sécurité des jeunes visiteurs. Hugh et Ursula auraient dû interdire aux enfants de se servir de ce plongeoir ou, au moins, les avertir du danger ou en assurer la surveillance. Qui, avec un peu de bon sens, laisserait des enfants jouer sur une planche glissante ? C'est de la négligence pure et simple !

— Katie ne s'est pas cogné la tête parce qu'elle a glissé sur la planche ! protesta Barnaby. Elle a voulu faire un plongeon arrière, alors qu'elle n'en avait jamais fait et ne savait pas en faire !

— Comment en êtes-vous aussi sûr ? Comment savez-vous que son pied n'a pas glissé quand elle a pris son élan ?

Il y eut un nouveau silence. Barnaby baissa les yeux, l'air déconfit. Avec un douloureux pincement au cœur, Louise se rappela la mise en garde d'Ursula à propos de la surexcitation des enfants. Elle se hâta d'étouffer le brûlant sentiment de culpabilité qui montait en elle.

— Je pense que Cassian a raison, dit-elle à Barnaby. Nous devons à Katie de porter l'affaire devant un tribunal.

— D'ailleurs, dit l'avocat, vous ignorez combien de temps durera son traitement. Elle peut avoir besoin de soins particuliers pendant des années. Les infirmières coûtent cher, vous le savez. Et puis, que ferez-vous si elle ne peut pas assurer son autonomie quand elle grandira ? Il vous faudra prendre ces frais à votre charge.

— Elle se remettra très bien, vous verrez, affirma Barnaby avec une légère hésitation.

— Enfin, Barnaby ! s'exclama Louise avec exaspération. Tu n'as pas entendu ce que disait le médecin ?

Tu n'as pas le droit de te boucher les oreilles et de faire comme si tout allait bien !

— Votre aveuglement m'étonne, Barnaby, renchérit Cassian. Katie a et aura besoin d'aide, de soutien, d'argent, pas d'un père qui refuse de regarder les faits en face.

— Foutez-moi la paix ! rugit Barnaby. Je vais voir ma fille.

Il tourna les talons et disparut dans le couloir.

Cassian regarda Louise en levant un sourcil interrogateur. La jeune femme se détourna, gênée. Elle était tiraillée entre la froide logique de Cassian et la réaction de Barnaby. Une fois encore, le visage inquiet d'Ursula lui revint en mémoire. Et celui de Hugh qui, toujours serviable, avait été le premier à offrir de conduire Barnaby à l'hôpital. Envisageait-elle sérieusement de traîner en justice ces gens foncièrement bons et généreux ? Non, ce serait infâme. D'un autre côté... Barnaby et elle ne devaient-ils pas tout faire pour leur fille, même si cela blessait quelqu'un d'autre ? N'avaient-ils pas plus de devoirs envers Katie qu'envers Hugh et Ursula ?

Durant deux longues minutes, Louise garda les yeux baissés vers le carrelage du couloir, tandis que les arguments pour et contre luttaient dans son esprit. Plus elle y pensait, moins la réponse lui semblait claire. Elle relevait finalement les yeux et ouvrait la bouche pour parler à Cassian quand la voix de Barnaby résonna soudain derrière elle.

— Je n'ai pas pu rester avec Katie ! dit-il d'un ton à la fois las et ulcéré. Il y avait des gens qui lui tripotaient les bras et les jambes comme si c'était une poupée de chiffon !

— Qui était-ce ? s'étonna Louise.

— Est-ce que je sais ? Des médecins, sans doute.

— Ah, oui ! se rappela Louise. Des kinésithérapeutes. Ils exercent ses membres pour lui redonner du tonus musculaire et lui éviter des crampes ou d'autres pro-blèmes. C'est normal.

— Elle avait l'air d'une poupée, répéta Barnaby.

Il leva alors vers Louise des yeux pleins de larmes.

— Elle ne va pas bien, Lou, dit-il d'une voix étranglée par l'émotion.

— Je sais.

Louise posa doucement une main sur le bras de Barnaby. Mais il se dégagea d'un geste impatient, cligna des yeux à plusieurs reprises et s'éloigna de nouveau à grands pas dans le couloir.

8

Chaque jour qui passait amenuisait les espoirs de Barnaby. Son intime conviction que Katie se réveille-rait d'un long sommeil pour retrouver aussitôt son exu-bérante personnalité lui paraissait de moins en moins probable. Alors, si elle n'était plus la même, comment serait-elle ? Il n'arrivait pas à effacer de son esprit les conclusions les plus sombres, les plus tragiques. Il ima-ginait sa fille irrémédiablement infirme, condamnée au fauteuil roulant, peut-être même incapable de parler et de vivre une existence à peu près normale. Comment le prendrait-elle ? Et comment s'y résigneraient-ils, eux ?

Il avait beau faire l'effort de penser à des éven-tualités moins extrêmes, d'adopter le point de vue à la fois réaliste et positif de Louise, il n'y parvenait pas. Il oscillait toujours entre un optimisme utopique et le désespoir le plus profond. Ces épuisantes luttes internes se nourrissaient d'un sentiment sous-jacent de culpabilité, injustifié et mortifiant, qui loin de s'apaiser avec le temps ne faisait que s'aggraver.

Alors, il se jetait à corps perdu dans un travail phy-sique acharné qui ne lui accordait ni le temps ni la force de penser. Il s'imposait les tâches les plus rudes, du ressort habituel des ouvriers agricoles, et laissait la paperasse s'accumuler sur son bureau.

Le mardi suivant, neuvième jour du coma de Katie, il passa sa matinée à vérifier les clôtures de la propriété et, à l'heure du déjeuner, alla au pub le plus proche. Eileen, la femme du patron, était au bar. Elle l'accueillit avec sympathie et posa devant lui une pinte de bière qu'elle venait de tirer à son intention.

— Comment va la petite ? Pas encore réveillée ?

Barnaby ne se sentait pas d'humeur à parler de Katie. Il répondit par un signe de dénégation en regardant autour de lui s'il voyait une table libre, mais le pub se remplissait et toutes étaient déjà occupées.

— Ça fait combien de temps, maintenant ?

— Neuf jours.

Il se sentit plus que jamais déprimé. Eileen poussa une série de gloussements.

— L'autre soir, je regardais à la télé un documentaire sur les gens dans le coma, dit-elle en se penchant sur le bar pour parler à l'oreille de Barnaby. Ils ont parlé d'un pauvre bougre qui y était resté dix ans. Dix ans, vous vous rendez compte ? Et au bout de dix ans, il s'est réveillé frais comme un gardon.

— C'est vrai ? marmonna Barnaby.

— Il y en avait un autre qui n'était resté inconscient que pendant trois heures, mais il avait complètement perdu la mémoire quand il s'était réveillé. Il ne reconnaissait même pas sa femme.

Eileen attendit une réaction de Barnaby, qui porta son verre à ses lèvres pour éviter de répondre. Il allait finir sa bière et décamper, plutôt que de subir ces bavardages. Tant pis pour le déjeuner.

— Mais à l'institut, ils l'ont guéri, poursuivit Eileen en ouvrant un paquet de chips qu'elle lui tendit. Un vrai miracle, je vous dis.

Barnaby leva les yeux.

— L'institut ? Quel institut ?

— L'institut dont ils parlaient dans le documentaire. Il est en Amérique. C'était vraiment intéressant, expliqua-t-elle en examinant ses ongles magenta. J'adore les émissions comme ça, les programmes médicaux. Et c'est pas du tout morbide ! Graham me trouve cinglée.

— Vous pouvez vous rappeler comment il s'appelait, cet institut ? demanda Barnaby en s'efforçant de ne pas paraître trop intéressé par le renseignement.

Eileen fit une grimace de concentration.

— Euh... non, je ne crois pas. Mais c'est un endroit très connu, célèbre même. D'après ce qu'ils ont montré, les gens y viennent du monde entier. Il y avait aussi ce pauvre gamin d'Arabie Saoudite qui ne comprenait pas un mot de ce qu'on lui disait. Ça aide pas dans la vie, pour ça non ! dit-elle en gloussant de nouveau.

Barnaby la regardait sans mot dire tant les pensées tournoyaient dans sa tête. Mais avant qu'il ait pu répondre à Eileen, son téléphone portable sonna dans sa poche.

— Barnaby ? C'est Louise.

Le pub était si bruyant qu'il pouvait à peine l'entendre.

— Attends une minute, je sors dans le parking.

Dehors, ébloui par le soleil, il dut cligner des yeux à plusieurs reprises avant de pouvoir parler.

— Bonjour, Louise. Pourquoi m'appelles-tu ?

— C'est au sujet de Katie.

La voix de Louise tremblait légèrement. Barnaby sentit son cœur manquer plusieurs battements. Il attendait des nouvelles depuis si longtemps qu'il désespérait d'en avoir, mais il était maintenant en proie à la terreur et regrettait de devoir quitter son refuge d'ignorance.

— Qu'est-ce que ?...

— Elle s'est réveillée ce matin.

Un éclair de joie et de soulagement éclata dans sa tête, plus éblouissant que le soleil.

— C'est fabuleux ! s'écria-t-il. Merveilleux ! J'arrive tout de suite ! Elle va bien ? Elle a dit quelque chose ?

— Non, rien. Elle n'a repris conscience que trente secondes.

— Quoi ?

— C'est normal, apparemment. Il peut se passer des mois ou des années avant qu'elle se réveille complètement.

— Ah, bon…, soupira Barnaby, de nouveau abattu. C'est quand même bon signe.

— Bien sûr, c'est bon signe ! Mais enfin, qu'espérais-tu d'autre ? Qu'elle s'asseye dans son lit avec un grand sourire en demandant : « Où est papa ? »

— Non, bien sûr que non…

— Sois un peu plus réaliste !

— Je suis réaliste ! protesta-t-il.

— Non, pas le moins du monde ! Tu passes sans arrêt d'un extrême à l'autre. C'est idiot ! Et ça ne sert à rien, Barnaby ! À rien…

Louise paraissait au bord des larmes.

— D'accord, tu as raison, se hâta-t-il de dire d'un ton conciliant. Écoute, je viens d'apprendre quelque chose qui pourrait être utile. Je parlais avec Eileen, la patronne du pub, qui me disait avoir vu un documentaire sur un institut en Amérique où on soigne les gens qui ont été dans le coma. Il paraît qu'on y vient du monde entier.

— Et alors ?

Il ne releva pas le ton menaçant de la voix de Louise.

— Alors, nous pourrions y envoyer Katie…

— Oh, Seigneur ! Aie un peu les pieds sur terre ! Tu vis dans un autre monde ou quoi ?

— J'ai les pieds sur terre ! C'est au moins un espoir !

Deux personnes qui traversaient le parking le regardèrent avec curiosité. Barnaby les fusilla du regard avant de leur tourner le dos.

— Un espoir, bien sûr. Et c'est toi qui paieras ? C'est toi qui trouveras le million ou même la moitié de ce que coûtent les endroits de ce genre ? Écoute, Barnaby, poursuivit-elle en soupirant, nous ne savons pas ce qu'a Katie ni si elle a quelque chose de grave. Elle n'est pas encore réveillée. Ce n'est vraiment pas le moment de parler d'un vague institut en Amérique censé faire des miracles !

Les yeux baissés, accablé, Barnaby ne sut que répondre.

— Je te verrai ce soir à l'hôpital, reprit Louise.

— Oui, j'y serai. Merci de m'avoir appelé.

— Pas de quoi, j'étais bien obligée ! répliqua-t-elle d'un ton hargneux qui le fit grimacer.

Son téléphone éteint, il traversa le parking jusqu'à un banc où il s'assit lourdement, titubant presque sous le poids combiné du désespoir, de la culpabilité et de l'indignation. Tout allait mal. Il avait le sentiment de trahir Louise. Peut-être de trahir Katie, aussi. Peut-être aggravait-il tout pour tout le monde.

La tête entre les mains, il laissa la colère prendre le dessus. Qu'est-ce qu'il était censé faire, après tout ? Cacher ses angoisses ? Ne parler à personne ? Il croyait que cet institut américain représentait au moins une lueur d'espoir, sinon il n'en aurait pas parlé.

Le souvenir de la voix de Louise le fit de nouveau grimacer. Elle semblait dure, tendue, épuisée aussi. Elle lui avait fait sentir qu'il était totalement inutile. « C'est toi qui paieras ? » lui avait-elle craché comme une insulte. Les mots tournaient dans sa tête comme des rongeurs malfaisants. Si Katie avait besoin d'argent, serait-il capable de lui en fournir ? Comment pourrait-il l'abandonner à son sort ? L'image insoutenable de sa pauvre petite fille ouvrant trente secondes les yeux sur un monde inconnu et confus, se demandant où elle était, peut-être qui elle était, peut-être même hors d'état de bouger et souffrant le martyre sans pouvoir exprimer sa douleur pendant que lui était assis au soleil, inutile, bon à rien... Il ne put le supporter plus longtemps. Il devait faire quelque chose, se rendre utile. Agir positivement. Il fallait faire quelque chose. Il le devait...

Une pensée surprenante se glissa soudain dans sa tête, fuyante et glissante comme un poisson. Elle s'esquiva avant qu'il ait pu la retenir, puis elle revint, s'attarda un instant, s'évanouit derechef quand il essaya de fixer son attention dessus. Mais elle resta embusquée dans un coin de son esprit, prête à en jaillir.

Pouvait-il y penser sérieusement ? Pouvait-il même envisager une chose pareille ? Qu'est-ce qui lui arrivait ? Qu'étaient devenus ses arguments logiques, son sens moral ? Il s'efforça de ranimer l'indignation que cette idée lui inspirait à peine quelques jours auparavant, mais il échoua. Sans qu'il comprenne pourquoi, tout, sauf Katie, s'était effacé de son esprit. Sa petite fille régnait sur ses pensées, ses émotions, ses convictions. Il avait le devoir absolu de la faire passer avant tout le reste. Quoi que cela implique, quelles qu'en soient les conséquences, pour lui et pour les autres.

Un long moment, il resta là, immobile, laissant ses pensées fermenter, se décanter, s'ordonner pour devenir des intentions sérieuses. Alors, il se leva, prit son téléphone et chercha à tâtons dans sa poche le petit rectangle de bristol qui s'y trouvait depuis quelques jours. Il ferma les yeux, compta jusqu'à dix et composa le numéro.

— Cassian ?

Prononcer ce prénom le gêna au point de regarder autour de lui si personne n'écoutait. Et si on l'entendait, se douterait-on de ce qu'il allait faire ? Un instant, sa résolution vacilla.

— Barnaby ? C'est vous ?

— Oui, c'est moi...

Pour Katie, pensa-t-il en respirant à fond. Pour Katie...

— J'ai réfléchi à ce que vous disiez, reprit-il. J'en suis arrivé à la conclusion que si cela peut être utile à Katie, eh bien, allons-y !

Il y eut un court silence. Barnaby serra si fort son téléphone que celui-ci sembla sur le point de s'incruster dans sa paume. Commettait-il une nouvelle erreur en l'appelant ? Comment ce salaud allait-il réagir ? En se moquant de lui ?

— Je suis enchanté de votre décision, Barnaby ! répondit Cassian d'un ton chaleureux qui le prit au dépourvu. Je comprends combien elle a dû être difficile à prendre, mais je crois sincèrement que vous le faites pour la petite Katie. Vous savez, je tiens à vous dire à titre personnel que je respecte infiniment vos scrupules et votre attitude réfléchie sur l'ensemble de la question. Vous ne vous êtes pas laissé aller à une décision hâtive, vous avez pris le temps d'en peser tous les facteurs et je suis convaincu que vous avez eu raison, comme vous vous en êtes déjà convaincu vous-même. Je serai heureux et fier de coopérer avec vous.

Barnaby se sentit rougir sous cette rafale de compliments.

— J'ai juste fait ce qu'il fallait faire, grommela-t-il.

— Absolument, approuva Cassian. Cela n'a pas été

facile, je le sais. Mais vous faites réellement ce qu'il y a de mieux pour votre fille.

Avec un intense sentiment de soulagement, Barnaby se détendit contre le dossier du banc. Il avait enfin fait quelque chose de bien !

— Que va-t-il se passer maintenant ?

— Si Louise et vous pouviez passer au bureau dans l'après-midi, je vous présenterais nos experts en dommages corporels et nous lancerions la procédure. Disons, à quinze heures ?

— Cet après-midi ?

— Le plus tôt sera le mieux. Après quoi, vous n'aurez plus à vous soucier de rien.

Le lendemain, à l'heure du thé, tout le monde à Devenish House était au jardin quand la sonnette de la porte d'entrée tinta.

— J'y vais, dit Hugh en posant sa tasse.

Meredith se tourna vers Ursula avec un air sévère.

— Avez-vous encore invité quelqu'un sans nous en parler ? Elle rencontre des gens dans la rue, expliqua-t-elle à Alexis, les invite à venir prendre le thé et l'oublie complètement. Je parie qu'il y a la moitié du village devant la porte.

Ursula bredouilla une vague protestation, Alexis se contenta d'un sourire amusé et mordit dans un biscuit. Meredith observa discrètement son aisance élégante, les fins réseaux de ridules qui se formaient au coin de ses yeux et de ses lèvres quand il souriait, et sentit un désir encore confus prendre corps en elle. Il leur avait consacré beaucoup de temps cette semaine-là. Au début, bien sûr, c'était pour les aider et les soutenir moralement à la suite de l'accident. Mais maintenant... Malgré elle, la jeune femme se sentit caressée par un espoir.

140

Comme s'il avait lu dans ses pensées, Alexis lui sourit.

— Vous avez des projets, ce week-end ? demanda-t-il.

Prise au dépourvu, Meredith poussa un léger soupir et rejeta ses cheveux en arrière d'un geste désinvolte.

— Euh... non, pas grand-chose.

Elle prit sa tasse pour se donner une contenance. C'est ridicule, se dit-elle. Pire qu'une gamine avant son premier rendez-vous...

— Je pensais aller voir le film qui passe en ce moment, reprit-elle d'un ton aussi naturel que possible. Il est un peu loufoque, paraît-il.

— Je l'ai vu il y a une quinzaine de jours, dit Alexis tandis qu'elle faisait de son mieux pour cacher sa déception par un sourire. Il est excellent. Il vous plaira sûrement.

— Ne me dites surtout pas ça ! Quand on me dit que j'aimerai un film, je le déteste par principe. Si, c'est vrai ! J'ai horreur qu'on me dicte ce qu'il faut que j'aime ou que je n'aime pas et j'en prends systématiquement le contre-pied. Quand je pense au nombre de bons films dont je n'ai pas pu profiter à cause de ce réflexe idiot !

Ursula la regarda avec étonnement.

— Allons, Meredith, et ce charmant petit film que je vous ai emmenée voir à Noël dernier ? Je vous avais dit que vous l'aimeriez et vous aviez été d'accord avec moi après que nous l'avions vu. Vous aviez même dit qu'il vous plaisait beaucoup. Quel titre avait-il, déjà ? Il était absolument charmant. Vous vous en souvenez sûrement. Mais si, voyons, rappelez-vous, tous ces ravissants costumes d'époque...

— Ah, oui ! Je m'en souviens. Disons que c'était l'exception qui confirmait la règle.

Elle chercha le regard d'Alexis, qui esquissa un

sourire complice. Alors, inexplicablement, Meredith sentit son cœur battre plus vite et son visage se colorer. Nous irions si bien ensemble, lui et moi, pensa-t-elle avec un désir mêlé de désespoir. Nous aimons nous parler, nous avons le même sens de l'humour, il est séduisant au possible et... Une soudaine et inhabituelle perte de confiance en elle l'arrêta net. Elle avait dû se méprendre sur les signes. Elle se laissait aveugler par le charme de cet homme, mais peut-être n'était-ce que de la simple courtoisie de sa part et ne la trouvait-il pas séduisante, elle...

Elle jeta un coup d'œil à son corps, mince, bronzé, moulé dans un fourreau noir au tissu coûteux. S'il n'aimait pas son allure, elle n'y pouvait pas grand-chose – sauf, à la rigueur, en s'étoffant un peu. Il préférait peut-être les grosses femmes, après tout. Dans ce cas, elle se gaverait tous les jours de cheeseburgers jusqu'à ce qu'elle ait pris dix kilos. Pourquoi pas ?... Elle ne put s'empêcher de pouffer.

Alexis lui lança un regard étonné, et le sourire de Meredith s'effaça. Demande-lui de sortir avec toi ce week-end, s'ordonna-t-elle. Ce n'est pas la mer à boire. Au pire, il te répondra non... Mais elle resta bouche cousue.

Les sourcils froncés, Ursula lisait le journal.

— D'après les statistiques, les femmes vivent plus longtemps que les hommes, dit-elle avec étonnement. Ce n'est sûrement pas vrai !

— Si, c'est tout à fait vrai, répondit Meredith en croquant dans un biscuit. Les femmes vivent plus long-temps que les hommes.

Toujours incrédule, Ursula se tourna vers Alexis.

— Mais oui, Ursula. C'est vrai depuis des siècles, lui confirma-t-il.

— C'est impossible, voyons !

Elle reposa le journal et parut se plonger dans une profonde réflexion. Meredith la regarda avec affection. Elle éprouva un choc en constatant que les dernières mèches blondes de la chevelure de sa belle-mère étaient désormais noyées, sans qu'elle s'en soit encore rendu compte, dans une mer de cheveux gris.

— Si c'était vrai, reprit Ursula, cela voudrait dire qu'il y a plus de femmes que d'hommes sur terre. Je ne peux pas y croire.

— C'est pourtant le cas.

— Mais alors, si ce déséquilibre continue tous les ans, il n'y aura plus d'hommes du tout ? Vous vous trompez sûrement, ma chérie.

— Ursula ! s'exclama Meredith, qui se prit la tête en feignant le désespoir. Où donc allez-vous chercher votre logique ?

— Cela me paraît pourtant tout à fait clair.

— À vous peut-être, dit Meredith en riant. Au secours, Alexis ! Aidez-moi.

— Voyons un peu cet article, dit-il.

En se penchant pour prendre le journal que lui tendait Ursula, il frôla Meredith, qui éprouva une bouffée de désir.

— Laissez-moi lire par-dessus votre épaule, dit-elle d'instinct.

— Bien sûr.

Il rapprocha un peu sa chaise, déploya le journal sur les genoux de la jeune femme. Ils étaient assez proches l'un de l'autre pour qu'elle hume son odeur, sente la chaleur de sa jambe contre la sienne, entende son souffle régulier. Un moment, l'intensité de son désir la paralysa.

— Alexis, dit-elle à voix presque basse.

— Oui ?

Meredith prit une profonde inspiration et réfléchit

un instant au choix des mots justes, qui signifieraient clairement à Alexis son envie de sortir avec lui ce week-end, sans pour autant donner l'impression qu'elle se jetait à son cou.

— Croyez-vous ?..., commença-t-elle. Euh, pensez-vous ?...

Le cri étouffé que poussa l'homme qui regardait derrière elle par-dessus son épaule l'interrompit.

— Hugh ! s'exclama Ursula au même moment. Que se passe-t-il ?

Pâle, le regard éteint, Hugh revenait vers eux à pas lents, une lettre à la main. Meredith eut un frémissement de peur en repensant à l'annonce de la mort de Simon.

— C'est une lettre recommandée, commença Hugh. De ce type, Cassian Brown. L'ami de Louise Kember.

— Katie ?..., commença Ursula d'une voix étranglée.

Son mari l'interrompit en levant la main.

— Je viens d'essayer de téléphoner à Louise, reprit-il. Elle n'était pas chez elle, mais la baby-sitter m'a dit que l'état de Katie paraissait s'améliorer. Elle serait sortie du coma un court instant hier matin.

Meredith éprouva un soulagement mêlé d'envie. Celui qu'elle aimait ne s'était pas réveillé, lui. Les Kember avaient de la chance.

— Quoi qu'il en soit, poursuivit Hugh avec incrédulité, Louise et Barnaby semblent avoir pris une décision pour le moins... étrange. Ils veulent nous poursuivre en justice. Pour négligence.

— Ils veulent... quoi ? s'écria Meredith, indignée.

— Nous faire un procès, si j'en crois ce papier, répondit Hugh en passant une main dans sa tignasse grisonnante. En ont-ils le droit ?

— Qu'est-ce qu'ils vont faire, au juste ? murmura Ursula en tirant sa belle-fille par la manche.

— Vous traîner devant un tribunal, Ursula. Pour vous soutirer des dommage et intérêts. De l'argent. Beaucoup d'argent.

— Mais voyons, ma chérie, je ne crois pas qu'ils en aient le droit. C'était un accident, vous le savez bien. Nous n'y sommes pour rien. Es-tu sûr, demanda-t-elle à Hugh, qu'il ne s'agit pas plutôt de l'argent de la collecte ? Nous avons réuni une grosse somme, tu sais.

— Ursula, intervint Alexis avec douceur, je crois sérieusement qu'il n'est pas question de l'argent de la collecte. Votre mari ne se trompe pas : les Kember ont l'intention de vous poursuivre en justice.

— Mais c'était un accident ! insista Ursula, abasourdie.

Il y eut un silence. Tous les regards étaient tournés vers l'avocat.

— Cela ne fera guère de différence, soupira celui-ci. Vous serez poursuivis pour négligence selon la loi sur la responsabilité civile des occupants d'un lieu.

Il paraissait résigné. Meredith le regarda avec consternation.

— Mais les Kember sont des amis, dit Hugh avec tristesse. Pourquoi faut-il qu'ils nous fassent un procès ? Pourquoi ne sont-ils pas simplement venus nous en parler ? Cela leur aurait évité bien des tourments, et à nous aussi. Ne savent-ils pas déjà que nous ferons tout notre possible pour les aider ? Leur donner de l'argent, si c'est ce dont ils ont vraiment besoin ?

— Ce n'est pas eux, intervint Meredith, mais ce serpent venimeux d'avocat. C'est lui qui les pousse à faire un procès.

Hugh prit sa tasse, goûta le thé et fit une grimace en découvrant qu'il était froid.

— Je vais aller voir Barnaby, dit-il. Si nous y mettons de la bonne volonté chacun de notre côté, je suis sûr que...

— Non ! l'interrompit Alexis avec une fermeté qui étonna Hugh. Il vaut mieux, à mon avis, que vous évitiez les Kember pour le moment. Ce sera plus sûr.

— Seigneur ! soupira Meredith. Vous allez trop loin.

— Attendez de voir ce que réclament les Kember. Vous me direz alors qui va trop loin.

Un silence anxieux retomba. Alexis examina les visages angoissés qui l'entouraient et reprit doucement la parole.

— Quand tout le monde se sera un peu calmé, vous vous rendrez compte que tout ce jargon juridique se résume à peu de chose. Le mieux, c'est de ne rien faire avec une précipitation que vous pourriez regretter. Attendez de voir la tournure que prendront les événements.

Meredith lui lança un regard noir.

— Vous ne croyez pas sérieusement que cela ne se résumera à rien, n'est-ce pas ? Vous le dites pour nous rassurer ?

— Cela dépend. S'ils ont décidé de poursuivre, ils poursuivront. Nous verrons alors la tournure que cela prendra.

— Mais nous n'avons rien fait de mal ! s'exclama Ursula d'un air paniqué, en prenant conscience pour la première fois de ce qui arrivait. Nous n'avons rien à nous reprocher !

Elle fit face à Hugh et Meredith comme pour leur demander de confirmer la justesse de ses paroles. La jeune femme lui prit la main.

— Bien sûr que nous n'avons rien à nous reprocher. Et les juges seront du même avis, espérons-le.

Quand Hugh et Ursula emportèrent la vaisselle du thé à la maison, Meredith entreprit de faire parler Alexis.

— Vous le saviez déjà, n'est-ce pas ?

— Je ne le savais pas, répondit-il avec lassitude, mais je me suis douté de quelque chose de ce genre quand j'ai vu ce jeune avocaillon tourner autour de la piscine sans raison valable.

Meredith réfléchit un instant.

— Qu'est-ce que vous cherchiez dans le bureau de Hugh ? Ce papier que vous lisiez, qu'est-ce que c'était ?

La mine soudain grave d'Alexis attisa ses craintes.

— Je cherchais sa police d'assurance. Je voulais savoir si Hugh était couvert pour sa responsabilité civile et si la piscine était comprise dans la couverture.

— Et alors ?

Alexis baissa la tête en soupirant.

— Alors, il l'est et il ne l'est pas. La piscine est couverte en ce qui concerne sa responsabilité civile, mais seulement pour un usage privé. Peut-on définir comme un « usage privé » l'accueil d'une centaine de personnes qui paient un droit d'entrée ?

— Mais il s'agit de donations pour une œuvre de charité ! Les Delaney ne gagnent pas un sou là-dessus !

— Je sais, mais je connais aussi les compagnies d'assurances. Si elles peuvent trouver un moyen d'éviter de payer, elles ne manqueront pas de l'invoquer... Et j'ai bien peur que ce ne soit un bon prétexte.

— Donc ?...

— Donc, si Louise et Barnaby obtiennent des dommages et intérêts, Hugh et Ursula devront les payer de leur poche. Et cela peut se monter à une forte somme.

— Combien ? voulut savoir Meredith.

Alexis poussa un nouveau soupir.

— Je ne sais pas. Ce sera en fonction de l'état de la petite, mais cela peut aller de quelques milliers de livres à, disons, cent mille, deux cent mille. Plus, peut-être, dit-il avec une réelle inquiétude. J'aurais peut-être dû en parler plus tôt, mettre Hugh en garde. Mais je ne croyais pas que les choses en arriveraient là.

Un long moment, Meredith le fixa des yeux pendant qu'une rage froide montait en elle.

— Comment peuvent-ils nous faire une chose pareille ? Comment pourront-ils témoigner de bonne foi devant un tribunal que Hugh et Ursula sont responsables ? C'était un accident, bon sang ! Un accident ! Personne n'a rien à se reprocher. Hugh et Ursula n'ont pas été négligents ! Cette gamine ne savait pas plonger et elle a voulu faire la maligne devant sa sœur et ses parents, voilà tout !

— Sans doute. Pouvez-vous en apporter la preuve ?

— Je ne peux pas le prouver, bien entendu, mais...

La jeune femme s'interrompit, frustrée. Alexis esquissa un sourire.

— Vous devriez pourtant avoir l'habitude de ce genre de chose. Les États-Unis sont un des pays les plus procéduriers au monde.

— Je sais, répliqua Meredith amèrement, mais je croyais qu'ici c'était différent. Je croyais que les gens accordaient plus de valeur à l'amitié qu'à l'argent. Je croyais...

Elle se leva brusquement, fit nerveusement quelques pas sur la pelouse, revint.

— Eh bien, ils ne mettront pas la main sur l'argent de Hugh et Ursula ! déclara-t-elle. Je suis désolée pour eux de ce qui leur arrive et je sais par quelles angoisses ils doivent passer. Je suis bien placée pour le savoir, croyez-moi.

— Je vous crois.

— Mais je ne les laisserai pas piétiner Hugh et Ursula. Ils sont innocents. Ils ne méritent pas d'être traités comme cela. Nous allons nous battre et vous nous aiderez.

— Je ferai de mon mieux, mais ce sera dur. J'ai pris des renseignements sur ce Cassian Brown, c'est un adversaire coriace. Un arriviste prêt à tout. Ce ne sera pas joli-joli, Meredith.

— Rien n'est joli. La vie n'est pas jolie.

— Je viendrai demain soir, nous en parlerons à tête reposée. Mais, non, poursuivit-il en voyant Meredith changer d'expression, il ne faut surtout pas s'affoler. Au contraire. La plupart des procès traînent pendant des années, et celui-ci n'est même pas encore commencé. De fait, à mon avis, les Kember ont agi prématurément, si l'état de Katie n'est pas encore stabilisé. Et comme Katie est mineure, voyez-vous, il n'y a aucune urgence. Ils auraient dû attendre ses dix-huit ans pour penser à engager des poursuites.

Meredith ne l'écoutait déjà plus.

— Restez-vous dîner ? demanda-t-elle en se rasseyant. Hugh et Ursula l'apprécieraient beaucoup, j'en suis sûre.

— J'en suis sûr moi aussi, répondit-il avec regret, et j'aurais volontiers accepté si je n'avais pas eu... un engagement ailleurs.

Il se détourna en disant ces derniers mots. Meredith dissimula sa déconvenue par un sourire.

— Bien sûr, je comprends, dit-elle en s'abstenant de lui demander la nature de cet « engagement ».

Il y eut une pause. Alexis se pencha et lui donna un rapide baiser sur les joues.

— Ne vous inquiétez pas, nous nous en sortirons, dit-il.

— Je l'espère, répondit sombrement Meredith.

Quand il se retira, elle resta immobile sur son siège, comme en transe, les bras croisés sur la poitrine pour se protéger de la brise du soir. Une haine vengeresse pour Louise et Barnaby Kember se mêlait à sa déception du départ d'Alexis et la rendait plus amère encore.

Un moment plus tard, une rafale plus fraîche lui donna la chair de poule. Elle passa sa veste, se leva pour rentrer, pleine du regret de ne pas pouvoir se confier à Simon, de ne pas sentir ses bras autour d'elle, de ne pas entendre le son de sa voix, de ne pas pouvoir lui demander ses conseils, son aide et son amour.

9

Tout en se prélassant dans sa baignoire, Daisy regardait par la fenêtre de la salle de bains les feuilles du pommier sauvage qui frémissaient sous la brise, et se demandait comment se passerait la soirée. Sa mère lui avait téléphoné dans l'après-midi, pour voir si tout allait bien, et la jeune fille avait étourdiment laissé échapper qu'elle était invitée à dîner.

— C'est très bien, avait dit sa mère du ton distrait qui signifiait qu'elle était en train de pianoter sur le clavier de son ordinateur. Je ne savais pas qu'il y avait des garçons de ton âge à Melbrook.

Au lieu de se taire, Daisy avait bêtement répondu :

— En réalité, il n'est pas vraiment de mon âge.

Sa phrase entraîna un silence menaçant. Elle imagina sa mère s'arrêtant au milieu d'une phrase, les mains levées au-dessus du clavier, avant d'appuyer d'instinct sur la touche « sauvegarder » tout en réfléchissant à ce qu'elle allait dire.

— Ah ! prononça-t-elle enfin.

Il y avait dans l'intonation de ce monosyllabe à la fois une question et le sous-entendu qu'elle se doutait déjà de la réponse.

— Quel âge a-t-il ?

— Il est un peu plus âgé que moi, répondit Daisy, qui se maudissait de n'avoir pas su tenir sa langue.

— De combien, au juste ?

Daisy resta muette un instant, d'abord parce qu'elle ne connaissait pas elle-même leur différence d'âge. En y réfléchissant un peu, elle se dit qu'il devait avoir une quarantaine d'années – presque l'âge de son père, prit-elle conscience sans pouvoir réprimer un léger haut-le-corps.

La voix de sa mère parut indiquer qu'elle s'était levée et parlait en marchant. Daisy l'imagina sans peine allant à la porte du bureau pour faire signe à son père de la rejoindre et d'écouter la conversation. Une fois de plus, Daisy s'était mise dans une situation impossible…

— Il a quelques années de plus que moi. Mais ce n'est pas…

— Ce n'est pas quoi ?

— Tu sais…

— Es-tu juste invitée avec lui à un dîner chez des gens du village ? demanda sa mère comme si elle évaluait la gravité de la situation. Dans ce cas, ce n'est pas la même chose.

— Non, je crois que nous sortons juste dîner tous les deux. Ce que je me demande, c'est pourquoi il…

Elle ne pouvait à aucun prix dire la vérité : elle n'avait aucune idée de la raison pour laquelle il l'avait invitée à dîner.

— Daisy, déclara Mme Phillips de son ton le plus directorial, tu es encore très jeune et très naïve. Es-tu sûre de vouloir sortir dîner seule avec cet homme ?

Daisy fit une grimace. Comment sa mère réussissait-elle à rendre aussi inquiétante et sordide une simple invitation à dîner ?

— Ce n'est pas du tout ça ! s'écria-t-elle. C'est…

— C'est quoi ?

— Je n'en sais rien, dit-elle piteusement.

La jeune fille entendait respirer sa mère qui, à l'évidence, piaffait d'énervement. Elle ne savait plus comment s'extirper du guêpier où elle s'était fourrée. Si seulement elle n'avait rien dit !

— Daisy, ma chérie, ressaisis-toi. On ne sort pas dîner avec quelqu'un sans raison. Tu dois faire preuve d'un peu de prudence...

On entendit à l'arrière-plan un *bip-bip*.

— Oh, la barbe ! Écoute, ma chérie, il faut que je m'en aille. Si tu as un peu de bon sens, décommande ce dîner avec ce type. Mais si tu décides malgré tout d'y aller, appelle-nous sans faute quand tu rentreras. Je suis très inquiète de te savoir seule là-bas. Je ne sais pas ce que ton père dira quand il apprendra...

Le *bip-bip* résonna encore.

— Cette fois, il faut vraiment que je te laisse. Au revoir, ma chérie. Et appelle-nous ce soir en rentrant, n'oublie surtout pas !

— Oui. Au revoir, maman.

Daisy avait reposé le combiné et était restée le regard dans le vague pendant plusieurs minutes.

Mais maintenant, elle était en pleine forme. Voluptueusement allongée dans son bain, elle écoutait un concerto pour piano de Beethoven et sentait une joyeuse impatience la gagner peu à peu. Elle prenait plaisir à l'idée de sortir dans un restaurant, de choisir les plats sur un menu, de boire du vin. De quoi parleraient-ils pendant le repas, elle n'en savait rien, mais cet homme était si aimable, si chaleureux que la soirée serait sûrement agréable. Il avait été charmant avec elle à la piscine. Et puis, quelques jours plus tard, il était venu au cottage pendant qu'elle répétait, il était resté prendre le café, ils avaient parlé de la vie au village, de son séjour en Italie, du terrible accident de la petite fille le dimanche. Ensuite, il lui avait téléphoné pour l'inviter à dîner et elle avait accepté.

Du bout du pied, elle ouvrit le robinet et laissa le filet d'eau chaude lui caresser le corps. Tout cela est très bien, se dit-elle à regret, mais où cela aboutira-t-il ? Faut-il chercher quelque chose sous cette invitation ? Les paroles de sa mère résonnaient encore à son oreille : « On ne sort pas dîner avec quelqu'un sans raison. »

La première fois, à la piscine, elle avait cru qu'il faisait simplement preuve d'amabilité, comme Frances Mold ou un des amis de son père. Elle le croyait encore quand il était venu au cottage « en passant devant par hasard », comme il le lui avait dit. Mais maintenant, sortir dîner en tête à tête avec lui, cela voulait-il dire... Quoi, au juste ? Qu'il lui faisait la cour ? Qu'il espérait la revoir régulièrement par la suite – qu'il espérait faire l'amour avec elle ? Cette pensée la troubla au point de déclencher un geste nerveux qui provoqua des clapotis dans la baignoire. Pourtant, d'imaginer qu'il ose ce soir même la prendre dans ses bras, l'embrasser – voire aller encore plus loin – lui parut si grotesque qu'elle fut certaine de s'égarer et de se tromper du tout au tout sur la personnalité de cet homme. Mais ce serait pire, se dit-elle, de lui donner une fausse impression, de risquer de l'offenser en le soupçonnant injustement de vouloir mal se conduire avec elle. Si au moins, se dit-elle en tendant le bras vers sa serviette, elle avait pu être sûre de savoir quelle théorie était fausse... Elle ne devait en effet pas se tromper ni se déconsidérer en ayant l'air d'une mijaurée ou d'une allumeuse, car elle n'était ni l'une ni l'autre.

La soirée avec Daisy mettait Alexis mal à l'aise au point de se sentir ridicule. Toute la journée, il s'était attendu à ce qu'elle se décommande. De retour chez lui, en voyant que le témoin rouge du répondeur ne clignotait pas, il s'était presque senti déçu. En hâte, il se doucha, évitant de trop regarder sa peau tannée dans le miroir. Plutôt que de se raser, il s'aspergea d'une discrète eau de Cologne et s'habilla en choisissant avec soin un pantalon clair, une chemise bleue et une veste élégante en lin beige. Pas de cravate.

Une fois prêt, il s'étudia un instant dans la glace, qui lui renvoya l'image d'un homme entre deux âges. Le souvenir de la peau de Daisy, encore enfantine et vierge des stigmates du temps, lui causa le même choc que lorsqu'il avait calculé l'âge qu'il avait quand elle était née. Quand elle était venue au monde, il était déjà un homme fait ! Et voilà que, en tenue de godelureau, il sortait dîner avec une fille d'à peine dix-huit ans. Il devait être complètement cinglé !

De la musique émanait du cottage quand Alexis arrêta sa voiture devant. Il sonna, recula de quelques pas en admirant le petit verger et le hasard qui permettait au chant d'une grive de retentir en contrepoint de la musique. Au bout d'un moment, il sonna de nouveau. Le piano continuait. Alors, avec prudence, il poussa la porte, entra. La musique l'enveloppa, puissante, émouvante, vaguement familière sans qu'il puisse l'identifier. Un instant, il resta à l'écouter, en évitant son reflet ridicule dans le miroir du portemanteau en noyer sculpté du vestibule. Son cœur battait de plus en plus vite et il dut se forcer pour avancer jusqu'à la porte du salon.

Assise à son piano, Daisy leva les yeux et cessa de jouer.

— Oh, c'est vous ! Désolée, je n'ai pas entendu la sonnette.

— Ce n'est pas grave. C'est très beau, ce que vous jouez. Puissant.

La jeune fille rougit.

— Oui, c'est de Chopin. Une des *Études*.

Elle rougit encore, se mordit les lèvres, regarda la partition, puis la ferma.

Elle était habillée avec une élégance formelle, comme pour une cérémonie scolaire, en chemisier blanc, jupe rouge et collant beige. Retenus par un bandeau de velours, ses cheveux cascadaient jusqu'à sa taille et elle sentait un léger parfum de rose.

Sous le regard d'Alexis, Daisy rougit de nouveau.

— Je ne savais pas comment... Suis-je habillée comme il faut ?

Alexis hocha la tête. Il aurait voulu lui dire qu'elle était ravissante, mais il était tout à coup incapable de parler.

— Je n'ai pas eu souvent l'occasion de sortir, vous savez, reprit-elle. Du moins, depuis que je suis ici.

Elle se leva et, en repoussant maladroitement le tabouret du piano, fit tomber une pile de partitions. Alexis tendit aussitôt la main pour les ramasser.

— Non, laissez, s'empressa-t-elle de dire. Je les ramasserai plus tard. Ma veste est dans le vestibule.

— Bien sûr...

Il lui ouvrit la porte en se sentant emprunté, intimidé. Qu'est-ce qui lui arrivait, bon sang ? Comment se passerait la soirée s'il était incapable de prononcer deux mots intelligibles de suite ?

Dans la pénombre du vestibule, Daisy se retourna subitement en tendant la main vers sa veste pendue à une patère. Pris au dépourvu, Alexis buta contre elle et entra en contact avec la peau nue, tiède et parfumée d'un des bras de la jeune fille.

— Excusez-moi !

— Mais non, c'est moi qui suis maladroite, dit-elle timidement.

Au son de sa voix, Alexis sentit monter inexorablement en lui un dangereux sentiment de désir que la raison lui ordonnait de combattre.

— Je vais vous aider.

Il décrocha le vêtement, le lui tendit sans pouvoir détacher son regard de ses bras laiteux qu'elle glissait dans les manches. Alors, Daisy se tourna vers lui avec un regard interrogateur.

— Je ne voulais pas vous le demander, mais allons-nous... Je veux dire..., bredouilla-t-elle en devenant écarlate. Tout cela est très nouveau pour moi, et je me demandais simplement si...

Alexis était pétrifié de stupeur et de désir.

— Eh bien, vous savez... c'est très nouveau pour moi aussi. Oui, très nouveau, répéta-t-il en prenant un peu d'assurance. Alors, jouons d'oreille, nous verrons bien. Et puis, je m'étais dit que ce serait une bonne idée de dîner ensemble, voilà tout.

— Ah, bon. Bon, articula-t-elle d'un air de doute. Alors, allons-y.

Il ouvrit la porte et elle le précéda dans la douceur du soir.

Le restaurant de Linningford où Alexis l'emmena était ouvert depuis peu. La salle était vaste et claire, avec un parquet de chêne blond, des miroirs, des aquarelles aux murs et des plantes vertes entre les tables. Daisy eut un sourire ravi.

— Cet endroit me plaît beaucoup, dit-elle comme ils s'asseyaient. Il est tout à fait charmant.

Un serveur vint leur apporter des menus.

— Mademoiselle, monsieur, murmura-t-il avec déférence.

Daisy lui sourit, Alexis le fusilla du regard. Ce type se moquait-il de leur différence d'âge ? Mais le serveur avait l'air innocent et proposait un apéritif.

— Deux flûtes de champagne, dit-il au serveur. Non, plutôt une bouteille.

Le serveur parti, ils se tournèrent l'un vers l'autre. La jeune fille déplia sa serviette, la posa sur ses genoux. Alexis regarda autour de lui, comme s'il cherchait comment entamer la conversation, mais ce fut elle qui prit la parole en premier.

— Hier, j'ai vu Mme Kember qui passait en voiture. Elle ne m'a pas vue, je veux dire, je l'ai juste aperçue par la vitre de sa voiture. Mais j'ai pensé... Les pauvres, quelle tragédie.

— Oui, les pauvres gens.

Son ton hostile étonna Daisy.

— Pourquoi ?... Qu'est-ce que ?...

— Excusez-moi. Je les plains, bien entendu, mais... après tout, poursuivit-il en soupirant, ce n'est pas un secret. Les Kember veulent faire un procès à Hugh et Ursula.

— Un procès ? Parce que l'accident est arrivé dans leur piscine ?

— Oui, et parce que le petit ami avocat de Louise a réussi, j'en suis sûr, à les convaincre qu'ils pourraient tirer des Delaney une forte somme d'argent.

— Mais... le peuvent-ils ? En ont-ils le droit ?

— Bonne question. C'est possible, en effet.

— Pourtant... Je suis très ignorante, je sais...

— Je n'en crois rien, dit Alexis avec un sourire encourageant.

— Est-ce qu'on ne doit pas avoir fait quelque chose de mal pour être poursuivi en justice ? Ils n'ont rien fait de mal, n'est-ce pas ?

— Il faut définir l'expression « faire quelque chose

de mal ». Est-ce mal d'inviter les gens à venir se baigner dans sa piscine sans prévoir la présence d'un maître nageur ?

— Mais… c'est absurde ! s'exclama-t-elle, de plus en plus déconcertée. Une propriété privée n'est pas un endroit public.

Alexis eut un haussement d'épaules évasif.

— Oui, mais si on invite des gens chez soi, on est obligé de veiller à leur sécurité. C'est la loi.

Daisy le dévisagea un moment.

— C'est compliqué. Cet accident était affreux, je suis sincèrement désolée pour la pauvre petite fille et… ce serait bien qu'elle ait de l'argent pour que ses parents s'occupent d'elle, bien sûr. Mais un procès… cela me paraît indigne. Je croyais qu'ils étaient amis.

— Ils l'étaient, mais sans doute ne le seront-ils plus longtemps…

Alexis s'interrompit. L'air sombre, la jeune fille gardait les yeux baissés.

— De quoi parlons-nous ? Ne pensons plus à des choses aussi déprimantes. Voilà, juste à temps ! ajouta-t-il en voyant le serveur arriver avec une bouteille de champagne dans un seau à glace.

Au bruit du bouchon qui sautait, le sourire reparut sur les lèvres de Daisy, qui regarda Alexis en rougissant.

— Du champagne. Mon Dieu…

— Vous n'êtes pas obligée d'en boire si vous ne l'aimez pas. J'aurais dû vous demander d'abord votre avis. Mais ne vous inquiétez pas, nous pouvons commander autre chose.

— Pas du tout… Sincèrement… Vous me taquinez ? dit-elle enfin avec étonnement.

— Oui ! Cela vous ennuie ?

Elle étudia un instant le visage d'Alexis, son teint

hâlé, son regard intelligent, son sourire amusé et elle lui sourit franchement.

— Non. Cela ne m'ennuie pas du tout.

Plus tard, à la fin du dîner, Alexis tendit la main à travers la table et prit celle de Daisy.

— Voilà une belle main de pianiste, dit-il avec admiration. Je parie que vous avez plus de force dans vos doigts que moi dans...

— Votre petit doigt ? suggéra Daisy, dont le champagne avait déjà rosi les joues. L'ennui, quand on joue du piano, c'est qu'on ne peut pas avoir les ongles longs. Les miens sont affreux et, en plus, je les ronge.

— Non, ils sont très beaux. Vous êtes très belle.

Daisy rougit.

— Le dîner était délicieux, dit-elle avec embarras. Il m'a fait très plaisir.

— Je suis ravi qu'il vous ait plu.

Sans la quitter des yeux, il libéra sa main. Daisy ne la retira pas. Un bref silence suivit. Alexis baissa les yeux, compta jusqu'à cinq. Sa tension nerveuse croissait de seconde en seconde. Quand il releva la tête, Daisy avait les joues rouges. Ses longs cils soyeux projetaient des ombres sur son visage. Alors, osant à peine respirer, Alexis lui serra de nouveau la main dans la sienne.

Ils n'échangèrent que quelques mots pendant qu'Alexis réglait l'addition.

Dehors, l'obscurité bleu indigo d'une nuit d'été était trouée çà et là par des enseignes lumineuses de boutiques, la vision fugitive d'une robe claire dans la lumière jaune d'un réverbère, et le silence interrompu par un éclat de rire étouffé. Ils regagnèrent la voiture sans se parler. Daisy frissonnait, ses jambes flageolaient. Quand elle monta en voiture, le cuir du siège lui parut froid, inhospitalier et elle ne trouva rien à dire.

— Il faudra que je vous entende jouer comme il faut un de ces jours, dit Alexis en actionnant le démarreur.

— Oui, bien sûr. Justement, je dois donner un concert à Linningford en septembre.

— C'est merveilleux ! Qu'allez-vous jouer ?

— Un concerto pour piano avec l'orchestre symphonique.

— Vraiment ? Je suis impressionné. Vous devez être très contente.

— Oui, très.

Elle serra nerveusement ses mains en entendant sa voix trembler. Que se passerait-il quand ils descendraient de voiture ? se demandait-elle avec angoisse. Alexis voudrait-il rentrer chez elle ? Allait-il l'embrasser ? Voudrait-il ?...

— Quel concerto ?

Absorbée dans ses pensées, Daisy sursauta.

— De Brahms. Le deuxième.

— Je ne le connais pas, celui-là. Je ne suis pas très porté sur Brahms, à vrai dire.

— Oh, il est superbe !

Le silence revint. Un instant plus tard, la voiture s'arrêta et la jeune fille se tourna vers Alexis, étonnée.

— Pourquoi nous arrêtons-nous ?

— Parce que nous sommes arrivés, répondit-il en souriant. Regardez, vous ne reconnaissez pas votre cottage ?

— Ah, oui...

Sa voix était à peine un murmure, elle tremblait d'énervement. Alexis la regarda. En voyant ses lèvres frémir, ses yeux se tourner de gauche à droite, il eut l'impression d'avoir pris au piège un faon affolé. Au bout de deux secondes, il descendit de voiture et, avant que Daisy ait pu réagir, il contourna le véhicule et ouvrit la portière du passager en s'inclinant galamment. Elle ne put s'empêcher de pouffer.

— Bonne nuit, dit-il d'un ton amical. Et merci d'avoir bien voulu dîner avec moi.

— Merci à vous de m'avoir invitée, répondit-elle en s'efforçant de maîtriser les battements de son cœur.

Dans l'obscurité, la silhouette d'Alexis se détachait à peine. Quand il fit un pas vers elle, elle sentit sa respiration s'accélérer.

— C'était une très bonne soirée.

— Oui, très, parvint-elle à articuler.

Il y eut un silence. Avec lenteur, Alexis pencha la tête vers elle, posa un léger baiser sur une de ses joues. Puis, avant qu'elle puisse dire un mot, avant qu'elle puisse même reprendre son souffle, il lui inclina légèrement la tête en la soutenant d'une main et posa ses lèvres sur les siennes. Les yeux clos, Daisy sentit la chaleur de sa langue qui glissait doucement dans sa bouche, la fraîcheur de la brise dans ses cheveux, et ne pensa plus à rien. Quand il s'écarta, elle le regarda dans les yeux, en proie à un vertige. S'il me le demandait maintenant, se surprit-elle à penser, s'il le voulait... je dirais oui. Un frémissement de désir la gagna, mais Alexis l'avait déjà lâchée et faisait un pas vers sa voiture.

— Il faut que je m'en aille, dit-il avec regret en réussissant à esquisser un sourire. Vous avez vos clefs ?

— Euh... oui, bredouilla-t-elle.

— J'attends que vous soyez entrée et en sûreté. Nous pourrions nous revoir un de ces jours. Qu'en dites-vous ?

— Oui. Ce serait... très agréable.

Pourquoi les mots avaient-ils tant de mal à franchir ses lèvres ?

— Je pourrais par exemple passer demain prendre le café, si vous le voulez bien. À moins que vous ne deviez vous exercer.

— Euh... non. J'aurai le temps.

— Parfait. Alors, à demain.

— À demain.

Elle traversa la rue jusqu'au cottage, fit un timide salut de la main, ouvrit la porte et disparut à l'intérieur. Durant quelques secondes, Alexis resta immobile au volant, avant de démarrer et de s'enfoncer dans la nuit.

10

La nouvelle du procès que les Kember voulaient intenter aux Delaney pour l'accident de Katie se répandit très vite dans le village, noyée dans une confusion de versions contradictoires et d'opinions indécises. On n'était pas sûr des circonstances exactes, on n'en avait entendu qu'un vague compte rendu de troisième main. Finalement, frustrée devant ce fatras d'incohérences, Sylvia Seddon-Wilson décida d'organiser une réunion afin de récolter des fonds pour venir en aide à Katie. Elle convia chez elle autour d'une tasse de café toutes les dames du village, y compris Louise, Ursula et Meredith.

— Elles ne viendront pas, bien entendu, déclarat-elle pendant qu'elle collait des enveloppes à la table du petit déjeuner.

James, son mari, leva poliment les yeux du *Financial Times*.

— Qui ne viendra pas ?

— Louise, pour commencer. Elle a bien trop à faire.

Le front de James se plissa sous l'effort de la réflexion.

— Laquelle est Louise ?

Sylvia poussa un soupir agacé.

— Voyons, James ! La mère de la petite qui a eu l'accident, je te l'ai dit cent fois !

— Ah, oui. Triste affaire. Comment va-t-elle ? La petite, je veux dire.

— Elle serait sortie du coma, paraît-il. Mais, poursuivit-elle en fixant sur son époux un regard chargé de sous-entendus, elle aurait une lésion au cerveau. Et aux dernières nouvelles, les parents poursuivent les Delaney en dommages et intérêts. Leur faire un procès, tu te rends compte !

— J'en frémis, dit James en buvant une gorgée de café.

Il regarda Sylvia comme s'il attendait d'autres révélations, mais elle s'était remise à lécher les enveloppes et il reprit son journal. Pourtant, son attention avait été distraite et, au bout d'un moment, il délaissa sa lecture.

— C'est grave ? demanda-t-il.

— Quoi ?

— Les lésions au cerveau de la petite.

— Oh… Je n'en sais rien.

— Tu lui as rendu visite ?

Sylvia rougit.

— Non. Et ne me regarde pas comme cela. Tu sais que je ne suis pas douée pour les visites aux malades, répondit-elle en finissant de lécher une enveloppe qu'elle posa sur la pile. J'organise cette rencontre café en manifestation de solidarité, ce sera plus utile.

— Solidarité ! s'esclaffa James.

— Parfaitement, j'y collecterai des fonds, répliqua sa femme, vexée. Il n'y pas de quoi ricaner, James !

— Ah, collecter des fonds ! répéta James avec un sourire ironique. Je connais tes méthodes, ma chère Sylvia. Dis plutôt une collecte de ragots. Cinquante pence pour chaque rumeur bien croustillante, vraie ou fausse.

— Tais-toi donc ! répliqua Sylvia, agacée, en mordant dans un toast. De toute façon, je croyais que tu devais aller à Anvers cette semaine.

— Je n'y vais que jeudi.

— Tant mieux, tu me débarrasseras de ta présence pour ma réunion. Combien de temps y resteras-tu ?

— Trois jours. Ensuite, j'irai directement à Oslo.

— Encore mieux. Prends ton temps, ne te presse pas pour rentrer.

— Sois tranquille, ma chère, répondit son mari avec un bon sourire. Je n'ai surtout pas l'intention de me bousculer.

À onze heures, le jour de la réunion, les quatorze dames assises dans le salon de Sylvia tournaient leurs regards vers la porte avec curiosité. Elles entendaient dans le vestibule la voix de Mary Tracey, qui venait d'arriver et parlait sur un rythme précipité. Ces dames n'ignoraient pas que Mary en savait sûrement plus sur toute l'affaire que n'importe laquelle d'entre elles. Louise, après tout, n'avait pas d'amie plus proche dans tout le village.

Aussi, pour lui réserver la primeur des révélations, ces dames s'abstinrent d'aborder le sujet de l'accident jusqu'à ce que le bébé Luke ait été confié à la tendre vigilance de Mme Greenly, la cuisinière, et que Mary elle-même ait été introduite au salon et installée à la place d'honneur, sur un canapé Knoll au milieu de la pièce. Avec un sourire chaleureux, Sylvia lui apporta une tasse de café.

— Voilà, dit-elle avec suavité. J'espère que vous ne le trouverez pas trop fort.

— Oh, non... Il a l'air très bon. Merci beaucoup, dit Mary, rose de confusion d'être l'objet de tant d'égards.

D'habitude, Mary évitait les réunions café pério-

166

diques de Sylvia, qu'elle jugeait trop futiles, surtout depuis que Luke accaparait son temps. Mais Sylvia avait usé de tant de charme au téléphone pour la persuader de venir qu'elle n'avait pas pu refuser. En regardant autour d'elle, elle constata, non sans quelque angoisse, qu'elle était de loin la plus jeune et, sans conteste, la moins bien vêtue.

Pendant la courte pause qui suivit, Sylvia regagna son fauteuil, trempa ses lèvres dans son café et prit une profonde inspiration. Ces dames se tournèrent vers elle.

— Alors, Mary, commença-t-elle d'un ton plein de compassion, comment va la pauvre petite Katie ?

Mary déglutit, reposa sa tasse. Tous les regards étaient maintenant braqués sur elle.

— Eh bien, elle s'est réveillée de son coma.

Un soupir de soulagement collectif accueillit sa déclaration.

— Dieu soit loué ! commenta Mme Prendergast, imposante matrone qui habitait en face de chez Sylvia.

— C'est une merveilleuse nouvelle ! s'exclama une autre, un peu trop gaiement aux yeux de Mary.

— Oui, s'empressa-t-elle de préciser, mais cela ne veut pas dire qu'elle est guérie. Elle est encore très dolente et les médecins disent…

Elle s'interrompit pour boire une gorgée de café. L'assistance restait suspendue à ses lèvres.

— Ils disent, reprit-elle, qu'elle a peut-être une lésion au cerveau.

Elle s'étonna de sentir ses yeux s'emplir de larmes. Qu'est-ce qu'elle avait, bon sang ? Elle connaissait le véritable état de Katie depuis des jours, elle aurait dû être capable d'en parler plus calmement. Mais exposer la situation devant toutes ces femmes lui faisait revivre l'horreur du début, et les larmes coulèrent sur ses joues.

D'un bond, Sylvia accourut auprès d'elle.

— Oh, Mary ! s'exclama-t-elle en lui caressant la main. N'en parlez pas si c'est trop pénible.

— Non, non, ça va, répondit bravement la jeune femme en se dominant de son mieux.

— Nous nous faisons toutes tellement de souci pour la pauvre petite, vous comprenez, poursuivit Sylvia.

— Une lésion au cerveau, murmura une dame près de la fenêtre. C'est épouvantable.

— Elle ne restera pas totalement... complètement... Vous comprenez, dit Mary sans trouver le qualificatif le plus acceptable. Enfin, vous voyez ce que je veux dire... Et il y a une chance pour qu'elle récupère tout à fit après un peu de temps.

Elle regarda autour d'elle avec espoir, mais les autres ne partageaient visiblement pas son optimisme et arboraient une mine lugubre.

— Quelle épreuve pour cette famille ! soupira Mme Prendergast. Je ne sais pas si je serais capable de la supporter.

— C'est terrible, approuva une autre.

— Épouvantable, gémit une troisième.

Il y eut un profond silence en signe de respect pour les victimes de l'épreuve, puis Sylvia s'adressa à Mary.

— Mais, dites-moi, j'ai entendu parler d'un, comment dire ?... un dédommagement ? un procès ? Vous êtes au courant ?

Avec un bruissement d'étoffes, les dames s'avancèrent sur leurs sièges respectifs, l'oreille tendue.

— Eh bien... oui, c'est vrai. Louise et Barnaby vont faire un procès aux Delaney. Apparemment, les Delaney auraient été négligents. Leur plongeoir était dangereux.

Mme Prendergast laissa échapper un soupir horrifié.

— C'est abominable ! s'exclama-t-elle. Mes propres

enfants sont allés nager dans cette piscine ! Ils ont sauté des centaines de fois de ce plongeoir !

— Les miens aussi, intervint une autre. Penser qu'ils ont été tout ce temps en danger, c'est purement et simplement criminel !

— Terrible, commenta une autre voix.

— Rien n'est encore prouvé, intervint d'un ton mesuré Mme Quint, qui n'avait pas encore ouvert la bouche. J'estime qu'il ne serait pas juste de considérer hâtivement ce plongeoir comme dangereux. Je dois dire qu'il m'a personnellement paru tout à fait normal.

Mme Prendergast lui décocha un regard ulcéré.

— Ils ne feraient pas de procès s'ils n'avaient pas de preuves, voyons ! objecta-t-elle d'un air triomphant.

Les dames se consultèrent du regard. Aucune ne parut capable de contredire une affirmation aussi péremptoire.

— Eh bien, pour ma part, je pense que les Kember doivent chercher à obtenir un maximum, dit alors Janice Sharp, qui ne possédait qu'un cottage de week-end à Melbrook, mais s'était déplacée spécialement pour la réunion de Sylvia. Je leur souhaite bonne chance. Je veux dire, les Delaney me paraissent en avoir largement les moyens.

Mme Prendergast approuva d'un signe de tête emphatique.

— Saviez-vous qu'ils ont des maisons un peu partout en Europe ? dit-elle en chassant de sa jupe une miette de biscuit.

— Vous en êtes sûre ? s'enquit Mme Quint.

— Tout à fait. En tout cas, ils en ont une en France, c'est certain. Et sans doute aussi une en Italie et une autre encore ailleurs. Avec toutes ces propriétés, ils sont trop avares pour entretenir leur piscine afin que nos enfants soient en sécurité. C'est honteux !

— Je ne sais pas, objecta Mme Quint d'un ton dubitatif. Je ne suis pas certaine qu'ils aient autant d'argent et je suppose que les Kember leur demanderont une très forte somme.

Tous les regards se tournèrent alors vers Mary, qui piqua un fard. Les sommes astronomiques dont elle avait entendu parler Louise et Cassian l'avaient elle-même stupéfaite. Cassian avait démontré que Katie en aurait besoin au fil des années et qu'en exiger moins serait la trahir. Le souvenir de Cassian assis à côté de Louise dont il ne cessait d'effleurer le bras nu avec sa manche, de l'odeur de sa coûteuse eau de Cologne et de la manière dont il souriait à Louise la fit rougir de plus belle. Puis, se rendant compte que tout le monde attendait sa réponse, elle secoua vivement la tête pour s'éclaircir les idées et reprit sa respiration.

— Il est question d'un demi-million de livres, je crois, déclara-t-elle. Ou quelque chose de cet ordre.

Un soupir d'effarement échappa à ces dames.

— Quoi ?

— Vous plaisantez !

Sylvia elle-même manifesta sa surprise.

— Est-ce vrai, Mary ? Vont-ils réellement demander autant ?

— C'est du moins ce qu'ils disent.

Mary prit alors conscience des yeux écarquillés braqués sur elle et se demanda si elle n'aurait pas mieux fait de garder l'information pour elle. Mais il était trop tard. Les exclamations fusaient de partout. Mme Prendergast répétait « Ça ne m'étonne pas ! » d'un ton entendu, comme si elle lançait à la ronde le défi d'oser la contredire.

— Vous vous rendez compte ! dit Janice Sharp. Un demi-million de livres !

— C'est une grosse somme, commenta Mme Quint. Espérons que les Delaney sont bien assurés.

Mary se sentit alors obligée de prendre la défense des Kember.

— Katie est gravement blessée, vous savez. Elle aura peut-être besoin de soins pendant des années. Cet argent ne sera pas de trop.

— Je ne voulais pas dire…, commença Mme Quint, que la sonnette de la porte d'entrée interrompit la discussion.

— Excusez-moi, dit Sylvia en se levant. Et resservez-vous du café.

Son absence donna lieu à un bavardage animé. Mme Quint tenta d'introduire un sujet d'intérêt plus général, mais personne n'accorda son attention ni aux subtilités du jardinage ni aux projets de vacances.

— J'estime, disait Mme Prendergast lorsque la porte se rouvrit, que si on vous fait payer le droit de vous servir de sa piscine, on doit en supporter les responsabilités et…

La voix de Sylvia dans le vestibule lui coupa la parole. Elle parlait volontairement assez fort pour que les autres l'entendent.

— Avez-vous le temps de prendre un café avec nous, Ursula ?

Quelques dames lâchèrent un cri de stupeur. Mme Prendergast resta bouche bée. Sur le pas de la porte apparut Ursula Delaney, un aimable sourire aux lèvres et un cake aux amandes à la main.

— Bonjour à toutes, dit-elle avec simplicité. Je ne peux pas rester, malheureusement, je voulais juste apporter ma petite contribution.

— C'est très gentil, Ursula, dit Sylvia avec un sourire amusé à l'intention des autres. Il suffit déjà que

171

vous soyez venue. Vous connaissez tout le monde, je pense ?

— Oui, je crois.

Ursula fit un vague sourire à la ronde et alla déposer le cake sur la table. Quand elle se redressa, il régnait un silence gêné.

— Oh, je suis désolée ! s'exclama-t-elle. N'interrompez pas votre conversation à cause de moi, je vous en prie. De quoi parliez-vous ?

Le silence se fit plus pesant. Mary rougit au point de sentir ses joues la brûler. Au bout de quelques secondes, Mme Quint s'éclaircit la voix.

— Je parlais de l'état pitoyable de mon jardin. N'est-ce pas, madame ? ajouta-t-elle en lançant un regard sévère à Mme Prendergast.

— Oui, oui, absolument, se hâta de confirmer cette dernière. Comme le mien, d'ailleurs. Je l'ai trop négligé, c'est une catastrophe.

— Le mien aussi, renchérirent à l'unisson plusieurs dames.

Ursula regarda autour d'elle avec étonnement.

— Mon Dieu, quelle malchance, dit-elle. Le nôtre a l'air de bien se porter. C'est sans doute l'engrais, nous le choisissons de bonne qualité.

Elle quêta du regard une approbation, une réponse. Mais aucune de ces dames ne parut en mesure de lui en offrir.

11

Quinze jours plus tard, au courrier du matin, Hugh reçut une lettre de sa compagnie d'assurances. Il l'ouvrit pendant le petit déjeuner, la lut sans mot dire et la replia.

— Qu'est-ce que c'est ? demanda Meredith, qui avait reconnu le logo sur l'enveloppe. Qu'est-ce qu'ils disent ?

Depuis qu'elle avait appris que les Kember allaient faire un procès à Hugh et Ursula, Meredith se réveillait tous les matins avec une impérieuse envie de se battre, envie dont elle brûlait de faire bon usage. Mais Alexis lui avait dit que ce serait prématuré et avait répété que la procédure durerait probablement longtemps, peut-être même des années.

Des années d'un pareil stress ? Pour Meredith, l'idée même en était d'autant plus insupportable qu'elle savait ne pas être la seule à en souffrir. Incapable de travailler ou de se détendre, elle arpentait la maison de long en large pour tenter d'éliminer son inutile adrénaline, tandis que Hugh se retirait en silence dans son cabinet de travail. Pâle, les traits tirés, il avouait ensuite à regret qu'il dormait mal.

— Qu'est-ce qu'ils disent ? insista Meredith en maîtrisant à grand-peine son impatience.

Hugh leva les yeux, regarda brièvement Ursula qui dégustait paisiblement un œuf à la coque en lisant le *Daily Mail*. Il essaya de faire à Meredith un sourire optimiste, mais son regard trahissait son désarroi.

— Ils estiment hautement improbable l'éventualité de la prise en charge d'un sinistre découlant d'une utilisation publique de la piscine. Ils disent aussi, ajouta-t-il en jetant un coup d'œil à la lettre, que si nous les avions informés auparavant que notre piscine serait ouverte au public en certaines circonstances, ils auraient pu nous soumettre un avenant couvrant ce risque additionnel. Bref, ils refuseront de payer.

— Les salauds ! Tous les mêmes ! s'exclama Meredith. Ils prennent n'importe quel prétexte pour échapper à leurs responsabilités !

— Peut-être, soupira Hugh. Mais ils n'ont peut-être pas tort non plus. J'aurais sans doute dû leur passer au moins un coup de fil, prévoir quelque chose. L'idée ne m'en était même pas venue…

— Montrez-moi cette lettre. Ils ne disent pas en toutes lettres qu'ils ne paieront pas, commenta-t-elle après l'avoir parcourue. Ils disent « vraisemblablement ».

— Je sais, mais cela revient au même et, franchement, je n'ai guère d'espoir qu'ils changent d'avis.

Meredith relut le courrier avec plus d'attention.

— Oui, soupira-t-elle, vous avez sans doute raison.

Elle se laissa aller sur sa chaise et regarda par la fenêtre pour croiser le regard attristé de son beau-père. Qu'arriverait-il si Hugh et Ursula perdaient le procès ? se demanda-t-elle. Comment paieraient-ils des dommages et intérêts aussi colossaux ? Des centaines de milliers de livres ? Que feraient-ils ? Comment pourraient-ils s'en tirer ?

— Je sors, dit-elle.

Elle se leva et quitta la pièce avant que Hugh et Ursula aient pu placer un mot.

Sortie de Devenish House sans réelle intention, elle prit plus ou moins consciemment la direction de Larch Tree Cottage, à l'autre bout du village. Le souvenir du regard accablé de Hugh attisait sa fureur à chaque pas et la faisait accélérer l'allure, au point que c'est en haletant presque qu'elle arriva à destination, sans savoir exactement ce qu'elle allait faire. Mais la vue de Louise qui sortait du cottage balaya ses dernières hésitations.

— Il vous intéressera peut-être d'apprendre, commença-t-elle d'un ton agressif, sans tenir compte du sursaut de stupeur de Louise à son apparition, que nos assureurs nous lâchent. Donc, si vous gagnez votre maudit procès, Hugh et Ursula devront vous dédommager de leur poche et seront ruinés. Je tenais simplement à vous le faire savoir.

— Je crains que..., dit Louise en s'efforçant de maîtriser ses tremblements. Je ne pense pas que...

— Non, bien sûr, vous ne pensez pas ! l'interrompit Meredith avec rage. Vous ne pensez à rien ! Si vous aviez un petit peu réfléchi, vous n'auriez pas intenté ce foutu procès ! Vous ne ruineriez pas de gaieté de cœur la vie de deux personnes parfaitement innocentes !

— Je ne...

— Vous doutez-vous au moins de ce que cela va leur infliger ?

— Et vous, répliqua Louise avec un soudain accès de colère, savez-vous ce que cet accident nous inflige à nous ? Vous n'avez même pas rendu une seule visite à Katie à l'hôpital, pas même pris de ses nouvelles ! Pas un seul d'entre vous ! Vous n'avez pas vu dans quel état elle est ! Alors, ne me parlez pas de ruiner la vie des gens ! Vous n'avez pas idée de ce que cet

175

accident fait à la nôtre ! hurla Louise en dardant sur Meredith un regard étincelant de fureur.

— La raison pour laquelle nous ne sommes pas allés à l'hôpital, c'est votre foutu procès ! Cela ne vous est pas non plus venu à l'idée ? On nous a conseillé de nous tenir à l'écart. Si seulement vous laissiez tomber ce procès grotesque, nous pourrions vous aider ! Nous voulons vous aider !

Une voix suave intervint alors :

— Si vous voulez aider, commencez par déguerpir immédiatement de la propriété de ma cliente.

Les deux femmes tournèrent la tête en même temps pour voir Cassian sortir du cottage. Meredith le fusilla du regard.

— Oui, Meredith, dit Louise, enhardie par l'arrivée des renforts. Laissez-moi tranquille.

— Je m'en vais, bon sang ! Mais je vous rappelle que j'ai une idée très précise de ce que vous subissez. Je suis passée par là, moi aussi.

— Cessez de harceler ma cliente, je vous prie, intervint Cassian avec moins de suavité.

Elle l'ignora délibérément.

— Au cas où vous l'auriez oublié, mon mari a été dans le coma il y a cinq ans, comme votre fille. La différence, c'est qu'il est mort.

Meredith se tut, Louise rougit un peu.

— Je suis tenu de vous informer que votre scène de rage en public ne vous rend aucun service, déclara l'avocat en commençant à prendre des notes dans un calepin.

— L'autre différence, reprit Meredith sans lui accorder un regard, c'est que je me suis résignée. Je n'ai pas cherché à blâmer un autre, encore moins essayé de lui soutirer de l'argent.

— Je dois vous demander…, commença Cassian.

— Oh, vous, le petit crapaud visqueux, allez vous faire foutre !

— Bon, d'accord, votre mari est mort, dit Louise sans regarder Cassian. Mais ce qui arrive à Katie est peut-être pire. Elle peut rester infirme jusqu'à la fin de ses jours.

— Louise ! intervint sèchement l'avocat, il faut mettre un terme à cette conversation. Allez dans la voiture.

La jeune femme hésita, mais finit par obéir.

— Bien, dit Cassian qui prit son téléphone dans sa poche. Si vous ne partez pas sur-le-champ, j'appelle la police.

Sans daigner lui répondre, cette dernière s'éloigna. En passant devant la voiture, elle essaya d'accrocher le regard de Louise, qui se détourna. Alors, avec un haussement d'épaules, elle prit le chemin du retour.

Pendant qu'ils finissaient le petit déjeuner, Hugh avait patiemment expliqué à Ursula la lettre de l'assurance, en s'efforçant de lui rendre la situation claire sans l'effrayer. Quand il eut terminé, elle le regarda sans manifester de véritable angoisse, plutôt un simple mécontentement, en se bornant à murmurer : « Mon Dieu… »

Devant son expression presque sereine, Hugh se sentit gagner par un sentiment inaccoutumé de frustration. C'est tout ce que tu trouves à dire ? aurait-il voulu lui crier. Tu ne comprends pas ce que cela représente, où cela peut nous entraîner ? Mais plutôt que de crier en vain, il serra les poings sous la table et fit de son mieux pour calmer les battements de son cœur.

De son côté, les sourcils froncés, Ursula gardait le silence, l'esprit agité de pensées pénibles et confuses. Quand son époux se leva de table, elle inclina dis-

177

traitement la tête comme s'il était un étranger quittant sa place dans un compartiment de train, et resta immobile une dizaine de minutes, jusqu'à ce que ses pensées se cristallisent en une conclusion. Elle laissa donc la vaisselle à la femme de ménage, qui venait deux fois par semaine, et se hâta de monter s'asseoir à la coiffeuse de bois satiné qui lui servait de bureau. Elle prit une feuille de brouillon et, avec un zèle de missionnaire préparant un sermon, elle entreprit de composer une lettre.

Le lendemain, une fois seule, Ursula sortit de Devenish House munie d'un grand panier et d'une enveloppe mauve pâle. Elle traversa prestement le village, désert à cette heure matinale, en direction de Larch Tree Cottage.

Elle était parfaitement consciente de prendre le même chemin que Meredith la veille, et qu'Alexis serait furieux contre elle s'il découvrait ce qu'elle voulait faire et qu'elle n'aurait même pas dû envisager. Seule son intime conviction d'agir pour le mieux la retint de rebrousser chemin. La mission qu'elle accomplissait, pensait-elle, était d'une tout autre nature que celle de sa belle-fille.

Elle avait été stupéfaite d'entendre Meredith relater sa confrontation avec Louise. Crier dans la rue ! Que leur arrivait-il à eux tous ? Cela prouvait que personne en ce moment n'était dans son état normal, argument qu'elle développait justement dans sa lettre à Louise.

Ursula plaçait les plus grands espoirs dans cette lettre. Elle lui avait consacré la veille trois heures de travail intensif avant de la recopier au propre sur un beau papier mauve et d'aller à Linningford acheter un assortiment de jouets. La vue de l'enveloppe, adressée à « Mme Barnaby Kember », ranima son espoir. Alexis avait beau leur interdire tout contact avec les Kember, quel mal pourraient faire quelques lignes honnêtes et sincères ? Louise s'attendrirait en lisant l'appel qu'Ursula lui lançait du fond du cœur, l'appel d'une mère à une autre. Après cela, elle abandonnerait à coup sûr l'idée de ce ridicule procès.

Elle avait l'intention de laisser le panier et la lettre devant la porte et de s'en aller. Mais Amelia jouait sur la pelouse devant le cottage, et elle leva les yeux à son approche.

— Bonjour, madame Delaney.

— Bonjour, Amelia, répondit-elle, étonnée. Tu ne devrais pas être à l'école, à cette heure-ci ?

— Si, mais j'ai mal à l'oreille. Alors, je reste à la maison.

— Ta maman est là, elle s'occupe de toi ? demanda Ursula en lançant un regard inquiet en direction du cottage.

Elle n'avait pas prévu de se trouver nez à nez avec Louise.

— Non, elle n'est pas à la maison. Elle est à l'hôpital, précisa Amelia d'un ton rancunier. Elle est tout le temps à l'hôpital…

— Elle se fait sûrement beaucoup de souci pour Katie, ma chérie.

— Moi, j'avais mal à l'oreille hier et quand je le lui ai dit, elle m'a répondu : « Un peu de courage, Amelia, ce n'est pas grave. » J'avais si mal que j'ai pleuré toute la nuit, alors elle m'a emmenée chez le docteur et tout ce qu'il m'a dit, c'est : « Comment va Katie ? » Maintenant, je suis malade, moi aussi, c'est Mary qui s'occupe de moi et maman est partie s'occuper de ma sœur, comme toujours.

Pauvre petite, pensa Ursula, peinée. Elle se sent délaissée, bien sûr.

— Je hais Katie ! dit Amelia d'un air de défi.

Ursula réussit à esquisser un sourire.

— Tu ne la hais pas vraiment, voyons, j'en suis sûre, dit-elle d'un ton apaisant.

Amelia garda son air buté et finit par se détourner en rougissant.

— Regarde, se hâta de dire la vieille dame. Regarde ce que je t'ai apporté.

Elle plongea une main dans le panier dont elle sortit le premier jouet qu'elle toucha, une poupée Barbie en collant rose dans un bel emballage transparent. La fillette écarquilla les yeux.

— C'est pour moi ? demanda-t-elle d'un air soupçonneux. Vous l'avez apportée pour moi ?

— Mais oui, affirma Ursula en espérant paraître convaincante. Ces jouets sont en partie pour Katie et... en partie pour toi.

En silence, Amelia tourna la poupée dans ses mains sans rien dire et, tout à coup, lâcha un sanglot.

— J'en veux pas ! gémit-elle. Je veux qu'elle soit pour Katie.

Et elle partit dans une crise de larmes réglementaire, avec les joues ruisselantes et le nez qui coule. Sans réfléchir, Ursula s'assit sur le talus, prit la fillette dans ses bras et celle-ci enfouit son visage au creux de son épaule.

— Rassure-toi, ma chérie, tout s'arrangera, tu verras.

Amelia leva vers elle un visage rouge et des yeux noyés de larmes.

— Katie est toute chauve sur la tête et elle a un horrible tube dans le bras, dit-elle d'une voix entrecoupée de sanglots.

La vieille dame parvint à oublier le malaise qui lui

nouait l'estomac et continua à caresser les cheveux de l'enfant.

— Elle ne peut pas parler et elle ne savait pas qui j'étais. Je lui ai dit : « Bonjour, Katie, c'est moi, Amelia », mais elle m'a regardée comme si elle ne me reconnaissait pas et elle s'est rendormie tout de suite. Elle n'a même pas regardé les dessins qu'on avait faits exprès pour elle en classe. Tout le monde en avait fait, même Mme Jacob, la maîtresse. Et on a enregistré une cassette pour elle.

Ursula la serra un peu plus fort contre sa poitrine. De douloureux souvenirs de Simon, qu'elle croyait enterrés à jamais, lui revenaient en mémoire. Pour les chasser, elle concentra son attention sur Amelia en lui parlant d'un ton rassurant.

— Allons, allons, je ne m'inquiéterais pas de cela à ta place. Ta sœur est encore à moitié endormie, tu sais.

— C'est ce que dit maman, répondit la fillette avec méfiance. Mais Sarah Wyatt, une copine de ma classe, a dit qu'elle avait vu un film où la fille dans le coma est morte. Elle a dit que Katie allait mourir.

Cette dernière phrase déclencha un nouveau déluge de larmes.

— Mais non, cette Sarah dit n'importe quoi. Katie ira bientôt beaucoup mieux, tu verras.

Pendant le silence qui suivit, Ursula regarda autour d'elle avec inquiétude. Mary devait se demander où était passée Amelia. Elle bougea un peu comme si elle voulait se lever, mais l'enfant s'accrocha à elle et dit tout à coup d'une voix étranglée :

— C'est ma faute.

La vieille dame sursauta, stupéfaite.

— Mais non, Amelia ! Il ne faut même pas y penser. Où as-tu trouvé cette idée ?

— Si, c'est ma faute. Katie essayait de faire un

plongeon en arrière parce que j'en faisais. Elle me copie tout le temps. C'est moi qui voulais aller nager. Papa voulait aller à la pêche, mais moi, je voulais aller me baigner et Katie a fait comme moi. Et après, elle a voulu m'imiter en plongeant sur le dos. Si je n'avais pas...

Elle s'interrompit pour essuyer son nez d'un revers de la main.

— Si je n'en avais pas fait, Katie n'en aurait pas fait non plus.

Pendant quelques secondes, en proie à la panique, Ursula ne sut que dire. Son esprit restait désespérément vide. Mais je ne peux pas en rester là, se dit-elle. Cette enfant bouleversée comptait sur elle pour la rassurer, la réconforter, elle devait trouver quelque chose à lui dire.

— Cela ne tient pas debout, voyons ! déclara-t-elle avec toute l'autorité dont elle était capable. Je n'ai jamais rien entendu d'aussi bête. Ta sœur veut quelquefois t'imiter, mais pas toujours. La plupart du temps, elle fait ce qu'elle veut, quoi que tu aies fait ou non, tu le sais bien. Elle est venue nager parce qu'elle en avait envie, et elle a voulu plonger sur le dos parce qu'elle le voulait bien. Tu n'y es pour rien. Rien du tout.

Amelia ne parut pas convaincue. Ursula continua de chercher de meilleurs arguments.

— Écoute, vous avez sûrement vu à la télévision, Katie et toi, des plongeurs professionnels exécuter de superbes plongeons en arrière. Tu ne dis pas que c'est leur faute si Katie les a imités, n'est-ce pas ?

À regret, Amelia hocha la tête.

— Eh bien, tu vois, je t'en ai donné la preuve ! Maintenant, ne pense plus à ces idées idiotes.

Ursula réussit à sourire et regarda la poupée Barbie, que la fillette tenait encore d'une main.

— Comment vas-tu l'appeler ? Elle est vraiment pour toi, tu sais.

Amelia baissa les yeux vers la poupée et réfléchit un instant.

— Je vais l'appeler Katie, dit-elle enfin.

Elle s'essuya les joues, respira profondément et commença à défaire l'emballage.

— Très bien. Et maintenant, prends le panier et va montrer les jouets à Mary. Maman te permettra peut-être de les apporter à l'hôpital. Et puis, Amelia, dit-elle en sortant du panier l'enveloppe mauve, donne cette lettre à Mary ou à maman quand elle rentrera. Ne la perds surtout pas et n'oublie pas de la donner.

L'enfant prit l'enveloppe, la regarda.

— Qu'est-ce que c'est ?

Ursula hésita un instant.

— Eh bien... c'est de l'argent pour Katie. Pour vous tous, en réalité. Juste un petit cadeau de ma part avec une lettre pour ta maman. Allons, il est temps de rentrer, dit-elle en se levant. Va, ma chérie.

Elle attendit qu'Amelia ait traversé le jardin pour s'éloigner aussitôt sans que personne l'ait vue.

Plus tard ce jour-là, Alexis rejoignit Hugh, Ursula et Meredith dans la cuisine de Devenish House.

— Tant que nous n'avons pas reçu l'assignation ni pris connaissance de ce qu'ils demandent, nous ne pouvons pas préparer de défense efficace, mais mieux vaut y penser dès maintenant. Je me suis donc basé sur les hypothèses les plus plausibles. Ils vous poursuivront en vertu de la loi sur la responsabilité civile des occupants d'un lieu, dit-il en lisant une feuille posée devant lui *: « L'occupant a le devoir envers un* *visiteur de veiller en toutes circonstances à lui assurer une sécurité raisonnable pendant l'usage qu'il fera des lieux auxquels il est invité ou autorisé à venir par l'occupant, sauf si l'occupant a validement étendu, restreint, modifié ou exclu tout ou partie de cet usage par agrément mutuel ou par tout autre moyen. »*

Alexis leva les yeux vers les autres. Hugh paraissait abattu, Ursula décontenancée. Seule Meredith réagit avec animation.

— Ce qui veut dire, si je comprends bien, que nous aurions dû mettre une pancarte : « Nous déclinons toute responsabilité pour la sécurité de vos enfants » ?

— Cela aurait peut-être été utile, admit Alexis. Il y a malgré tout certaines obligations auxquelles on ne peut pas se soustraire par une pancarte, surtout quand on fait payer l'entrée. Cette collecte d'argent pour une œuvre de charité embrouille l'affaire.

— Dans ce cas, il aurait fallu mettre : « Ne vous baignez pas dans la piscine, s'il vous plaît », dit Meredith d'un ton sarcastique. Nous aurions dû faire payer les gens simplement pour la regarder ?

— Voyons, Meredith…

— Ou était-ce encore trop dangereux ? enchaîna-t-elle en ignorant l'interruption. Mais oui, bien sûr ! Nous aurions dû envoyer à tout le monde une photo de la piscine en les invitant à rester chez eux. C'était ça, la vraie sécurité, n'est-ce pas ?

— Vous n'êtes pas très coopérative, vous savez, soupira Alexis.

— Enfin, bon Dieu ! C'est tellement…

Le sifflement suraigu de la bouilloire derrière elle l'interrompit.

— D'accord, d'accord. Je vais coopérer. Qui veut du café ?

Pendant qu'elle dosait le café moulu dans le filtre de la cafetière, Alexis recommença à lire ses notes.

— La loi spécifie également que l'occupant doit prévoir que les enfants se comportent avec moins de précaution que les adultes.

— Cela veut dire quoi, exactement ? demanda Hugh.

— Il n'y a rien d'exactement spécifié. On est censé prévoir que les enfants peuvent être tentés par certaines choses, mais qu'ils n'ont pas le bon sens de discerner que celles-ci pourraient être dangereuses.

— Allons donc ! s'exclama la jeune femme avec impatience en posant une tasse de café devant Alexis. Un plongeoir n'a rien de tentant. Ce n'est pas un bon-homme en pain d'épice, c'est une planche, voilà tout ! Tout le monde le sait, même les enfants.

— Je n'exprime pas ma propre opinion, expliqua-t-il avec patience, j'essaie seulement de vous expliquer ce qu'il est dit dans la loi.

Meredith se passa une main dans les cheveux d'un geste agacé.

— Je sais, je sais. Excusez-moi. Je ne vous en veux pas, mais tout cela me fait l'effet d'un tissu d'âneries.

— Oui, admit Alexis en lui souriant. Ne vous ai-je pas déjà mise en garde sur le danger de fréquenter des avocats ?

Il s'étonna qu'elle ne lui rende pas son sourire. Elle rougit, se détourna. Avant qu'il ait eu le temps de réagir, Ursula sollicita son attention.

— J'avais dit à Louise, ce jour-là, que les enfants devaient se calmer un peu. La prochaine fois, nous devrions peut-être défendre aux enfants de monter sur le plongeoir.

— La prochaine fois ? lâcha sa belle-fille avec hargne. Je ne crois pas qu'il y aura de prochaine fois, Ursula. Franchement, je ne crois pas qu'il y aura encore des Dimanches de Baignade. Au moins pour un moment.

— Oh... Je n'avais même pas pensé..., commença Ursula.

Alexis l'interrompit :

— Venez-vous de dire, Ursula, que vous avez réellement alerté Louise sur le comportement des enfants ?

— Eh bien... ce n'était pas réellement un avertissement, mais je lui ai dit quelque chose dans ce sens. Les enfants, voyez-vous, devenaient un peu surexcités et je lui ai dit...

Elle s'arrêta, regarda Alexis qui avait pris un stylo et attendait qu'elle termine sa phrase.

— Est-ce important ? demanda-t-elle.

— Peut-être. Peut-être même crucial. Si vous avez réellement mis Louise en garde et qu'elle n'en ait pas tenu compte... Écoutez, Ursula, je voudrais que vous vous souveniez exactement de ce que vous avez dit à Louise. Mot pour mot.

La vieille dame sembla de plus en plus déconcertée.

— Voyons... Je me suis approchée de Louise et... Ou est-ce elle qui s'est approchée de moi ? Je ne sais plus.

— Bien. Essayez plus tard de raviver vos souvenirs, quand vous serez au calme, et écrivez tout ce qui vous reviendra en mémoire. Faites aussi l'effort de vous rappeler avec précision la manière dont vous lui avez parlé. Louise n'aurait pas pu croire que vous plaisantiez, n'est-ce pas ?

— Oh, non, je ne crois pas ! Bien que... on ne sait jamais. Quelquefois, quand je plaisante, personne ne s'en rend compte. Cela aurait donc pu être le cas, n'est-ce pas ?

— Oui, dit Alexis après un bref silence. C'est possible.

— Où voulez-vous en venir ? demanda Meredith. Au fait que Louise est une mère irresponsable ? que c'est elle qui a fait preuve de négligence ? C'est comme cela que nous allons nous défendre ?

— Si besoin est, oui. Nous aurons besoin de toutes les munitions possibles. Si nous pouvons prouver que la faute revient à la mère...

— La faute ? intervint Ursula, troublée. L'accident serait la faute de Louise ? Hugh, entends-tu ce qu'ils sont en train de dire ? Que la pauvre Louise serait seule à blâmer pour l'accident de Katie ?

— Nous ne pensons pas vraiment qu'il faille le reprocher à Louise, Ursula, dit Meredith avec patience. Mais Alexis a raison. Nous devons utiliser tous les moyens possibles pour notre défense. Enfin, regardez, elle se retourne contre nous ! Nous ne pouvons pas la laisser nous attaquer sans rien dire.

— Oui, mais... je crois que cette pauvre femme est bouleversée en ce moment, vous savez. Barnaby aussi. Ils ne savent sans doute pas vraiment ce qu'ils font, mais cela ne veut pas dire que nous devions nous abaisser au même niveau. Je crois, ma chère petite, poursuivit-elle en adressant à sa belle-fille un regard où la sévérité dominait pour la première fois, que nous aurions tort de dire à quiconque que c'est à cause de Louise que la pauvre Katie a été blessée. C'était un accident. Un accident.

— Bien sûr que c'était un accident ! s'écria Meredith. Et bien sûr qu'il ne faut pas en faire porter toute la responsabilité à la mère, mais que pouvons-nous faire d'autre ? Vous ne paraissez pas comprendre, Ursula ! Les Kember veulent vous faire un procès, vous traîner en justice. Devant un tribunal ! Ils témoigneront sous serment que l'accident est entièrement votre faute. Si nous ne trouvons pas le moyen de vous défendre, ils vous prendront jusqu'à votre dernier penny !

Sa tirade tomba dans le silence. Un instant, Ursula regarda Meredith avec désarroi. Puis, peu à peu, son expression retrouva sa sérénité habituelle.

— Vous savez, ma chérie, je ne crois pas que Louise et Barnaby iront faire juger l'affaire par un tribunal.

— Quoi ? Mais c'est ce qu'ils sont en train de faire ! Ce n'est pas une affaire hypothétique que nous étudions en ce moment. Les Kember vous ont officiellement informés par l'intermédiaire de leur avocat qu'ils vous poursuivent en justice.

— Je sais, mais je suis sûre qu'ils changeront d'avis quand ils se seront un peu calmés. Vous verrez, ma chérie, tout cela retombera comme un soufflé, j'en ai le pressentiment.

Meredith dévisagea Ursula comme si celle-ci avait perdu la raison. Alexis intervint alors avec tact :

— Espérons que vous ayez raison, Ursula. Et je suis d'accord avec vous, il est pénible de devoir chercher des preuves contre des amis. Mais j'ai bien peur que Louise et Barnaby, avec l'aide de leur ami avocat, ne soient en train de préparer un dossier solide contre vous. Le bon sens nous dicte donc de penser à une défense. Juste pour parer à toute éventualité.

— Vous le savez sans doute mieux que moi, mon cher Alexis, admit-elle sans conviction.

— Oui, sûrement, intervint Hugh qui n'avait rien dit jusqu'alors.

Tous les regards se tournèrent vers lui. Il avait relevé la tête et Meredith remarqua, avec un pincement au cœur, les poches de fatigue qui étaient apparues sous ses yeux. Ce procès sera au-dessus de ses forces, pensa-t-elle avec angoisse, il creusera sa tombe. La mort de Simon l'avait déjà durement frappé, il s'en remettait à peine et, maintenant, il avait peut-être des années d'épreuves devant lui. Hugh n'était plus un jeune homme. Comment pourrait-il le supporter ? Louise et Barnaby sont des salauds ! se dit-elle avec une amertume qui risquait de dégénérer en larmes. Comment osent-ils ruiner la vie de gens si bons et si honnêtes ?

Inévitablement, son esprit la ramena aussitôt à la petite Katie gisant sur un lit d'hôpital, et les remords l'assaillirent. Pourtant, plus puissante encore, une clameur de révolte retentissait dans son esprit. Et alors ? Ils souffrent, soit. Mais être une victime ne donne pas le droit de piétiner la vie d'autrui. La vie de Katie est menacée, soit, mais pourquoi celle de Hugh devrait-elle l'être aussi ? Pourquoi chercher un bouc émissaire ? Pourquoi ?…

La voix de Hugh interrompit ses pensées.

— Le mieux que nous puissions faire, c'est écouter Alexis et l'aider du mieux que nous le pourrons. Toi, Ursula, si cela veut dire que tu mettes noir sur blanc ce que tu as dit à Louise, fais-le.

La vieille dame hocha la tête docilement.

— J'ai moi-même parlé à Barnaby ce jour-là, reprit-il en s'adressant à Alexis. Nous étions assis l'un à côté de l'autre. Mais j'ai beau chercher, je ne vois franchement rien dans ce que nous nous sommes dit qui pourrait servir à notre défense. Désolé de ne pas pouvoir me rendre plus utile.

Alexis le remercia d'un sourire chaleureux.

— Rassurez-vous, Hugh, vous serez très utile, au contraire. La procédure est à peine lancée, il y a encore un long chemin devant nous, vous verrez.

Assis à côté de Louise, Cassian relut quelques phrases de la lettre sur papier mauve qu'il tenait, avisa le panier de jouets sur la table et se tourna enfin vers la jeune femme d'un air incrédule.

— Ces gens font-ils exprès de vouloir perdre leur procès ?

Mal à l'aise, Louise haussa les épaules.

— D'abord, cette fille qui vient vous menacer chez vous et maintenant, ça !

Il sortit de l'enveloppe une liasse de billets de banque qu'il entreprit de compter.

— Cette femme est vraiment idiote ! dit-il gaiement. Une parfaite idiote ! Vous savez, si j'étais son avocat et si je voyais ce qu'il y a dans cette lettre, je jetterais l'éponge avant même d'avoir commencé à la défendre !

12

Louise n'avait pas parlé à Barnaby de la visite de Meredith. Son instinct lui avait dit qu'elle devait immédiatement lui téléphoner, mais Cassian avait réussi à la persuader de passer l'incident sous silence.

— Cela n'avancera à rien de jeter de l'huile sur le feu, avait-il dit. Vous connaissez Barnaby, il réagira sans réfléchir.

Malgré tout, la nouvelle de l'algarade avait déjà fait le tour du village et, lorsque Barnaby vint aux nouvelles le lendemain soir à Larch Tree Cottage, il était fou furieux.

— Qu'est-ce qu'elle t'a dit ? rugit-il sans préambule alors que Louise avait à peine ouvert la porte. Cette fille, Meredith. Est-ce qu'elle t'a menacée ? J'ai entendu dire qu'elle t'avait attaquée en pleine rue !

Devant son visage empourpré par la colère et l'inquiétude à son sujet, Louise se sentit touchée.

— Oh oui, c'était terrifiant, répondit-elle sur un ton badin dont elle ne s'était pas servie depuis des mois. Elle m'a sauté dessus avec, voyons, cinq grenades et une machette.

Barnaby eut un léger sursaut de stupeur puis, une seconde plus tard, son expression changea et il ne put s'empêcher de sourire.

— J'étais vraiment inquiet, tu sais, dit-il d'un ton accusateur.

— Vous aviez raison, fit la voix de Cassian du fond du vestibule.

Barnaby tourna la tête, le fusilla du regard. Cassian s'approcha avec souplesse et prit la main de Louise.

— Mais inutile de s'alarmer outre mesure, poursuivit-il d'un air complaisant. J'étais présent quand la fille est venue faire sa scène. J'ai été en mesure de noter ses propos les plus injurieux. On dirait que ces gens font tout pour compromettre leurs chances de succès.

— Qu'est-ce qu'il veut dire ? demanda Barnaby à sa femme.

— Oh… Ursula m'a écrit une lettre dont nous pourrons sans doute nous servir au tribunal. Une lettre très gentille, mais elle admet implicitement leur responsabilité. Elle y a aussi mis de l'argent.

— De l'argent ? Combien ?

— Mille livres. Pour prendre des vacances, répondit Louise, visiblement mal à l'aise. Ursula est idiote. Selon Cassian, son avocat n'était sûrement pas au courant de sa démarche.

Ils entrèrent dans la cuisine. La lettre sur papier mauve était posée au milieu de la table, comme une pièce à conviction. En revoyant l'écriture calligraphiée avec soin, Louise se sentit à la fois profondément touchée et horriblement coupable. Elle passa une main sur son visage d'un geste plein de lassitude. Les semaines écoulées lui paraissaient n'avoir été consacrées qu'à l'hôpital : y aller, en revenir, arpenter les couloirs, boire du café à la cafétéria et passer des heures interminables au chevet de Katie.

Elle connaissait désormais par cœur chaque centimètre de la salle, chaque carré de linoléum, chaque craquelure de la peinture. Elle aurait pu décrire de mémoire chacun des dessins qui décoraient les couloirs et citer le nom de leurs auteurs – Sam, Lucy M., Lucy B. –, écrit dans un coin avec une application enfantine. Il lui suffisait de fermer les yeux pour entendre le tintement du rire cristallin d'une infirmière, le chuintement des roulettes caoutchoutées des chariot sur le lino. Et jamais elle ne pouvait se débarrasser de l'obsédante odeur d'antiseptique qui imprégnait l'hôpital et qu'elle emportait sur ses mains, ses vêtements et dans ses cheveux.

Elle avait l'esprit noyé dans le brouillard, les cheveux ternes, la peau relâchée. Ses muscles semblaient avoir oublié comment sourire, s'il y avait eu des occasions de le faire. Katie récupérait, tout le monde le disait, et Louise pouvait elle-même constater que c'était vrai. Sa fille ouvrait désormais les yeux, parfois pour de longues périodes et, chaque fois, elle paraissait savoir qui elle était et comment elle s'appelait – mais, chaque fois qu'elle se réveillait, elle avait tout oublié de l'accident à cause duquel elle se trouvait à l'hôpital, et il fallait tout lui réexpliquer. Louise lui avait tant de fois répété l'événement qu'elle était elle-même lassée de s'entendre, et elle sentait par moments se glisser dans son ton une impardonnable impatience. Quand cela lui arrivait, elle se taisait brusquement et fixait Katie des yeux, comme si sa propre volonté pouvait suffire à lui redonner la mémoire. Et puis, quand le regard de la fillette se voilait de nouveau et qu'elle fermait les yeux, Louise se maudissait intérieurement et reprenait sa longue attente – du réveil de Katie, de l'heure de rentrer chez elle, de libérer celle qui surveillait Amelia ce jour-là, de coucher cette dernière, de se préparer au micro-ondes un dîner sommaire et de s'écrouler enfin dans son lit, vidée de ses forces.

Une quinzaine de jours auparavant, Barnaby lui

avait offert de revenir s'installer à Larch Tree Cottage pour l'aider. Depuis qu'il avait changé d'avis sur l'éventualité du procès et donné lui-même son accord à Cassian, il débordait d'une telle bonne volonté que Louise, excédée, avait immédiatement refusé. Maintenant, elle était épuisée au point qu'elle aurait accueilli une aide, d'où qu'elle vienne, avec reconnaissance. Pourtant, que faisait-elle donc à longueur de journée pour être abattue à ce point ? Rester des heures assise, faire les cent pas de temps à autre, parler à des infirmières, lire des magazines ? Rien de particulièrement fatigant. Cela n'a aucun sens, se dit-elle.

Assis à l'autre bout de la table, Barnaby l'observait du coin de l'œil, ému par sa pâleur et son évidente détresse. Elle a besoin de moi, se répétait-il. Elle a beau me dire que non, elle ne tiendra pas le coup toute seule. Une fois de plus, sa gorge se noua.

— Ne t'inquiète pas, déclara-t-il à Louise qui parvint à esquisser un sourire. J'y ai beaucoup réfléchi, je suis sûr que nous avons pris la bonne décision et que nous gagnerons ce procès. Nous aurons alors les moyens de donner à Katie les meilleurs traitements possibles.

Sous le regard sincère de Barnaby, Louise regretta de ne pas partager sa certitude. La furieuse tirade de Meredith l'avait plus affectée qu'elle ne l'avait admis, et la lettre d'Ursula, si pleine de gentillesse et de bons sentiments, l'avait emplie de remords. Comment les Delaney seraient-ils jamais en mesure de débourser un demi-million de livres s'ils n'étaient pas assurés ? se demandait-elle pour la énième fois. S'en sortiraient-ils ? Que deviendraient-ils ?

Son optimisme initial s'était évanoui pour faire place à la résignation. Plus elle comprenait le dossier que préparait Cassian, plus il la rebutait et, d'une manière ou d'une autre, moins il lui paraissait refléter la réalité quotidienne des conséquences de l'accident. Elle n'arrivait pas à établir un lien concret entre Katie et l'abstraction d'un montant colossal de dommages et intérêts, dont l'éventualité flottait dans un lointain avenir.

Cassian avait débouché une bouteille de vin et servait trois verres. Le glouglou rassurant détendit un peu Louise. Elle était consciente de boire sensiblement plus qu'avant l'accident, mais elle se rassurait en se disant que les quantités restaient raisonnables. Si elle avait désespérément besoin d'un verre quand elle revenait de l'hôpital, il en allait de même, en fin de compte, pour beaucoup de gens stressés par leur job. Il n'y avait rien d'inquiétant à cela.

— Pour vous, Lu-Lu, dit l'avocat d'une voix caressante en posant un verre devant elle.

Il s'assit à son tour et prit la main de Louise en jouant avec ses doigts. Les poings serrés, Barnaby se détourna, en proie à une fureur croissante. Le salaud ! Craignant de ne pas pouvoir se dominer, il se força à penser à Katie, au sourire absent qu'elle lui avait fait cet après-midi, à son regard voilé par la demi-conscience. À sa fille qui, en dépit de la souffrance et des médicaments, était et resterait toujours *sa* Katie. Ce que je fais, se dit-il, c'est pour elle. Pour Katie.

— J'ai un peu lu les journaux ces temps-ci, dit-il. Ils parlaient d'une affaire récente au sujet d'un enfant qui a obtenu six cent trente-six mille livres de dommages et intérêts pour des lésions au cerveau. Vous en avez entendu parler ?

Cassian eut l'air étonné.

— Oui, je crois, mais ce n'était pas la même chose. Il s'agissait d'une erreur médicale, pas d'un cas de responsabilité civile.

— Ah, bon.

— Il y avait cependant certaines similitudes, poursuivit Cassian d'un ton aimable. Je dois dire, Barnaby, qu'il est judicieux de votre part de vous tenir au courant de l'actualité dans ce domaine.

— Oui, bon. Je fais tout ce que je peux.

— Je n'en doute pas.

Cassian ouvrit son porte-documents, en sortit un dossier.

— Voyons. Je prépare une liste de témoins et leurs dépositions. Il nous en faudra rapidement le plus grand nombre possible, avant qu'ils n'oublient ce qui s'est passé. Voici la liste de ceux avec lesquels mon assistant a pris ou va prendre contact. Y en a-t-il d'autres auxquels vous pourriez penser ?

Louise parcourut la liste.

— Amelia ? s'écria-t-elle brusquement. Elle ne peut certainement pas être un témoin !

— Pourquoi pas ? demanda Cassian en fronçant les sourcils. Elle est même un de nos témoins les plus importants. Mais rassurez-vous, les juges sont très compréhensifs envers les enfants appelés à témoigner. Elle n'aura pas grand-chose à faire ni à dire.

— Elle sera quand même obligée de tout se rappeler, de tout revivre ! s'exclama Louise. Elle en souffre déjà assez ! Recommencer serait pour elle une terrible épreuve ! Je ne veux pas lui infliger ça.

L'avocat balaya l'objection d'un geste désinvolte.

— Allons, Louise, n'exagérons pas, dit-il. Elle s'en tirera très bien.

— Comment le savez-vous ? Barnaby, nous ne pouvons pas laisser Amelia subir tout cela !

Barnaby garda le silence.

— Barnaby ! insista Louise sèchement. Tu es d'accord avec moi, n'est-ce pas ?

Il avala une gorgée de vin.

— Eh bien... non. Je ne crois pas.

— Quoi ? cria Louise avec indignation.

— Je crois que Cassian a raison. Amelia doit témoigner. Elle jouait avec Katie juste avant ce plongeon.

— As-tu pensé à ce que cela lui ferait subir ?

— Elle le supportera très bien. Amelia est une fille sensée et elle saura qu'elle aide sa sœur.

— Et si son témoignage ne sert à rien ? Pouvons-nous accepter d'infliger à notre fille cette épreuve en pure perte si nous perdons le procès ? Ou même si nous gagnons et que Katie ne guérisse pas ? À quoi tout cela aura-t-il servi ?

— Lu-Lu..., intervint Cassian.

— Qu'est-ce que tu veux dire, au juste, Lou ? l'interrompit Barnaby. Que tu ne veux plus du procès ?

— Non... Oui... Je ne sais plus. C'est simplement que...

Les larmes lui montèrent aux yeux, elle étouffa un sanglot.

— Je suis à bout de forces. Katie ne va pas mieux et je pense quelquefois que... Je me dis que... À quoi bon tout cet argent... ?

Sa voix résonna dans le silence.

— Et puis, reprit-elle, cela nous prendra du temps, des années peut-être, sans être sûrs de rien gagner. Et même si nous gagnons, les Delaney ne seront pas couverts par leur assurance. Ils devront vendre leur maison, tous leurs biens, alors que nous étions si bons amis...

Louise éclata en sanglots et cacha son visage dans ses mains. Barnaby se tourna vers Cassian, l'air sombre.

— Je n'étais pas au courant du problème de l'assurance.

Cassian eut l'air mécontent.

— Vous devez comprendre que la question de l'assurance n'a aucun rapport avec le fond du problème. Si la cour juge que vous avez droit à des dommages et intérêts, ceux-ci vous sont dus. C'est de justice qu'il est question. On ne peut pas traiter la justice par le mépris.

— Même si elle entraîne la ruine de vos amis ? s'écria Louise.

Cassian perdit patience.

— Oui ! Écoutez, Louise, ces gens ont beau être vos amis, vous avez plus d'obligations envers votre fille qu'envers eux. Oui ou non ?

La jeune femme ne répondit pas.

— Vous ne pouvez pas concilier les deux. Soit vous sacrifiez votre amitié – une amitié dont vous me permettrez de douter –, soit vous sacrifiez votre fille. Laquelle est la plus précieuse ? Et vous, Barnaby ? Laquelle choisissez-vous ?

Il y eut un nouveau silence. Barnaby poussa un profond soupir.

— Katie, dit-il enfin. C'est Katie, bien sûr.

— Exactement, dit Cassian en refermant son dossier. Et laissez-moi vous dire à tous les deux que vous ne pourriez rien faire de pire pour votre fille que de bâcler cette affaire en agissant à contrecœur. Si nous voulons gagner de l'argent pour elle, nous devons y consacrer toutes nos forces, toute notre attention. Ce qui veut dire : nous servir de tous les témoignages que nous pourrons réunir, que cela nous plaise ou non. Si vous n'êtes pas disposée à le faire, Louise, j'ai le regret de vous dire qu'il vaut mieux ne plus y penser dès maintenant.

— Il a raison, Lou, dit Barnaby. Je veux dire, si

nous croyons faire le nécessaire pour finir par perdre faute d'une preuve décisive...

— Exactement, intervint Cassian. Barnaby a parfaitement compris tout l'enjeu de l'affaire.

— Mais le fait qu'ils ne soient pas assurés, répliqua Louise d'un ton désespéré, ça ne t'affecte pas, Barnaby ? Cela ne te fait pas changer d'avis ou au moins réfléchir ?

Son mari la regarda un instant avec tristesse avant de répondre :

— Au début, je ne voulais pas de ce procès. C'est toi qui le voulais et je pensais que tu avais tort. Mais j'y ai longuement réfléchi pour conclure que tu avais raison et que nous le devions à Katie. J'ai pris ma décision, je m'y tiens et je m'y tiendrai, que Hugh et Ursula soient assurés ou non. Nous le devons à Katie. Nous ferons ce procès.

Louise le fixa un instant avec incrédulité et vida son verre.

— Jamais je n'aurais cru...

Les joues rouges et brûlantes, elle posa les yeux alternativement sur les deux hommes.

— Je n'aurais jamais cru, reprit-elle, vous voir tous les deux vous liguer contre moi. Les hommes savent toujours tout mieux que les femmes, n'est-ce pas ?

— Bien sûr que non, protesta Barnaby, mal à l'aise. Mais tu dois quand même voir que...

Elle se leva en repoussant bruyamment sa chaise.

— Rien ! Je ne vois rien du tout ! Va-t'en, Barnaby. Laisse-moi. Nous discuterons un autre jour. Ou alors, tu n'auras même pas à te donner la peine de venir, puisque j'ai systématiquement tort !

— Du calme, Louise. Détends-toi un peu...

— Me détendre ! cria-t-elle, les yeux étincelants de fureur. Je passe mes journées à l'hôpital, quand je rentre chez moi tu me sermonnes comme une imbécile et tu voudrais que je me *détende* ?

— Je ne voulais pas…

— J'en ai plus qu'assez ! Va-t'en, Barnaby !

Cassian accrocha le regard de Barnaby.

— Il vaut peut-être mieux, en effet, que nous reprenions cette conversation un autre jour.

Barnaby hocha docilement la tête.

— Écoute, Lou, je suis désolé… Je ne voulais pas…

— Laisse-moi, Barnaby, dit-elle avec lassitude.

Il se leva, se tourna vers la porte, s'arrêta. Mais Louise regardait le plancher et ne bougea pas les yeux.

— Au revoir, murmura Barnaby.

— Au revoir, Barnaby, dit Cassian.

Louise ne dit rien.

— Au revoir, répéta-t-il.

Le cœur lourd, il sortit du cottage pour reprendre la route de son petit logement solitaire et sans âme.

Plus tard ce soir-là, Cassian vint s'asseoir à côté de Louise sur le canapé du salon, où elle regardait distraitement la télévision avec le son presque coupé pour ne pas réveiller Amelia. Il commença par lui masser les épaules avec l'expertise d'un professionnel.

— Je sais que c'est difficile pour vous, dit-il avec douceur, mais cela en vaudra largement la peine.

Louise ne réagit pas.

— L'essentiel, c'est d'assurer l'avenir de Katie. Et notre propre avenir. Ensemble.

Il lui écarta un peu les cheveux, lui donna un baiser dans le cou. Louise se figea, hésitante. Il y avait eu tant de ces instants depuis qu'elle connaissait Cassian, tant d'occasions où elle s'attendait à ce qu'il fasse un geste décisif, l'embrasse avec passion, lui fasse une caresse préludant à l'amour mais, jusqu'à présent, rien ne s'était produit. Au début, elle en était soulagée. Au bout d'un certain temps, le soulagement avait fait place à de la déception. Et puis, quand les rumeurs de leur liaison torride lui étaient venues aux oreilles, elle s'en était amusée avec ironie et éprouvait un certain sentiment d'autosatisfaction, quoi qu'en pensent les autres, d'être restée fidèle à Barnaby.

Elle ne l'avait toujours pas trompé. Du moins, pas encore.

Cassian continuait à lui donner de petits baisers sur la nuque. Louise pouvait à peine respirer. Allait-il se décider ? Maintenant ? Alors même qu'elle se sentait si lasse, si désemparée ?

— Je suis malheureux de vous voir aussi boulever-sée, murmura-t-il sans détacher ses lèvres de sa peau. Je voudrais tant faire en sorte que vous vous sentiez mieux. Ma chérie…

Sentant Louise commencer à se détendre, il glissa une main sous sa blouse, la posa sur un sein tandis que, de l'autre, il dégrafait prestement son soutien-gorge. Cet obstacle éliminé, il entreprit de caresser sa peau douce et tiède.

— Cassian…, commença-t-elle.

Blessée par la discussion de ce soir, elle se sentait vulnérable et n'était pas sûre d'elle-même – ni de Cassian, même si… Mais quand elle tourna son regard vers lui, son cœur fit un léger bond. Il avait les yeux brillants de désir, une expression pleine de ferveur…

— Ma chérie… La raison pour laquelle je prends ce procès autant à cœur, c'est que… je vous aime.

Elle sentit son cœur faire un nouveau petit bond.

— Depuis le temps que nous nous connaissons, vous devriez savoir ce que je ressens, dit-il avec un sourire plein de modestie.

— Eh bien…

201

— J'attendais le moment propice pour vous le dire. Ai-je choisi le bon moment ?

L'espace d'un instant, pâle, les lèvres tremblantes, Louise le regarda sans mot dire. Puis elle hocha la tête.

Cassian lui caressa le visage, l'attira vers lui avec douceur. Quand leurs lèvres se joignirent, Louise vit une image de Barnaby, accompagnée d'un sentiment de culpabilité mêlée de rancune. Mais lorsqu'elle sentit les mains de Cassian se poser sur elle, l'image de son mari s'effaça, son âme et son corps capitulèrent avec soulagement devant le plaisir pur et sans arrière-pensées.

13

Le temps se gâta dix jours plus tard. Louise était à l'hôpital, dans la salle de jeux des enfants, quand elle entendit un coup de tonnerre et vit les premières grosses gouttes de pluie s'écraser sur les vitres.

Elle frissonna malgré la chaleur qui régnait dans la pièce et contempla Katie, assise sur un tapis, qui tripotait d'un air maussade un lacet sur lequel étaient enfilées quelques perles de couleur. La monitrice les avait mises elle-même et avait laissé les autres par terre autour de la fillette pour qu'elle continue et termine le collier. Mais, depuis vingt minutes, Katie n'avait réussi à enfiler qu'une seule perle. Elle regardait le lacet comme si elle ne comprenait pas à quoi il servait et repoussait les tentatives de sa mère quand celle-ci voulait l'aider ou l'encourager à continuer.

Louise consulta sa montre en soupirant : midi moins vingt. À midi, Barnaby devait venir les chercher pour les conduire à Forest Lodge. Katie était prête pour la rééducation, leur avait-on expliqué. Elle n'était plus physiquement dépendante, mais ses réactions restaient très lentes. Elle recommençait à parler, à manger, à se laver, et sa mémoire revenait en partie.

La fillette éparpilla rageusement les perles.

— J'aime pas, dit Katie de sa nouvelle voix pâteuse.

Louise lui adressa un sourire encourageant.

— Tu n'aimes pas ces perles ? Elles sont pourtant jolies.

Katie se détourna avec une grimace. Louise sourit de nouveau. À certains moments, elle ne réussissait à la calmer et à l'empêcher de crier qu'en lui souriant.

Une Mme Innes, de Forest Lodge, s'était montrée très encourageante quand elle était venue évaluer l'état de l'enfant. Elle avait expliqué à Louise le fonctionnement du centre, décrit en détail les programmes de rééducation individualisés faisant intervenir des équipes pluridisciplinaires, la réinsertion graduelle dans le système scolaire et la participation active des parents à l'ensemble du processus.

Elle avait aussi estimé, à la surprise de Louise, que Katie devrait commencer par être pensionnaire à Forest Lodge, afin de bénéficier des soins vingt-quatre heures sur vingt-quatre. Louise, qui s'imaginait qu'elle ramènerait Katie à la maison et que la vie recommencerait comme avant, en avait eu les larmes aux yeux et éprouvé un accès de fureur injustifié contre l'innocente Mme Innes.

Mais maintenant qu'elle voyait sa fille renoncer à enfiler de grosses perles de bois dans un lacet et marcher en titubant vers l'autre bout de la pièce, elle constatait que la vie ne pouvait pas reprendre son cours normal. Katie n'était plus la même petite fille. Son élocution était embrouillée, elle ne trouvait pas les mots qu'elle voulait dire, elle se mettait en colère pour un oui ou pour un non, se fatiguait très vite, et son attention, qui n'avait jamais été exceptionnelle à vrai dire, paraissait désormais incapable de se fixer plus de quelques minutes.

Les autres aussi avaient du mal à trouver leurs marques avec cette Katie inconnue. Chacun réagissait à sa manière. Barnaby avait adopté un optimisme obstiné. À chacune de ses visites, il énumérait en s'extasiant les progrès accomplis par la fillette jusqu'à ce que Louise, qui passait avec elle plus de temps que n'importe qui, finisse par s'emporter en contrant ses observations pleines d'espoir par les siennes, toujours pessimistes.

En fait, elle ne pouvait pas mettre réellement les choses en perspective. Chaque avancée était suivie d'une régression, et les progrès de Katie lui paraissaient d'une lenteur insupportable. Elle conservait au plus profond d'elle-même le désir irrationnel, devenu pour elle une certitude, qu'en arrivant un jour à l'hôpital elle verrait Katie accourir au-devant d'elle dans le couloir. Elle lui débiterait les blagues enfantines dont elle avait été coutumière, aurait recouvré sa voix et serait redevenue elle-même du jour au lendemain. La cruelle réalité, que les progrès de Katie ne pourraient être que lents et progressifs, lui infligeait un choc un peu plus douloureux chaque fois qu'elle constatait que la situation n'avait évolué que de manière quasi imperceptible, quand elle ne s'était pas dégradée depuis la veille.

Pour sa part, la pauvre Amelia, qui n'avait cessé de harceler sa mère pour qu'elle l'emmène à l'hôpital jouer avec Katie, préférait maintenant rester à la maison. Katie n'était plus bonne pour partager des jeux, avait conclu leur mère avec amertume.

Une semaine plus tôt, Amelia avait apporté à l'hôpital leur jeu de l'arche de Noé. Après avoir disposé les animaux par couples, elle avait dit d'un ton conciliant : « Tu peux avoir les éléphants pour cette fois, Katie, puisque tu es malade. » Elle avait attendu de sa sœur une réaction à sa générosité, mais celle-ci avait empoigné les éléphants sans rien manifester. Amelia avait lancé un regard à sa mère avant de se tourner de nouveau vers Katie, en disant du ton de défi qui déclenchait généralement une de leurs disputes : « Eh bien, puisque c'est comme ça, je prends les singes ! » Les singes avaient toujours été les préférés de Katie, mais elle n'avait pas réagi davantage, ni poussé le cri de guerre habituel : « C'est pas juste ! » Katie ne se souciait pas plus des singes que du reste. Amelia en avait été profondément ulcérée.

La porte de la salle de jeux s'ouvrit, Barnaby entra. Il fit un bref sourire à Louise et chercha aussitôt sa fille des yeux.

— Elle est dans la maison de poupée, lui dit-elle.

— Katie ! cria-t-il. C'est papa ! Je viens te chercher !

Il se tourna et, en baissant les yeux, vit le collier abandonné.

— C'est Katie qui l'a fait ? demanda-t-il d'un ton ravi.

— Non, c'est la monitrice. Katie était censée continuer, mais elle n'en a pas eu envie.

L'air déçu, Barnaby s'approcha de la maison de poupée. Katie passa la tête par une fenêtre en lui faisant un grand sourire.

— Ah ! Tu te cachais, petite polissonne ! dit-il en envoyant à Louise un sourire entendu signifiant : « Tu vois, j'avais raison. »

Louise lui rendit un sourire crispé. Barnaby l'avait-il toujours exaspérée à ce point ? se demanda-t-elle. Ou le trouvait-elle aussi agaçant seulement depuis que Cassian lui donnait d'autres points de comparaison ? Cassian, qui était intelligent, professionnel, sérieux, qui se souciait de son sort et de celui de ses filles. Cassian, qui comprenait que la guérison de Katie demanderait du temps, qui ne lui souriait pas d'un air béatement optimiste mais parlait de la fillette avec bon sens et donnait à Louise des conseils utiles. Cassian, qui se montrait si tendre au lit, si plein d'attentions, et la faisait frémir de plaisir. Cassian, qui...

Le nouveau rire rauque et discordant de Katie qui résonna dans la pièce interrompit ses pensées. Barnaby était devant elle, leur fille dans ses bras.

— Bien, soupira Louise. Allons-y.

Faire leurs adieux au personnel médical et aux infirmières en leur distribuant des petits cadeaux accompagnés d'une carte : « Merci pour tout, Katie » leur prit un certain temps. Mais, quand elle sortit de l'hôpital sous la pluie avec Barnaby et qu'elle vit Katie courir vers la voiture et y monter comme n'importe quel enfant normal, Louise éprouva pour la première fois un réel soulagement. La vie recommencerait peut-être comme avant, après tout...

Son humeur s'améliora encore quand ils franchirent la grille de Forest Lodge. Le centre occupait une grande et belle maison de campagne entourée d'un jardin. Elle se tourna vers Katie en souriant.

— Regarde, ma chérie. Regarde les beaux arbres, dit-elle en élevant la voix pour dominer le crépitement de la pluie sur le toit de la voiture. Regarde la belle maison où tu vas habiter.

Tout en parlant, elle surveillait la réaction de Katie. Mme Innes lui avait spécifié que si à un moment Katie donnait des signes qu'elle ne supportait pas d'être en permanence au centre, il faudrait en reconsidérer l'idée. Mais Louise constata, avec un peu de dépit, que sa fille acceptait la nouvelle avec calme. Ou alors, elle ne protestait pas parce qu'elle ne se rendait pas compte de ce qui se passait.

Le vaste hall d'entrée était orné de boiseries. Mme Innes les attendait à la porte.

— Vous voilà ! s'exclama-t-elle comme si elle était réellement enchantée de les voir arriver. Eh bien, Katie, tu m'as l'air d'aller déjà beaucoup mieux ! Tu guériras complètement avec nous, j'en suis sûre. Il est bientôt l'heure du déjeuner. Si vous voulez, monsieur et madame Kember, vous pouvez rester faire la connaissance d'une partie des résidents. Vous rencontrerez ensuite l'équipe qui s'occupera spécialement de Katie.

— Je suis désolé, dit Barnaby, je ne peux pas. Mais toi, tu peux rester, Louise ?

— Bien sûr. Viens, Katie, viens rencontrer tes nouveaux amis.

La nouvelle que Katie était pensionnaire à Forest Lodge fit très vite le tour du village. Mme Potter, qui tenait l'épicerie générale, l'avait apprise de Mary Tracey et toutes deux étaient en train d'en discuter quand Sylvia Seddon-Wilson entra s'abriter de la pluie sous le prétexte d'acheter des cigarettes.

— Forest Lodge ? s'exclama-t-elle. L'endroit pour les enfants handicapés ? Je ne la croyais pas aussi mal en point.

— Elle ne l'est pas du tout ! protesta Mary. Elle va beaucoup mieux. Elle parle, elle lit un peu et…

— Bref, l'interrompit Sylvia, j'ai autre chose à vous apprendre. On m'a demandé de témoigner en faveur des Kember ! J'ai reçu hier une lettre demandant ma déposition écrite. Je serai appelée, moi, à témoigner dans un procès. Il va falloir que je m'achète une tenue appropriée.

— Beaucoup d'autres gens ont reçu cette lettre, l'informa Mary. J'en ai reçu une, moi aussi.

— Ah bon ?

— Ils ont dressé la liste de tous ceux qui étaient là, expliqua Mary d'un air important, car elle n'avait jamais encore eu l'occasion d'expliquer quoi que ce soit à Sylvia, qui, par principe, savait toujours tout mieux que tout le monde. Cassian Brown dit que...

— Le beau Cass ! l'interrompit Sylvia. N'est-ce pas qu'il est adorable ? S'il pouvait venir un de ces jours m'aider à écrire mon témoignage !... Pardon, Mary, je vous ai interrompue. Que dit Cassian ?

Mary s'éclaircit la voix avec une gêne visible.

— Il dit que dans un cas comme celui-là il faut réunir le plus de témoignages possible. Il dit qu'ils veulent en savoir le maximum avant de rédiger la requête. Cela ne veut pas dire que tous les gens qui auront témoigné par écrit seront appelés devant le tribunal. Ils ne seront cités à comparaître que s'ils ont à dire une chose d'une importance cruciale.

— D'une importance cruciale ? Bon sang, je n'ai jamais dit de ma vie quoi que ce soit d'une importance cruciale !

Elle s'esclaffa et ouvrit le paquet de cigarettes sur le comptoir.

— Vous ne les avez pas encore payées, lui fit observer Mme Potter.

— Je sais, mettez-les sur le compte de James si vous voulez. Allez-vous témoigner, vous aussi ? ajouta-t-elle pendant que Mme Potter se penchait pour prendre le livre de comptes sous le comptoir.

— Certainement pas ! répondit Mme Potter en se redressant. Et je ne le ferais pas, même si on me le demandait. Je trouve toute cette histoire choquante. Traîner ces pauvres Delaney devant un tribunal ! Qu'est-ce qu'ils ont fait de mal ? Ils n'organisent cette journée que pour des œuvres de charité et voyez où cela les a menés !

— Peut-être, mais regardez où cela a mené Katie,

répliqua Mary, se sentant moralement obligée de prendre la défense de Louise. À l'hôpital.

— Je sais, répondit Mme Potter, raide et les bras croisés. J'en suis sincèrement désolée pour elle. Mais si vous voulez mon avis, ses parents se trompent du tout au tout dans leurs priorités. Cette enfant n'était pas blessée depuis plus de deux minutes qu'ils calculaient déjà combien d'argent ils pouvaient soutirer. Et à leurs amis, en plus !

— Ce n'est pas juste ! protesta Mary. Ils devaient agir vite, sinon les témoins auraient oublié ce qui s'était passé. Et Katie mérite cet argent, elle en a besoin ! Si vous la voyiez... Elle aurait pu être tuée dans cet accident.

— Oui, dit Sylvia en tirant une bouffée de sa cigarette. Mais Mme Potter n'a pas tort non plus. S'il s'agit réellement d'un accident, pourquoi avoir besoin d'un dédommagement ? Pourquoi Hugh et Ursula devraient-ils être ruinés ?

Mary eut l'air déconfite.

— Exactement, approuva Mme Potter. Pourquoi... ?

— D'un autre côté, l'interrompit Sylvia, pourquoi les Kember ne devraient-ils pas faire tout ce qu'ils peuvent pour leur fille ? Je veux dire, poursuivit-elle en prenant sur le présentoir un magazine dont elle feuilleta négligemment les pages, si ce plongeoir était vraiment dangereux... c'est bien ce qu'ils disent, n'est-ce pas ? Et puis, Hugh et Ursula doivent avoir largement de quoi couvrir ces frais.

— Mais... vous veniez de dire..., commença Mme Potter, ébahie.

— Oh ! N'écoutez pas ce que je dis, voyons ! Je ne sais jamais de quoi je parle. Vous pouvez ajouter ça sur le compte ? poursuivit-elle en brandissant le magazine. Je dois filer. Bye-bye !

Tenant le magazine sur sa tête en guise de parapluie, elle partit en courant. Mary et Mme Potter la suivirent des yeux pendant qu'elle montait dans sa voiture, une grosse Jaguar arborant sur la lunette arrière un auto-collant : « Profitez de la vie. Vos héritiers le feront. »

— Oh, après tout, je ne sais plus, soupira Mme Potter. Tout cela me paraît malsain.

— Eh bien, moi, je pense qu'ils ont raison, déclara Mary. Je le crois sincèrement. Écoutez, si vous man-giez une de mes croquettes de poisson, que le poisson ne soit pas frais et que vous tombiez malade, vous me demanderiez un dédommagement, n'est-ce pas ? Et si je refusais, vous me feriez un procès.

Mme Potter la dévisagea avec étonnement.

— Eh bien, voyons…, répondit-elle pensivement. Je ne suis pas sûre de vouloir aller jusque-là. J'accu-serais sans doute la malchance. Ou alors, non, vous avez raison, je voudrais peut-être un petit quelque chose. Un joli cadeau de chez Marks & Spencer, par exemple, ce serait un bon geste de votre part. Mais vous faire un procès pour une croquette de poisson ? Non, sûrement pas.

— Et si vous en mouriez ? insista Mary qui ne voulait pas s'avouer vaincue. Vous voudriez quelque chose, non ? De l'argent.

Mme Potter éclata de rire.

— Je serais morte, ma petite Mary ! Si votre cro-quette me tuait, je serais morte. De l'argent ne me servirait à rien dans mon cercueil. Pas plus d'ailleurs qu'un cadeau de chez Marks & Spencer, ajouta-t-elle en riant de plus belle.

Son rire était si communicatif que Mary ne put s'empêcher de pouffer à son tour.

— Nous ne devrions pas rire, reprit Mme Potter en s'essuyant les yeux. La pauvre petite Katie ne méritait pas ce qui lui arrive. Mais je plains aussi les Delaney. Ils ont eu assez de problèmes ces dernières années sans avoir à subir en plus cette affaire-là.

— C'est vrai, admit Mary en regardant la pluie tomber. Tout cela est bien triste. Bien triste pour tout le monde.

Levée de bonne heure, Meredith avait passé la matinée penchée sur des livres de droit – certains achetés récemment, d'autres empruntés à la bibliothèque de Linningford. Elle avait rempli la moitié d'un bloc-notes d'une écriture serrée quand elle s'arrêta enfin, s'étira, et regarda par la fenêtre. Il pleuvait sans relâche et le jour grisâtre ne parvenait pas à éclairer la pièce. Elle tendit le bras, alluma une lampe, cligna des yeux devant la brutalité du flot soudain de lumière sur le papier blanc posé devant elle. Mieux vaut la pénombre, se dit-elle en éteignant. Carrée dans son fauteuil, elle tenta de mettre en ordre les faits et les idées qui tournoyaient dans sa tête.

Hugh et Ursula étaient-ils responsables parce qu'ils avaient laissé un enfant plonger sans surveillance dans leur piscine ? Était-ce la faute du seul enfant ? La faute de personne ? La faute de la mère ? Dans ce cas, Hugh et Ursula devaient-ils poursuivre Louise pour négligence ? Devaient-ils inventer un prétexte pour lancer une contre-procédure ?

Meredith ferma les yeux. Tout ce jargon juridique lui donnait la migraine. Elle avait lu par centaines les jugements prononcés par les tribunaux du Royaume-Uni dans des affaires similaires : contre des gens ayant laissé sur le sol de leur boutique du yaourt renversé sur lequel un enfant avait glissé ; des gens ayant laissé des enfants jouer avec du fil barbelé ; des gens n'ayant pas réparé leur rampe d'escalier…

Aucun de ces cas ne ressemblait au leur, pensait-elle. Il lui paraissait même de plus en plus évident que Hugh et Ursula, contrairement à d'autres, n'avaient pas fait preuve de négligence. Mais elle commençait aussi, sans encore se l'avouer, à comprendre comment Cassian Brown parviendrait, par des raisonnements tortueux et des arguments douteux, à bâtir un dossier ayant au moins une apparence de solidité, comment il réussirait à persuader des jurés bornés que Katie était victime du laisser-aller coupable des Delaney et donc qu'elle avait droit à des dommages et intérêts. Dans ce cas, combien Hugh et Ursula devraient-ils débourser ? Malgré elle, la jeune femme baissa les yeux sur les exemples dont elle avait dressé une liste. Elle frissonna devant ces sommes astronomiques, se rappela les rumeurs qui couraient dans le village sur un demi-million de livres et qu'elle avait méprisées. Maintenant, elle n'était plus aussi sûre d'elle. Une affaire récente, ayant fait grand bruit, dans laquelle une municipalité taxée de négligence avait été condamnée à verser près de sept cent mille livres de compensation à un enfant blessé à la tête, fit de nouveau planer dans son esprit son ombre menaçante.

Alors, un demi-million de livres ? La fortune de Hugh ne s'en approchait même pas. Il ne possédait pas d'économies, ni de placements suffisants pour faire face à de pareilles urgences. Ses affaires périclitaient depuis la mort de Simon, et Meredith savait avec certitude qu'elles ne rapportaient plus qu'un modeste revenu. Bien sûr, ils pouvaient vendre leur petite maison en France, mais elle ne valait pas grand-chose, surtout dans la conjoncture actuelle. Alors… quoi ? Vendre Devenish House ? Essayer de tirer le maximum d'une affaire en déclin ? Se déclarer en faillite ? Emprunter ? Comment Hugh et Ursula seraient-ils jamais capables de supporter un tel bouleversement ? N'en avaient-ils déjà pas assez subi ?

En regardant la pluie tomber, Meredith sentit monter en elle une fureur d'autant plus frustrante qu'elle se sentait impuissante. Elle se leva d'un mouvement impulsif. Elle en avait assez, plus qu'assez des livres de droit. Elle en avait plus qu'assez de la loi. De toutes les lois.

Par la fenêtre de son cabinet de travail, Hugh vit Meredith, en maillot de bain, qui marchait sous la pluie en direction de la piscine. Il laissa passer un moment, posa son stylo et sortit la rejoindre.

La piscine étant chauffée à une température normale, il s'en échappait des nuages de vapeur. De grosses gouttes frappaient la surface de l'eau qui, par ce temps gris, n'invitait guère à la baignade. Pourtant, quand il s'approcha, Hugh vit à travers le voile brumeux que Meredith nageait vigoureusement sur toute la longueur du bassin. Arrivée à une extrémité, elle repartait vers l'autre avec souplesse, sans marquer de temps d'arrêt, comme si elle cherchait à éliminer de son système un trop-plein d'énergie. Abrité par un grand parapluie jaune, Hugh resta au bord jusqu'à ce que Meredith s'aperçoive de sa présence. Elle cessa de nager et se maintint à la surface, les yeux clos et le visage offert à l'averse.

— Je les hais tous ! dit-elle d'une voix assez forte pour couvrir le crépitement continu de la pluie.

Hugh ne put s'empêcher de sourire et s'accroupit devant elle.

— J'ai reçu ce matin une lettre de l'avocat des Kember qui nous demande l'autorisation de faire examiner le plongeoir par une sorte d'expert en sécurité.

Ils avisèrent tous deux le plongeoir. La planche luisait d'humidité.

— Il est en parfait état, déclara Meredith. C'est une planche, un point, c'est tout. Qu'est-ce que cet expert pense trouver ? Que nous avons enduit la surface d'huile ?

— Je n'en sais rien, répondit Hugh avec un soupir de lassitude. Pour ma part, il n'a rien de dangereux, mais...

— Nous devrions peut-être l'arracher. Quand ce soi-disant expert viendra, nous lui répondrons : « Le plongeoir ? Quel plongeoir ? »

Elle accompagna sa boutade d'un sourire que Hugh ne put s'empêcher de lui rendre. Il avait l'air tellement vieilli, tellement abattu que Meredith souffrait de le regarder. Elle respira profondément et s'immergea sous l'eau. Quand elle refit surface, Hugh était toujours au même endroit.

— Ils ne pourront rien prouver du tout, lui dit la jeune femme en se forçant à prendre un ton confiant.

— Et s'ils trouvent quelque chose ? S'ils réussissent à prouver devant un tribunal que c'est par notre négligence qu'une innocente enfant s'est retrouvée à l'hôpital ? Que notre plongeoir est dangereux ? Comment pourrons-nous ensuite nous regarder en face ?

— Cela n'arrivera pas ! C'est impossible. Invraisemblable.

Ils marquèrent une pause dubitative.

— Ce n'est pas tellement l'argent, reprit Hugh. Cela me donne des soucis, bien entendu. Vous savez de quel ordre de grandeur il est question, n'est-ce pas ? Mais même si nous devions vendre tout ce que nous possédons, ce ne serait pas la fin du monde. Au moins, nous serions en paix avec notre conscience. Ce que

215

je serais incapable de supporter, c'est l'idée que cet accident est arrivé par notre faute.

Il regarda Meredith d'un air affligé et changea son parapluie de main.

— Personne ne dit que c'est votre faute ! protesta-t-elle. Enfin, bon sang, qu'est-ce que vous étiez censés faire ? Interdire ce fichu plongeoir à tous ces imbéciles d'enfants alors qu'il est évident que plonger présente un risque ? Et alors que la mère était là, à côté ?

— Peut-être. Peut-être étions-nous censés le faire.

— Quoi ? L'évidence n'existe plus, de nos jours ? Avons-nous tous le devoir de protéger tout le monde de tout ? Et le simple, le gros bon sens, évanoui lui aussi ? Quelqu'un aurait dû dire depuis longtemps à cette gamine que, quand on saute en l'air, on retombe et on risque de se faire mal ! C'est une vérité élémentaire. Si cet accident est arrivé, ce n'est la faute de personne !

— Oui, mais si ce plongeoir était réellement dangereux ?

— Il ne l'est pas ! Pas plus que n'importe quel autre !

— N'en parlons plus, dit Hugh avec lassitude. S'ils s'arrangent pour prouver que tous les plongeoirs sont dangereux, cela leur suffira peut-être pour gagner le procès. Je n'en sais rien, après tout...

Meredith se sentit gagner par une soudaine panique. Ils se dévisagèrent un moment sans mot dire. Le silence n'était brisé que par le crépitement obsédant de la pluie sur l'eau de la piscine.

— Dans ce cas, dit-elle enfin en se détournant, que Dieu protège le monde. Et que Dieu nous protège de ces fumiers d'avocats.

Deux grosses larmes brûlantes apparurent au coin de ses yeux, se mêlant aux gouttes qui ruisselaient sur son visage. Avant que Hugh n'ait pu les voir, Meredith plongea sous la surface grise et s'éloigna en battant furieusement des jambes, ses longs cheveux traînant derrière elle comme la queue d'une sirène. Elle nagea sous l'eau en retenant sa respiration aussi longtemps qu'elle en était capable avant de remonter et de se sentir de nouveau en état de parler à Hugh. Mais quand elle émergea, hors d'haleine, à l'endroit où elle l'avait laissé, il était parti. Et elle se retrouva seule, abritée de l'humidité froide par l'eau tiède comme un cocon et par la brume de vapeur, sans personne à qui parler. Sans personne avec qui partager ses sombres pensées.

14

La chaleur était revenue à la fin du trimestre et Amelia suppliait tous les jours sa mère de l'emmener se baigner.

Elles n'y étaient plus retournées depuis l'accident. La seule idée de voir Amelia plonger dans la périlleuse eau bleue d'une piscine rendait Louise malade et la faisait frémir de terreur. Bien entendu, elle ne pouvait pas le lui dire, au risque de l'effrayer jusqu'à la fin de ses jours. Elle se contentait donc de répondre qu'elle n'avait pas le temps, du moins pour le moment.

Amelia lançait alors à sa mère un regard chargé de rancune et montait bruyamment l'escalier prendre ses affaires pour aller à l'école. Elle haïssait sa mère, elle haïssait Katie, elle haïssait le monde entier. Le dernier jour de classe, toutes les élèves devaient apporter un cadeau à leur institutrice. Mais Louise avait eu beau promettre qu'elles iraient choisir un joli présent dans les magasins, elle avait complètement oublié sa promesse jusqu'à la veille au soir, quand il était déjà trop tard.

— Nous achèterons quelque chose en allant à l'école, avait-elle dit. Quelque chose de très joli.

Mais le seul commerce sur le chemin de l'école était la station-service et Amelia savait qu'elles n'y trouveraient rien, à part des paquets de café, des bouteilles de lait et des chocolats. Et tout ça parce que sa mère passait tout son temps à Forest Lodge ! Amelia haïssait le centre plus que tout. C'était morbide, ça sentait mauvais, et les gens étaient tous bizarres. Certains ne pouvaient même pas parler, d'autres avaient des gestes saccadés qui lui faisaient peur. La dernière fois que la fillette y était allée déjeuner, elle était assise en face d'un garçon à peu près de son âge qui bavait et recrachait sa nourriture. C'était répugnant ! Après, il lui avait souri et avait voulu lui prendre la main. Paniquée, elle l'avait regardé sans rien pouvoir dire, le cœur battant, jusqu'à ce qu'une infirmière s'aperçoive de ce qui se passait et vienne dire : « Allons, Martin, laisse Amelia tranquille », avant de se tourner vers elle en souriant : « Ne t'inquiète pas, il ne te mordra pas. » Amelia avait réussi à lui sourire, mais elle tremblait et avait peur.

Elle ne comprenait pas pourquoi Katie devait rester là : elle n'était pas du tout comme les autres. Maintenant, elle pouvait marcher et parler normalement, elle lisait et, la dernière fois qu'Amelia était venue la voir, elles avaient même joué à l'élastique. Depuis son accident, Katie avait complètement oublié les règles du jeu, mais sa grande sœur les lui avait de nouveau apprises et la petite y jouait très bien, au moins pour les figures les plus simples.

Tout le monde s'extasiait sur les progrès de Katie, estimant qu'elle allait beaucoup mieux qu'ils ne l'espéraient et chaque fois Amelia disait : « Alors, pourquoi elle ne peut pas rentrer à la maison ? » Et Louise lui répondait : « Elle rentrera, ma chérie. Très bientôt. » Mais cela n'arrivait toujours pas et elles devaient retourner à cette abominable maison de Forest Lodge.

Amelia mit son chapeau, prit son cartable et se

regarda dans la glace. Il n'y avait plus rien d'amusant, ces temps-ci. Elle n'avait plus personne avec qui jouer, ils ne partiraient pas en vacances et tout le monde autour d'elle paraissait tout le temps de mauvaise humeur, y compris elle. La vie n'était vraiment pas drôle.

À la fin de la matinée, cependant, l'humeur d'Amelia s'était améliorée. Après leur avoir raconté une histoire et avant la dernière prière, Mme Jacob avait décroché du mur le tableau des bons points et annoncé que la gagnante n'était autre qu'Amelia.

Elle en avait été si étonnée qu'elle était restée immobile. Il avait fallu que Clara, sa voisine, lui tire sa robe et chuchote : « Qu'est-ce que tu attends ? Lève-toi et va chercher ta récompense ! » pour qu'Amelia réagisse. Mme Jacob lui avait fait un grand sourire en disant : « J'ai attribué des étoiles pour la bonne conduite et pour les devoirs. Amelia s'est très bien conduite et a bien travaillé ce trimestre. Bravo, Amelia ! » La fillette s'était levée, Mme Jacob lui avait donné un gros paquet de bonbons et toute la classe avait applaudi.

Après, elles avaient toutes accouru autour de la table d'Amelia qui avait distribué des bonbons, sauf ceux à l'orange qu'elle gardait pour elle. Anna Russet, qu'elle ne connaissait pas très bien, lui avait dit timidement : « Tu as mérité de gagner, Amelia. » Et Clara avait aussitôt renchéri : « Oui, c'est vrai. Tu l'as bien mérité. »

Rouge de plaisir, Amelia jubilait en posant ses bonbons dans les mains tendues et se réjouissait à l'idée que maman et Katie seraient très impressionnées quand elle leur raconterait tout ça. Après, quand elles étaient allées dans le grand hall de l'école pour la dernière prière, son prénom avait été proclamé devant tout le monde, les professeurs lui souriaient. Ils avaient tous entonné son hymne préféré, poussé un triple hourra, et cette cérémonie avait marqué la fin du trimestre.

Dehors, les parents attendaient, surtout les mères, mais quelques pères étaient venus aussi. La cour de récréation grouillait d'élèves chargés de leurs affaires de classe. Amelia chercha Louise des yeux dans la foule mais ne la vit nulle part. Alors, toute triste, elle s'assit sur un muret en attendant son arrivée.

Une demi-heure plus tard, sa mère n'était toujours pas là. La cour était maintenant presque vide, il ne restait qu'une poignée de parents et d'élèves, ainsi que deux ou trois professeurs. Quelqu'un fit tomber un livre près d'elle. Amelia le ramassa et reconnut un manuel de lecture qu'elle avait eu dans une petite classe. Elle le feuilleta en se rappelant les dessins, les histoires et tous les mots compliqués qu'elle trouvait si difficiles à apprendre et qui maintenant lui paraissaient simples.

— Amelia !

Elle leva les yeux et vit Mme Jacob devant elle.

— Ta maman n'est pas encore là ?

— Non, avoua-t-elle. Elle est souvent en retard.

— Je sais, mais rarement autant. Elle ne sait pas que nous ne travaillons qu'une demi-journée aujourd'hui ?

Amelia réfléchit un instant.

— Elle sait que c'est le dernier jour du trimestre, répondit-elle enfin. Donc, elle doit savoir que ce n'est qu'une demi-journée.

— Tu ne le lui as pas rappelé ?

— Non, mais elle devrait le savoir. C'est toujours comme ça à la fin du trimestre.

— Peut-être l'a-t-elle oublié, pour une fois.

Amelia regarda Mme Jacob, ulcérée. Elle devait

avoir raison, sa mère avait oublié de venir la chercher. Elle l'avait oubliée, elle, Amelia ! Aucune autre mère n'avait oublié de venir chercher sa fille.

Une voix interrompit leur dialogue, celle de Mme Russet, la mère d'Anna, qui traversait la cour.

— Un problème ? Ta maman t'a oubliée ? demanda-t-elle d'un ton doucereux.

Amelia rougit, Mme Russet s'approcha. C'était une grande et forte femme aux cheveux frisés. Amelia l'avait quelquefois vue à l'église, lisant des passages de la Bible d'une voix retentissante en faisant de grands gestes.

— Je vais lui téléphoner, dit Mme Jacob en adressant à Amelia un sourire rassurant. Est-elle à la maison, à ton avis ?

— Non, elle est probablement à Forest Lodge. Elle passe son temps là-bas.

— C'est vrai ? s'enquit Mme Russet en posant sur Amelia un regard inquisiteur. Elle te laisse toute seule ?

— Eh bien...

Amelia allait répondre que Mary venait toujours s'occuper d'elle quand une bouffée de rancune envers sa mère la fit changer d'avis.

— Oui, tout le temps, dit-elle du ton le plus affligé qu'elle put. Elle me laisse toute seule. Elle ne s'intéresse qu'à Katie.

La mère de sa camarade croisa les bras pour souligner sa réprobation.

— Alors, Amelia, si ta maman est trop occupée pour se rappeler que tu existes, viens donc chez nous.

— Oh, oui ! renchérit Anna. Tu verras mon cochon d'Inde.

— Nous ferons un bon déjeuner, ajouta sa mère. Et après, tu nous raconteras tout.

Louise avait passé le plus clair de sa journée à Linningford en s'efforçant de rattraper son retard pour régler les détails de la vie quotidienne. Depuis l'accident, elle n'avait pas payé une seule facture. Les courses s'étaient limitées à l'achat de quelques boîtes de conserve quand elle en avait le temps, les produits d'entretien s'épuisaient sans être remplacés, les objets cassés attendaient encore d'être réparés. Les vacances d'Amelia commençaient le lendemain, il fallait au moins que la maison soit un peu plus en ordre. La veille au soir, elle avait donc pris un crayon et une feuille de papier pour établir une liste de ce qu'elle devait faire, en commençant par acheter des ampoules électriques, des timbres, payer la note de gaz. Au terme de cet inventaire, elle avait attaqué la quatrième page qu'elle avait contemplée avec désespoir. Elle s'était ressaisie au bout d'un moment et avait décidé qu'elle expédierait tout avant d'aller chercher sa fille à l'école.

Quelque part au fond de sa mémoire était enregistré le fait que le dernier jour du trimestre se terminait à l'heure du déjeuner. Mais ce souvenir était submergé sous ses efforts pour se débattre avec des sacs à provisions surchargés, tandis qu'elle se répétait qu'elle n'arriverait jamais à tout finir avant trois heures et demie. Plus la journée avançait, plus elle se dépêchait, bâclait ses achats, luttait contre la foule, les ascenseurs bondés et les vendeuses surmenées. Elle délaissa la réparation du grille-pain au profit d'un cadeau pour sa fille aînée, ratura sur sa liste l'achat d'engrais pour les plantes qu'elle reporta à une autre fois… mais elles avaient réellement besoin de brosses à dents neuves.

Elle arriva à l'école pile à quatre heures moins le quart, le visage rouge, la voiture pleine à craquer et un superbe album de coloriage pour Amelia sur le siège du passager. Ce n'est qu'en ouvrant sa portière et en découvrant le silence inhabituel qui planait sur les lieux que l'évidence la frappa comme un coup de poing. Les jambes flageolantes, elle s'adossa au véhicule, comme cédant à un vertige. Comment avait-elle pu être aussi stupide ? Comment avait-elle pu oublier que les cours s'arrêtaient aujourd'hui à l'heure du déjeuner ?

Un long moment, elle resta là, immobile. Avoir oublié un fait d'une telle importance était en soi une prouesse ! Puis, à mesure que sa stupeur s'estompait, elle éprouva un sentiment de culpabilité d'autant plus fort et douloureux qu'elle l'avait repoussé jusqu'à présent. Où était Amelia ? Qu'était-elle devenue si personne n'était venue la chercher à la sortie de l'école ?

Bêtement, sans réfléchir, Louise partit en courant vers la cour de récréation. Bien sûr que sa fille n'y serait pas, les professeurs ne l'auraient pas laissée seule. En pensant à la bonne et douce Mme Jacob, elle sentit son cœur se serrer. Qu'allait penser d'elle l'institutrice ? Et les autres ? Allaient-ils mettre son nom sur une liste noire ?

Et surtout, se dit-elle en arrivant dans la cour déserte, où pouvait bien être passée Amelia ?

— Si nous gagnons le procès, déclara Amelia, confortablement assise sur la balancelle rembourrée du jardin de Mme Russet et en acceptant sans se faire prier un autre biscuit au chocolat, nous aurons un demi-million de livres.

La dame la gratifia du soupir horrifié qu'Amelia attendait d'une telle révélation.

— Un demi-million de livres, répéta l'enfant. Nous serons riches. À moitié millionnaires.

Accroupie devant la cage de son cochon d'Inde de l'autre côté du jardin, Anna l'appela avec impatience.

— Viens donc, Amelia ! Viens voir Noisette !

Mais Amelia dédaigna son appel et resta avec Mme Russet, qui était très gentille avec elle. Elle lui avait fait un très bon déjeuner avec plein de bonnes choses et maintenant, à l'heure du thé, elle lui en offrait d'autres tout aussi délicieuses. Pour la peine, Amelia n'avait rien d'autre à faire que parler de l'accident. La mère de son amie paraissait très intéressée.

— Cela fait beaucoup d'argent pour qu'une petite fille comme toi soit au courant.

— Je sais, répondit Amelia en toute simplicité.

— C'est ta maman qui t'en a parlé ?

Amelia rougit un peu.

— Euh... non. Je l'ai entendu comme ça, quand maman et Cassian en parlaient.

Elle croqua avec gourmandise son biscuit. Il était vraiment parfait, fourré de crème et de chocolat. À la maison, on n'en mangeait jamais d'aussi savoureux que ceux-là.

— L'accident était la faute de M. et Mme Delaney, poursuivit-elle, la bouche pleine. C'est Cassian qui me l'a dit. Je n'ai plus le droit de parler à Mme Delaney, même si elle m'a fait cadeau d'une poupée Barbie. Je l'aime bien, Mme Delaney, mais Cassian dit qu'elle a été négligente.

Elle leva les yeux vers Mme Russet en quête d'une approbation, mais celle-ci gardait le silence en attendant la suite. Amelia réprima un soupir. Elle n'avait vraiment plus grand-chose à dire.

— Ce procès est barbant, je déteste ça. Ils ne parlent plus que de Katie et du procès. Plus personne ne s'occupe de moi, gémit-elle d'un ton pitoyable, dans l'espoir que la dame lui offrirait un autre biscuit, mais elle se borna à lui prendre la main.

— Je n'ai jamais rien entendu de plus triste. Que tu

sois abandonnée à ce point, c'est terrible ! Ta maman sait-elle ce que tu ressens ?

— Euh... non.

— Elle n'a pas le temps de t'écouter, je suppose. Ou elle préfère peut-être ne pas entendre. Trop absorbée par son procès d'un demi-million pour se soucier de ses enfants. C'est immoral, voilà ce que c'est. Elle n'était même pas à Forest Lodge aujourd'hui. Mais nous savons bien, nous autres, ce qu'elle était en train de faire à la place. Ce Cassian, poursuivit-elle sur le ton de la confidence, il vient souvent... la voir ?

Amelia prit un biscuit sans demander la permission et réfléchit un moment. Souvent voulait dire combien de fois ?

— Eh bien... oui, souvent !

Mme Russet hocha vigoureusement la tête.

— Et ton pauvre papa, dans tout ça ? demanda-t-elle.

Comment Mme Russet en savait-elle autant sur leur compte ?

— Nous le voyons tous les week-ends, répondit la fillette d'une voix qui tremblait un peu.

— Est-il d'accord pour ce procès ? Ou pense-t-il, comme moi, que les voies de Dieu sont impénétrables ? Que rien n'arrive sans raison et que chaque pécheur reçoit son châtiment ? Ta sœur aurait-elle eu son accident si ta mère n'avait pas été aussi distraite parce qu'elle pensait à son amant ? L'accident aurait-il eu lieu si elle s'était conduite en mère digne de ce nom, si elle avait eu le sens des responsabilités ?

Elle cracha ces derniers mots d'un ton si venimeux qu'Amelia se recroquevilla sur la balancelle. Elle ne savait vraiment plus quoi dire.

— Regardez ! cria Anna de l'autre bout du jardin. La voiture de la maman d'Amelia arrive.

Amelia n'avait jamais vu sa mère aussi furieuse contre elle. Elles n'étaient pas encore montées en voiture qu'elle se mit à crier si fort qu'elle sursauta de frayeur.

— Qu'est-ce que tu as été raconter à cette femme ?

Pâle, tremblante, la fillette hésita.

— Rien. Rien du tout. J'ai juste répondu à ses questions.

— Et qu'est-ce qu'elle t'a demandé ? Oh, je m'en doute, poursuivit-elle avant qu'Amelia ait pu répondre. Ta mère est-elle une bonne chrétienne ou une femme aux mœurs douteuses et irresponsable qui a provoqué l'accident ?

— Je... je sais pas.

— Elle t'a dit qu'elle témoignerait contre nous, n'est-ce pas ? Qu'elle se présenterait en témoin de moralité et donnerait au juge la preuve que je néglige mes enfants ! Comment crois-tu que je me sente ?

Amelia garda le silence. Elle ne comprenait plus rien à ce qui se passait. Un moment, Mme Russet était toute gentille, à un autre elle avait changé et s'était mise à dire des choses horribles. Et puis, elle avait eu cette énorme dispute avec maman, qui était furieuse, et tout était la faute d'Amelia. Alors, n'y tenant plus, l'enfant laissa échapper un sanglot. Louise se tourna vers elle. Les plis de colère sur son front s'adoucirent sans tout à fait disparaître.

— Oh, Amelia, je suis désolée, ma chérie. Ce n'est pas ta faute, dit-elle avec un rire amer. C'est entièrement la mienne, comme elle te l'a dit. Si je m'étais rappelé à temps qu'il fallait aller te chercher à l'école à midi, rien de tout cela ne serait arrivé.

— Ce n'est pas ta faute ! protesta sa fille. Je hais cette dame. Je voudrais qu'elle parte. Qu'elle disparaisse.

Louise poussa un soupir.

— Moi aussi, dit-elle. Mais cela me paraît peu probable.

Quand elles arrivèrent à la maison, Frances Mold les attendait devant la porte. La mine soucieuse, elle alla au-devant de la voiture. Louise lui lança un regard plus interrogateur qu'amical, car elle savait que Frances était très amie des Delaney, surtout d'Ursula, et se rangeait sans doute fermement dans leur camp.

— Je viens d'avoir Gillian Russet au téléphone, dit-elle quand Louise mit pied à terre. Elle était un peu... excitée, j'en ai peur.

Louise comprit le regard qu'elle posa brièvement sur Amelia.

— Amelia, dit-elle en lui tendant les clefs, rentre et va jouer au jardin.

Sa fille partie, elle se tourna vers Frances avec amertume.

— Inutile de me le dire, vous pensez vous aussi qu'elle a raison. Que cet accident m'a été infligé pour que j'expie mes péchés.

Frances ne cilla pas.

— Bien sûr que non, répondit-elle avec sincérité. Gillian a tendance à tout exagérer. Alan a déjà dû lui parler plusieurs fois à cause de ce genre de comportement.

— Vraiment ? Et compte-t-il lui parler cette fois-ci ?

— Naturellement. En fait, je crois qu'il sera très mécontent. Gillian a beaucoup à apprendre sur la charité chrétienne, mais elle croit bien faire dans la plupart des cas. Vous réussirez à lui pardonner, j'espère ?

Louise s'adossa à la voiture. Elle se sentait soudain très faible.

— Cette femme n'a pas idée de..., commença-t-elle

d'une voix mal assurée. Elle ne peut même pas se douter de ce que tout cela m'a fait endurer.

Frances rejoignit Louise.

— Je sais. Aucun d'entre nous ne le peut. Je ne vous ai pas autant soutenue que je l'aurais dû, je le sais. Alors, je me demandais comment je pourrais vous aider quand Katie reviendra à la maison. La faire lire, par exemple ? Est-ce que cela lui ferait du bien ?

Louise regarda le visage ingrat mais plein de bonne volonté de la femme du pasteur et eut presque envie de pleurer.

— Oui, cela l'aiderait sûrement beaucoup. Merci, Frances.

Puis, avant qu'elle ait pu retenir son amertume, elle ajouta d'un ton agressif :

— Qu'en pensera Meredith ? Je vous croyais une de ses meilleures amies.

— Je le suis, mais Meredith sera très heureuse que je me rende utile, j'en suis certaine. Nous sommes tous disposés à vous aider, Louise. Malheureusement, les Delaney ont été légalement avisés de…

— D'éviter tout contact avec nous, n'est-ce pas ?

Frances approuva d'un signe de tête.

— Vous pensez sans doute que nous sommes ingrats de faire un procès à Hugh et Ursula ?

— Pas du tout, j'ai foi en la justice britannique. Si elle juge que votre cas est valable, le système jouera en votre faveur.

Inexplicablement frustrée par cette réponse, Louise la dévisagea un moment et haussa les épaules avec fatalisme.

— Katie va rentrer d'ici à une semaine.

— C'est merveilleux ! Je chercherai des livres faciles à lire. Katie peut lire, n'est-ce pas ?

Louise lui adressa soudain un grand sourire.

— Oh, oui ! Elle va très bien, maintenant. Le programme de rééducation de Forest Lodge est parfait. On ne se douterait même pas...

Elle s'interrompit, fronça les sourcils.

— C'est bien, je garderai le contact, dit Frances. Et je suis sincèrement désolée de la conduite de Gillian Russet. J'espère qu'Alan pourra la convaincre que son devoir n'est pas, comme elle le pense, de témoigner contre vous. J'ai pourtant bien peur qu'elle ne suive pas les conseils qu'on lui donne, elle n'en fait qu'à sa tête.

Louise avala péniblement sa salive.

— Bon, eh bien... merci au moins d'essayer. Merci pour tout.

Meredith ne fut pas aussi heureuse que Frances l'avait prédit. En lui tendant son verre de sherry, elle la fusilla du regard.

— Je croyais que vous étiez de notre côté, dit-elle d'un ton de reproche.

— Je vais faire comme si je n'avais pas entendu, Meredith.

— Enfin, bon sang, Frances, c'est pousser un peu trop loin les bons sentiments, non ? La prochaine fois, vous allez m'annoncer que vous témoignerez contre nous.

— Écoutez, Meredith, dit Frances en se fâchant, je ne peux pas vous croire obsédée par ce procès au point de ne pas faire preuve d'un peu de compassion envers une enfant blessée !

Penaude, la jeune femme baissa les yeux.

— Je sais, marmonna-t-elle. Excusez-moi. Vous avez beaucoup de mérite de vouloir vous rendre utile de cette manière. Et je crois même que vous avez raison au sujet de l'autre espèce de cinglée. Si elle nous propose de témoigner pour nous en traînant Louise dans la boue, nous lui répondrons : non, merci.

— Ce serait plus sage, en effet.

Une lueur de malice s'alluma dans le regard de Meredith.

— Malgré tout, ce serait plutôt réjouissant de la faire appeler à la barre, non ? Si je comprends bien, elle accuse pratiquement Louise d'avoir elle-même fait tomber Katie du plongeoir.

— Sa réaction est excessive et profondément injuste, répondit Frances. Elle finira par se calmer, j'en suis sûre.

— C'est ce que je répète tout le temps, intervint Ursula du coin où elle était assise. Tout le monde retrouvera son calme, j'en suis persuadée, et il ne sera plus question de ce ridicule procès.

La femme du pasteur regarda Meredith, qui fit un geste dubitatif.

— J'espère que vous avez raison, Ursula, lui dit Frances. Mais à mon avis, il y a quand même une chance pour que ce procès aille à son terme, vous savez. Vous feriez donc bien de vous y préparer.

La vieille dame leva les yeux de sa broderie, ouvrit la bouche pour répondre, mais la referma aussitôt. Elle avait bien dû admettre que sa lettre à Louise, bien loin de les réconcilier comme elle l'espérait, n'avait pas eu l'effet escompté. La jeune femme avait rendu la liasse de billets accompagnée d'une courte note dans laquelle elle remerciait poliment Ursula de ses vœux, mais ajoutait qu'elle ne pouvait en aucun cas accepter l'argent.

Ursula ne s'avouait pourtant pas vaincue. La liasse était restée sur sa coiffeuse, intacte, avec une autre lettre qu'elle n'avait pas terminée. Elle était certaine que si elle exprimait correctement sa pensée, si elle parvenait à trouver les mots justes, tout ce désagréable épisode se résoudrait de lui-même.

La voix de Meredith interrompit ses réflexions.

— Vous savez, disait-elle à Frances, ce qui m'exaspère, c'est de traverser le village et de croiser tous ces gens dont je sais qu'ils ne parlent que de cette affaire. De voir leurs regards pleins de curiosité, de me dire qu'ils se frottent les mains à la perspective de notre chute, comme s'ils trépignaient.

— Enfin ! répondit Frances en souriant. Vous devenez paranoïaque, Meredith.

— Si, c'est vrai ! Tout le monde plaint Katie. Ils doivent nous prendre pour des bourreaux d'enfant ou même des assassins. Ce qu'ils souhaitent, au fond, c'est que le tribunal accorde une somme énorme aux Kember, comme s'ils gagnaient à la loterie. Avec deux millions de livres, ils seraient au comble de la joie. Ils pourraient discuter entre eux pour savoir ce qu'ils feraient, eux, de ces millions. Alors, bien sûr, quand ils se rendront compte que c'est nous qui allons devoir payer, quelques-uns commenceront à nous plaindre, mais il sera trop tard, conclut-elle avec un geste dramatique.

— Voyons, Meredith ! s'esclaffa Frances. Personne ne pense cela, j'en suis certaine.

— N'en soyez donc pas si sûre. Vous ne vous doutez pas à quel point les gens peuvent sombrer dans la bassesse quand l'épouse du pasteur n'est pas là pour les rappeler à la décence.

Elle accompagna ses mots d'un sourire méchant qui fit rougir son amie.

— Mais non, mais non...

Ursula, dont l'attention s'était détournée pendant la tirade de sa belle-fille, reposa son ouvrage et se leva.

— Je vais cueillir des framboises pour le dîner, annonça-t-elle.

— Je vous rejoins dans deux minutes, dit Meredith. Un autre sherry, Frances ?

Celle-ci hésita avant de tendre son verre.

— Merci, je crois que j'en ai besoin. Entendre en une seule soirée ces absurdes tirades de votre part et de celle de Gillian Russet, dit-elle en pouffant de rire, cela fait beaucoup.

Elle attendit qu'Ursula ait refermé la porte pour poursuivre.

— En fait, pendant que j'écoutais au téléphone les divagations de Gillian, je me disais qu'un juge qui entendrait une pareille diatribe ne pourrait pas faire autrement, par simple compassion, que de prononcer son jugement en faveur des Kember.

Meredith approuva d'un sourire.

— C'est vrai, pas de témoin vaut mieux qu'un mauvais témoin... Mais que dire de la pauvre Ursula ? murmura-t-elle. Si elle est obligée de comparaître, nous serons cuits. Elle dira qu'elle a toujours pensé qu'une piscine était dangereuse pour les enfants, ou quelque chose de ce genre.

— Ne riez pas, dit Frances en se retenant elle-même à grand-peine.

— Vous avez raison, il n'y a pas de quoi rire. Le pire, c'est que tout cela va prendre une éternité. Ils n'ont même pas encore engagé leur procédure contre nous. Cela traînera peut-être des années et, pendant ce temps, nous ne pourrons faire aucun projet. Il faudra sans arrêt nous dire : « Non, mieux vaut attendre, l'année prochaine nous serons peut-être ruinés. » Comment peut-on vivre dans ces conditions ?

Meredith vida d'un trait son verre de vodka. Frances

but une gorgée de sherry et posa sur son amie un regard sérieux.

— Pourquoi cela prend-il autant de temps ?

— Alexis dit que le retard vient de leur côté. De toute façon, les hommes de loi ne sont jamais pressés. C'est très bien pour eux. Pendant ce temps, ce n'est pas eux qui paient leurs honoraires exorbitants. Ils n'ont rien à perdre.

— Et vous ?

— Alexis est très généreux, mais il doit gagner sa vie. Il ne peut pas tout faire bénévolement.

Elle prit son verre et se leva pour aller le remplir, inconsciente du regard interrogateur que lui lançait Frances.

Quand elle revint s'asseoir, Meredith parut réfléchir à ce qu'elle allait pouvoir dire ou non et son amie attendit.

— Vous connaissez bien Alexis ? dit-elle enfin avec un naturel un peu forcé. Je l'aime bien, vous savez. Je croyais que lui et moi... Vous voyez ce que je veux dire, que nous irions bien ensemble. Et puis, il vient souvent nous voir. Je suis sûre qu'il voudrait se décider, mais... il ne se passe rien.

Meredith marqua une pause. Voyant Frances ouvrir la bouche pour parler, elle se hâta d'enchaîner :

— Alors, pensez-vous que ce serait une bonne idée de prendre moi-même l'initiative... de lui faire des avances, quoi. Ou croyez-vous que cela le ferait fuir ?

L'expression apparue sur le visage de Frances lui fit peur.

— Quoi ? demanda-t-elle. Qu'est-ce qui se passe ?

— Vous ne savez pas ? C'est incroyable que vous ne soyez pas au courant.

La jeune femme sentit son cœur s'emballer comme un cheval qui prend le mors aux dents.

— Au courant de quoi ? Qu'est-ce que je devrais savoir ?

— Oh, Meredith ! répondit Frances en lui prenant la main avec tristesse. Alexis est amoureux. Il a une liaison avec...

Elle hésita, serra plus fort la main de son amie.

— Avec la petite Daisy Phillips.

15

Une symphonie de Sibelius faisait vibrer l'air du cottage autour de Daisy et d'Alexis, enlacés sur le tapis du salon. Alexis venait d'amener Daisy à un orgasme si enfiévré qu'elle restait pantelante et tremblait encore. Avec une tendresse presque douloureuse, il regardait ses traits reprendre peu à peu leur sérénité, ses yeux se rouvrir lentement et ses lèvres dessiner un timide sourire.

Se laissant pénétrer par la puissance obsédante de la musique qui les enveloppait, il la contempla longuement, s'attarda sur son visage rosi par le plaisir, respira son parfum délicat. Il sentait chacune de ses émotions, chacun de ses sens stimulés jusqu'à leur point de rupture.

Avec un léger soupir, Daisy se blottit contre lui, si près que chaque courbe de son corps épousait le sien, et elle lui sourit. Hors d'état de s'exprimer, incapable de rien faire d'autre, il écarta d'un doigt mal assuré une mèche de ses cheveux.

— Je me demande toujours…, commença-t-elle à mi-voix.

Pour l'encourager, Alexis passa voluptueusement une main le long de son dos, autour de sa taille, lui chatouilla le ventre du bout des doigts. Daisy pouffa de rire.

— Qu'est-ce que tu te demandes ?

— Je me demande toujours, reprit-elle en piquant un fard. Je me demande... si cela recommencera vraiment... Tu vois ce que je veux dire ? C'est tellement merveilleux chaque fois que j'ai peur que ce ne soit trop beau... Je n'arrive pas à croire que cela pourra de nouveau m'arriver.

Alexis cessa de lui chatouiller le ventre et l'embrassa dans le cou.

— Je ne voulais pas dire que..., reprit-elle. Je sais que tu...

Elle s'interrompit, lui lança un regard inquiet, comme si elle avait peur de le vexer. Il éclata de rire.

— Daisy, ma chérie, tu as parfaitement le droit de critiquer ma technique.

— Mais non ! Je ne voulais pas...

— Allons, allons, je comprends ce que tu veux dire.

Daisy fit une moue dubitative, mais finit par lui sourire franchement et referma les yeux.

Alexis releva les siens vers les poutres du plafond. Autour de lui, la symphonie atteignait son apogée. En lui, comme en écho au flot majestueux des cuivres et des cordes, il éprouvait un sentiment de triomphe, tempéré par une étrange humilité, humilité qu'il ressentait d'ailleurs depuis quelques semaines, depuis ce jour où ils avaient fait l'amour pour la première fois – la toute première fois pour Daisy.

Il ne pouvait oublier le choc – panique, culpabilité, soulagement aussi – qu'il avait subi en découvrant qu'il était le premier. Il en était arrivé à lui faire les caresses les plus intimes en observant anxieusement son expression, prêt à battre en retraite au premier signe de gêne, et lui avait murmuré : « Tu n'es pas...

déconcertée de faire l'amour avec un homme de mon âge ? »

Le regard brillant de désir, elle lui avait répondu d'une voix un peu rauque : « C'est toujours déconcertant… la première fois. Avec qui, cela ne change pas grand-chose. »

Que Daisy soit encore vierge n'était jamais venu à l'esprit d'Alexis. Bien sûr, il savait qu'elle était très jeune, trop jeune pour lui, peut-être. Mais vierge, en plus ? N'était-ce pas aller trop loin ? Un instant, il s'était figé. Il devait sur-le-champ mettre un terme à cette relation scabreuse. L'idée même de séduire une jeune vierge vulnérable de moins de vingt ans était scandaleuse, dangereuse, condamnable et moralement inexcusable…

Mais la vue des seins nus de Daisy, de ses lèvres frémissantes, de ses joues roses avait eu raison de ses principes. Il avait énuméré tous les arguments pouvant combattre les sursauts de sa conscience : qu'elle avait dix-huit ans, donc était majeure et capable de prendre ses propres décisions, qu'il ne l'avait ni violée ni poussée par ruse dans une situation compromettante. Le contact de la main de la jeune fille sur sa poitrine avait suffi à consommer la déroute de ses bonnes résolutions. Il n'était plus question de revenir en arrière.

Cette première fois avait été à la fois douloureuse, drôle et terriblement émouvante – douloureuse pour Daisy, drôle pour tous les deux, émouvante pour Alexis. Il l'avait quittée au petit matin et, de retour chez lui, était monté d'un pas lourd jusqu'à la salle de bains se regarder dans la glace, au comble de la stupeur et de l'exaltation.

Depuis, cette exaltation ne s'était jamais tout à fait émoussée. Quand il se surprenait à contempler Daisy comme s'il la voyait pour la première fois, en détaillant

– ainsi qu'il l'avait fait ce jour-là à la piscine – son ravissant visage au teint de porcelaine, sa gaucherie timide, son sourire hésitant, il avait l'impression de ne pas avoir le droit de partager avec elle une pareille intimité, comme s'il avait triché pour y parvenir, et qu'il allait bientôt être démasqué, condamné et rejeté dans les ténèbres.

Alors, avec accablement, il recommençait à considérer le fossé de leur différence d'âge. Il s'infligeait sciemment la torture de comparer le visage lisse de la jeune fille aux rides qui marquaient le sien, sa chevelure brillante à la sienne, déjà raréfiée et grisonnante. Elle avait de grands yeux brillants ; les siens, petits sous des paupières lourdes, avaient perdu leur éclat. Il était âgé, fané, elle fraîche comme une fleur tout juste éclose. Une noix et une pêche...

Daisy bougea légèrement. Alexis l'enveloppa d'un geste protecteur.

— Que ferons-nous pour le dîner ? demanda-t-elle d'une voix douce sans ouvrir les yeux.

Alexis avait découvert avec désarroi l'ignorance de Daisy en matière culinaire. Il était habitué à la compagnie de femmes de son âge, cuisinières expérimentées, qui se moquaient de sa kitchenette de célibataire, l'autorisaient parfois à émincer un oignon, mais pour la pérennité de leur liaison avec lui, elles prenaient toujours la haute main sur tout ce qui concernait les repas – en dépit du fait qu'il était en réalité plutôt doué. Ses préférences allaient vers les produits de bonne qualité, bien entendu, mais simples et n'exigeant pas de longue préparation : steaks, poissons grillés agrémentés d'un filet d'huile d'olive et de jus de citron, côtelettes d'agneau relevées de fines herbes, salades composées aux ingrédients inattendus.

Le répertoire de Daisy, pour ce qu'il en avait expérimenté, se bornait aux pâtes sans beurre arrosées d'un petit pot de sauce au pesto avec, parfois, l'adjonction d'une boîte de thon au naturel. Elle paraissait vivre sur ce régime, agrémenté toutefois de bols de céréales, de carrés de chocolat et, de temps à autre, d'un pamplemousse rose. La première fois qu'il avait préparé un dîner pour elle, Alexis avait été ahuri de l'entendre dire :

— Ah, voilà donc à quoi ressemble une gousse d'ail !

Il en était resté sans voix une longue minute.

— Tu plaisantes, j'espère ? Tu n'as jamais vu d'ail ?

— Si, bien sûr, en... comment on dit ? En guirlande ? Mais jamais ce qu'il y a à l'intérieur. Mais j'aime beaucoup ! s'était-elle empressée d'ajouter en voyant l'expression effarée d'Alexis. J'adore les croûtons à l'ail. Il doit d'ailleurs m'en rester un sachet dans le congélateur.

— Daisy, ma chérie, on peut faire beaucoup plus de choses avec de l'ail que des croûtons surgelés.

Ce soir, en la voyant découper maladroitement un poivron, il ne put s'empêcher de lui demander :

— N'as-tu jamais eu l'occasion de faire la cuisine ?

La jeune fille leva les yeux et retroussa les manches de son kimono.

— Eh bien... non, pas vraiment ! À l'école, on n'apprend pas grand-chose sur la cuisine. En vacances, nous ne cuisinions que très rarement. Et à la maison... Oui, on doit sans doute le faire un peu, mais pas régulièrement. Mes parents sortent très souvent dîner et quand mes frères sont là, ils commandent des pizzas et des choses de ce genre. Si maman donne un dîner, elle fait venir un traiteur... Et maintenant, ajouta-t-elle en baissant les yeux vers la planche où gisait le poivron haché, qu'est-ce que je dois faire ?

Alexis éprouva un soudain accès de colère contre ces parents indignes qui laissaient leur fille aux soins de frères insouciants ne sachant que téléphoner à des livreurs de pizzas.

— Tu n'as jamais suivi de cours de cuisine à l'école ? demanda-t-il par acquit de conscience.

— Oh, si ! J'ai même préparé une fois des croissants, mais ils se sont cassés quand j'ai voulu rouler la pâte. Alors, j'ai pris des leçons de piano à la place. Quand je pense que je ne sais même plus comment faire des croissants...

Alexis sortit du réfrigérateur une bouteille de chardonnay qu'il déboucha prestement.

— Cela vaut mieux ! dit-il en riant. D'ailleurs je ne suis pas fanatique des croissants. De toute façon, ce n'est pas à l'école qu'on apprend vraiment à faire la cuisine.

— Où faut-il apprendre, alors ?

— Chez soi, évidemment ! En préparant des repas pour ceux qu'on aime, sa famille, ses amis. C'est comme cela que je me suis instruit et perfectionné, pas dans une salle de classe.

Il tendit un verre à Daisy, qui en scruta le fond une ou deux minutes sans mot dire. Quand elle releva les yeux, elle avait les joues rouges de confusion.

— As-tu ?... As-tu jamais ?...

Elle s'interrompit. Un moment, Alexis la regarda avec étonnement, mais finit par comprendre.

— Cherches-tu à me demander si j'ai été marié ?

Daisy ne réagit pas. Alexis s'assit sur une chaise, se versa à boire.

— Eh bien, non, je n'ai jamais été marié. J'ai eu une longue liaison avec une femme dont j'avais fait la connaissance par le travail. Elle avait le même âge que moi et beaucoup d'ambition. Je l'ai demandée en mariage, mais elle a refusé. Elle préférait se consacrer à sa carrière.

Il but une gorgée de vin. La jeune fille attendit.

— Alors, que s'est-il passé ? demanda-t-elle timidement.

— Elle m'a quitté au bout de douze ans et en a épousé un autre, répondit-il avec tristesse. Ils viennent d'avoir leur deuxième enfant.

Daisy eut l'air horrifiée. Elle ne savait que dire.

— C'est affreux, murmura-t-elle enfin.

— C'était pénible sur le moment, oui. Mais cela date de plusieurs années et je m'en suis tout à fait remis.

Il fit un large sourire et avala une longue gorgée de vin. Elle continuait à le regarder, perplexe.

— Voyons, Daisy, ne sois pas bouleversée pour si peu.

— Je ne le suis pas, mais…, commença-t-elle, les yeux baissés.

— Il n'est jamais bon de parler du passé, dit Alexis avec une feinte insouciance. Et maintenant, pourquoi n'irais-tu pas jouer du piano ? Tu m'avais dit que tu devais t'exercer.

— Oui, c'est vrai. Mais le dîner ?

— Je m'en sortirai très bien, rassure-toi, répondit-il en jetant un regard affligé aux débris du poivron et en s'efforçant de sourire. Je finirai les préparatifs et je viendrai t'écouter.

Daisy sortie de la cuisine, il s'affaira à terminer la préparation du poulet, dosa les épices dans la cocotte qu'il enfourna et mit sur le feu une casserole de riz sauvage. Il remplit ensuite son verre de vin et l'emporta au salon.

Daisy répétait le concerto de Brahms qu'elle devait prochainement interpréter avec l'orchestre symphonique de Linningford. Quand il arriva dans la pièce, elle était en train de jouer le deuxième mouvement et en était au passage composé d'une suite d'accords qu'Alexis reconnut aussitôt. Au cours des dernières semaines, il l'avait entendue le répéter et, à chaque nouvelle séance, ce passage croissait sous ses doigts en puissance et en intensité. Elle maîtrisait désormais la partition avec une assurance qui suscitait l'admiration d'Alexis.

Il regardait ses mains voler au-dessus des touches, qu'elles pétrissaient en emplissant la pièce de sonorités éclatantes quand, tout à coup, ses doigts se prirent dans une des larges manches de son kimono. Elle la retroussa avec impatience, recommença au début de la mesure avec une fougue encore plus passionnée – mais ses doigts se prirent de nouveau dans la manche. Cette fois, sans marquer de pause ni manquer une seule note, elle enchaîna en rejetant tout le haut du kimono, qui retomba par terre derrière elle. Ses bras nus se mouvaient maintenant sans entrave, ses doigts semblaient avoir acquis davantage de puissance et d'agilité, sa couronne de cheveux noirs se soulevait et retombait sur ses épaules dénudées. Alexis la contempla qui jouait sans avoir conscience de sa présence, oublieuse de tout ce qui n'était pas la musique. Et il se dit que, de sa vie entière, il n'avait jamais connu de bonheur aussi absolu que celui qu'il éprouvait à cet instant.

16

Cassian était très satisfait de la manière dont les choses évoluaient. L'affaire de Louise paraissait plus prometteuse de jour en jour, les témoignages affluaient, et le chef de l'agence de Linningford l'avait personnellement félicité, au cours d'une importante réunion, d'avoir si promptement su discerner les opportunités de la situation. Avaient suivi quelques boutades sur Louise et son père, lord Page, dont Cassian ne s'était nullement formalisé. À l'évidence, ils étaient tous impressionnés par la qualité de son travail et de ses relations.

Fort de l'adoubement de ses pairs, il avait persuadé quelques collègues du bureau de Londres de venir contribuer à l'affaire – juste pour s'assurer qu'on le remarquerait en haut lieu. C'est ainsi que ce jour-là, Desmond Pickering et Karl Foster, tous deux spécialistes des dommages corporels, allaient venir en consultation à Linningford. Cassian devait ensuite les amener à Melbrook afin de rencontrer Louise et, malheureusement mais inévitablement, Barnaby. Après avoir discuté du dossier une heure ou deux, ce dernier se retirerait et Louise retiendrait les trois autres à dîner. La conversation s'orienterait alors vers la politique. La jeune femme ferait à coup sûr grosse impression sur les Londoniens en leur racontant des anecdotes sur d'anciens membres du gouvernement, et la gloire ne manquerait pas de rejaillir sur lui de sorte que, le moment venu de nommer de nouveaux partenaires de plein exercice, son nom ne pourrait être oublié.

Jusque-là, tout allait pour le mieux. Un seul détail chagrinait cependant Cassian : il n'avait pas encore réussi à rencontrer lord Page. Faire sa connaissance et nouer avec lui des relations cordiales constituait la cheville ouvrière de son plan de carrière politique. Se frayer un chemin jusqu'au Parlement en suivant la filière ingrate des instances locales était une chose, mais obtenir la protection d'un homme d'État respecté hâterait sans aucun doute son entrée dans la vie politique. Quel meilleur moyen de faire une impression favorable sur un comité d'investiture et de s'intégrer aux cercles d'influence qu'en devenant l'héritier déclaré de lord Page ?

Aussi, depuis qu'il était devenu l'amant en titre de Louise, dans le lit de laquelle il passait désormais des nuits entières, et qu'il se consacrait corps et âme à une affaire délicate généreusement financée par lord Page, il estimait avoir gagné le droit d'être présenté au grand homme. Mais Louise ne le lui avait pas encore suggéré et, jusqu'à présent du moins, il avait estimé qu'il serait de mauvais goût d'aborder lui-même le sujet. Il n'en était plus tout à fait aussi sûr.

S'imaginer l'intime de lord Page, pair du royaume siégeant à la Chambre des lords, lui donna un frisson de plaisir. Avec dépit lui revint alors le souvenir de sa grand-mère, boudinée dans une robe rose et buvant son thé dans une timbale en argent, souvenir du jubilé de la reine. En dépit de son accent italien qui subsistait dans les voyelles traînantes de Macclesfield, ce trou des Midlands, elle avait toujours fait preuve d'une fervente dévotion à la couronne britannique et, par extension, à tous les membres de la noblesse. S'il lui avait parlé de lord Page, elle s'en serait évanouie de bonheur et de saisissement.

Mais Cassian n'avait plus aucun contact avec sa grand-mère, pas plus qu'il ne communiquait avec ses parents et ses deux imbéciles de sœurs. Il n'était même jamais retourné à Macclesfield depuis son premier trimestre à Oxford et, au fil des ans, s'était habilement réinventé un passé plus flatteur, au point de finir par presque se croire lui-même descendant d'une famille aristocrate italienne.

Il contempla Louise. L'honorable Louise.

— Ma chérie, dit-il avec affection.

La jeune femme rougit un peu et leva les yeux de la banderole de papier qu'elle était en train de préparer. Elle n'avait pas encore pris l'habitude de partager son petit déjeuner avec Cassian, encore moins d'entendre des câlineries en mangeant un toast.

— Oui ?

— Je me demandais simplement comment allait ton père, dit-il d'un ton plein de bonne volonté. Tu avais dit il y a quelque temps qu'il était souffrant.

— Oh, il va beaucoup mieux maintenant. Il a engagé une infirmière à domicile, elle s'occupe très bien de lui, il n'y a pas lieu de s'inquiéter.

— Tu ne l'as pourtant pas vu depuis un bon moment.

La jeune femme reposa son feutre en soupirant.

— Non, c'est vrai. Je comptais y aller quand il était malade, mais je ne pouvais pas m'éloigner de Katie. Peut-être pourrions-nous aller le voir maintenant tous ensemble. Ce serait une bonne idée, n'est-ce pas ?

— Hein ? Ah oui, bien sûr ! Une excellente idée.

Cassian baissa un instant les yeux vers la banderole que Louise décorait de fleurs : « Bienvenue à la maison, Katie ! », y était-il écrit en capitales multicolores.

— Tu tiens ton père au courant de l'affaire ? Il sait quels efforts nous y consacrons, n'est-ce pas ?

Cela devrait me valoir au moins un bon point, pensa-t-il.

— Euh... Oui, oui, bien sûr, répondit Louise en se sentant rougir.

Elle ne pouvait pas dire à Cassian que son père refusait de se mêler de près ou de loin à ce procès, même s'il en couvrait les frais. « Foutus avocats ! s'était-il exclamé quand sa fille avait tenté de lui en parler. Tous des vautours, je ne peux pas les sentir ! Envoie-moi leurs honoraires, je les réglerai, mais ne me demande pas d'écouter leur charabia. Fais ce que tu veux, mais surtout ne fais confiance à aucun de ces individus. » Puis, avant qu'elle ait pu se remettre de cette explosion de colère paternelle, il avait enchaîné sur un long panégyrique de son vieil ami Dick Foxton, modèle des hommes de loi, honnête et plein de bon sens, vers lequel Louise aurait mieux fait de se tourner plutôt que de se laisser prendre aux grands airs de cette maudite engeance de citadins prétentieux et retors.

— En fait, je me disais que ce serait bien de faire sa connaissance, commenta Cassian.

— Oui, ce serait sans doute très bien, répondit distraitement la jeune femme. Peut-être d'ici à une quinzaine de jours, quand Katie se sera réhabituée à vivre à la maison.

Voyant son expression éclatante de bonheur à cette évocation, Cassian comprit qu'il serait malvenu d'insister.

Katie avait fait de tels progrès ces dernières semaines que la date de son retour à la maison avait été sensiblement avancée. Aujourd'hui, elle quittait Forest Lodge pour de bon. Comme elle devait arriver à l'heure du déjeuner, Louise avait pris le temps de lui préparer un repas de fête. Des ballons déjà gonflés rebondissaient dans la cuisine avant d'être accrochés un peu partout, et Amelia était dans sa chambre en train de préparer une jolie carte de bienvenue. Il régnait dans toute la maison une atmosphère de joyeuse excitation.

Cassian trouvait cela plutôt agaçant. Il avait prévu de longue date cette conférence cruciale avec Desmond et Karl, personnages importants qui leur faisaient l'honneur de prendre sur leur précieux temps pour venir s'entretenir avec eux. Louise aurait dû consacrer cette journée à préparer pour eux un dîner raffiné et à penser à des anecdotes croustillantes, et non à gonfler des ballons ou crayonner des banderoles.

Quand il lui avait gentiment rappelé que la réunion devait avoir lieu, Louise avait réagi très cavalièrement en suggérant de la remettre à plus tard. Plus tard ! Comme si Desmond et Karl n'avaient pas des agendas surchargés ! En plus, la réunion avait été presque impossible à mettre en place, compte tenu des incompatibilités de leurs emplois du temps. Y être arrivé tenait du miracle. Avec douceur mais fermeté, maîtrisant à grand-peine son impatience, Cassian lui avait fait comprendre l'importance de l'événement, le prestige de pouvoir travailler avec de telles personnalités, la nécessité impérieuse de les rencontrer ce soir-là et pas un autre. Sur quoi, Louise avait concédé : « Bon, bon, d'accord », avec un haussement d'épaules indifférent. Pas le moindre remerciement pour les efforts qu'il avait déployés, pas le moindre signe qu'elle était sensible à un tel honneur ! Son attitude était injurieuse, pour ne pas dire humiliante.

Faisant contre mauvaise fortune bon cœur, Cassian but une gorgée de café.

— Nous devrons veiller à ce qu'Amelia et Katie soient au lit avant le début de notre réunion, dit-il avec fermeté. Il ne faut pas qu'elles nous dérangent.

— Amelia ne voudra sûrement pas se coucher à six heures du soir, répondit Louise avec un bref éclat de rire. Elle jouera tranquillement dans sa chambre et se couchera à huit heures comme d'habitude. Quant à Katie, elle se couchera sans doute de bonne heure.

— Bien, mais nous ne devons pas être distraits. Barnaby pourrait peut-être surveiller Amelia pendant que nous parlons.

— Mais... il faut qu'il soit présent !

— Oui, c'est vrai. Dans ce cas, tu pourrais demander à Mary Tracey de venir s'occuper d'Amelia.

— En amenant le petit Luke ? Il fait plus de bruit à lui seul que les deux filles ensemble ! Ne t'inquiète donc pas, poursuivit-elle en reposant le crayon rose avec lequel elle dessinait une fleur. Les filles seront si excitées d'avoir pu jouer ensemble toute la journée qu'elles seront fatiguées et s'endormiront tout de suite.

Excédé, Cassian se demandait s'il devait se donner la peine de faire enfin comprendre à Louise l'importance de cette réunion et choisissait avec soin les phrases appropriées quand on sonna à la porte. Louise abandonna sa banderole et courut ouvrir. Un instant plus tard, le pas lourd de Barnaby, reconnaissable entre tous, résonna dans le vestibule.

— Cela m'a secoué, je te prie de me croire, disait-il à la jeune femme d'un ton bourru en entrant dans la cuisine. Bonjour, Cassian.

— Bonjour, Barnaby. Qu'est-ce qui vous a secoué ? Une catastrophe agricole, peut-être ?

— Non, répondit-il, mal à l'aise. Je viens de croiser

Hugh dans la rue, il avait une mine de déterré. Il était livide, pitoyable.

— Lui avez-vous parlé ? demanda l'avocat sèchement.

— Non. Quand il m'a vu, il a changé de trottoir.

— Ah bon ! C'est sans importance, alors.

— Comment, sans importance ? gronda Barnaby. Pour moi, c'est important ! Il avait une mine épouvantable ! Je n'avais pas idée que...

— Voyons, Barnaby, réfléchis une seconde ! intervint Louise. Il avait peut-être tout simplement mal digéré son dîner de la veille, cela arrive à tout le monde. C'est toi qui as toujours dit que Katie était notre priorité, qu'elle devait passer avant tout. Que rien ni personne d'autre ne devait compter. Ne te fais donc pas tant de souci pour Hugh. Pense plutôt à Katie.

— Oui, tu as raison, admit-il à regret.

Devant le sourire heureux de Louise, il se força à sourire à son tour et regarda autour de lui.

— Bon, eh bien, je vais commencer par accrocher les ballons !

Ils revinrent de Forest Lodge peu après treize heures. La vieille barrière de bois marron du jardin fut la première chose que remarqua Katie quand la voiture s'arrêta. Elle la regarda à travers la vitre avec la vague impression de l'avoir déjà vue.

Louise se retourna vers elle avec un grand sourire.

— Te voilà de retour, ma chérie ! Tu es revenue à la maison.

La fillette sourit parce que sa mère souriait, mais elle ne savait ni ne comprenait vraiment pourquoi. Elle avait beaucoup entendu parler de « la maison » ces derniers temps, mais n'était pas sûre de se rappeler ce que cela représentait.

Depuis l'accident, il y avait beaucoup de choses dont elle ne pouvait pas se souvenir, d'autres qu'elle croyait se rappeler mais qui n'étaient pas vraies. Quinze jours plus tôt, elle était convaincue d'avoir vécu à Forest Lodge depuis sa naissance. Elle se rappelait même que son père y vivait aussi, ainsi que sa mère et Amelia. Mais maman lui avait dit que ce n'était pas vrai et qu'elle avait dû le rêver.

— Allons-y, dit son père.

Barnaby se tourna vers l'arrière, lui déboucla sa ceinture, mit pied à terre et alla lui ouvrir sa portière. Katie descendit lentement et avec précaution. Devant elle, elle voyait une maison qui avait une allure familière. Elle leva vers Barnaby un regard interrogateur.

— Tu la reconnais ? Tu t'en souviens ? lui dit-il avec son sourire que Katie n'avait jamais vraiment oublié.

Tout le monde autour d'elle souriait. Elle regarda de nouveau la maison et sentit dans sa tête une étrange démangeaison. Le souvenir, irréel comme un rêve, d'avoir été une fois à l'intérieur il y avait très longtemps lui traversa l'esprit mais s'évanouit aussitôt, de sorte qu'elle n'était plus sûre d'avoir déjà vu cette maison ou de l'avoir rêvée. Avec un frisson de peur et de froid, elle leva encore une fois les yeux vers son père.

— Quand rentrons-nous à Forest Lodge ? demanda-t-elle en articulant avec soin.

Quelquefois, quand elle parlait trop vite, personne ne la comprenait. Mais Debbie, qui venait la voir tous les matins, l'avait entraînée à parler lentement et à articuler, si bien qu'elle ne se précipitait presque plus jamais pour dire tout ce qu'elle voulait.

— Nous ne retournerons plus à Forest Lodge, ma

chérie, répondit son père d'un air heureux. Tu resteras ici pour de bon.

Katie sentit de nouveau la peur la gagner. Elle ne voulait pas rester dans cette maison bizarre, à la fois inconnue et familière. Elle voulait retrouver son lit, ses amies et les visites de papa et maman qui venaient tous les jours. Les yeux baissés, elle regarda ses belles chaussures neuves, achetées exprès pour elle. Elle eut soudain les joues toutes chaudes et pensa qu'elle allait pleurer.

Et puis, elle vit la porte de la maison s'ouvrir et Amelia qui sortait en courant et criait : « Te voilà ! Bon retour, Katie ! » La fillette regarda derrière sa sœur, vit le plancher ciré et les murs bleu pâle du vestibule, et sentit une nouvelle fois cette étrange démangeaison dans sa tête. Peu à peu, un sentiment de bien-être la gagna, s'installa avec une certitude réconfortante : oui, elle connaissait cette maison. C'était celle dont tout le monde lui parlait. Sa maison.

— Viens jouer à l'élastique ! dit Amelia en l'embrassant. Tu m'as manqué, tu sais.

Katie garda le silence une minute, le visage inexpressif, le cerveau bouillonnant sous l'effort de la réflexion. Puis son regard s'alluma, son visage s'épanouit, elle poussa un rugissement de joie et partit en courant vers l'intérieur – Amelia sur ses talons, Louise et Barnaby juste derrière. Quand ils entrèrent, Katie courait joyeusement de pièce en pièce, caressait au passage le canapé, les rideaux, les tabourets de la cuisine. Amelia voulut l'arrêter par le bras, mais Katie se dégagea d'un geste brusque en poussant un nouveau cri de joie.

— Laisse-la, dit Louise. Elle est trop heureuse de retrouver son foyer et de refaire connaissance avec lui.

Vers six heures moins le quart, la maison était redevenue calme. Barnaby était parti chez lui se changer avant la réunion, et Katie s'était laissé persuader de se mettre au lit.

— La routine a du bon, dit Louise qui redescendait en souriant à Cassian. C'était une des bonnes habitudes de Forest Lodge. L'heure du coucher était la même tous les jours.

— Sans doute, répondit distraitement Cassian, qui n'écoutait pas.

De la fenêtre du vestibule, il surveillait l'arrivée de Desmond et de Karl.

— Pourvu qu'ils ne se soient pas perdus, marmonna-t-il.

— Mais non, ils ne vont plus tarder, répondit la jeune femme avec bonne humeur. Buvons donc un verre en les attendant.

Louise sentait renaître sa joie de vivre. Elle devenait si légère qu'elle croyait flotter sur un nuage de félicité. Katie était revenue à la maison, elle était couchée dans son vrai lit, la vie reprenait son cours normal – et la vie normale ne lui avait jamais paru aussi attrayante et pleine de promesses.

— Le sentiment le plus merveilleux, c'est le soulagement, dit-elle en sortant une bouteille de vin blanc du réfrigérateur. Une incroyable sensation de libération, comme si je souffrais d'une effroyable migraine depuis des mois et qu'elle ait disparu comme par enchantement. Je nage tout entière dans le bonheur.

Elle servit les verres en regardant miroiter le liquide doré dans le cristal, éprouvant d'avance le plaisir gourmand d'en savourer le bouquet, de redevenir une mère insouciante pouvant sans arrière-pensées boire un verre, tandis que ses enfants étaient sagement couchés dans leur lit. Comme toutes les autres mères de famille.

Mais quand elle entendit tinter la sonnette de l'entrée, Louise eut un prévisible accès de panique. Depuis que l'état de sa fille avait commencé à s'améliorer et que l'espoir renaissait dans son propre cœur, elle en éprouvait tous les jours, comme si son esprit lui déniait le droit de s'en sortir à si bon compte, sans souffrir davantage. Et chacun de ces accès de panique était accompagné d'une bouffée de remords et de culpabilité, venant la tourmenter comme l'implacable rappel de son désespoir des premières semaines.

— Qui cela peut-il bien être ? dit-elle d'un ton faussement badin pour dissimuler le tremblement de sa voix.

Cassian s'était déjà précipité dans le vestibule.

— Ah, c'est vous, Barnaby, l'entendit-elle dire avec un évident dépit. Tiens ! Voilà Karl et Desmond qui se garent de l'autre côté de la rue ! Entrez donc, Barnaby, je reste pour les attendre.

Louise lui avait déjà ouvert une bière. Quand il entra dans la cuisine, il lui adressa un sourire timide.

— Katie est au lit ?

— Oui. La journée s'est merveilleusement bien passée. Je suis ravie que tu aies pu te libérer cet après-midi pour rester avec nous.

— Cela m'a fait plaisir.

— Nous y voilà !

La voix de Cassian les fit se retourner.

— Louise, je te présente Desmond Pickering et Karl Foster, de notre bureau de Londres. Desmond, Karl, permettez-moi de vous présenter Louise Kember.

Louise se leva. Derrière Cassian se tenaient deux hommes très élégants, portant des complets visiblement coûteux, des chemises à la dernière mode et des cravates de soie. Celle de Desmond était décorée d'un motif de fers à cheval, celle de Karl de petits cochons ailés à l'air espiègle. Les deux hommes firent à Louise des sourires identiques qui lui donnèrent envie de rire.

— Et voici Barnaby, ajouta Cassian comme s'il venait de s'apercevoir de la présence du chien de la famille.

— Bonjour, leur dit celui-ci avec un sourire.

Louise surprit le regard méprisant que le plus jeune des deux, Karl, jetait sur le costume de son mari et réprima sa réaction indignée. Ce n'était pas le moment de faire un esclandre. D'ailleurs, Cassian les entraînait tous vers le salon, où il avait déjà disposé des blocs-notes, des crayons et des verres de vin.

La jeune femme les salua d'un hochement de tête. En les observant de plus près, elle put constater que les deux Londoniens n'étaient pas les clones qu'elle avait imaginés de prime abord. Karl avait un physique encore juvénile sous un vernis de supériorité et d'assurance. Desmond, avec ses traits marqués sans être disgracieux, paraissait plus âgé et plus expérimenté, et plus sûr de lui, comme si cette confiance était en permanence enracinée en lui.

— Je commence toujours par dire à mes clients que la loi est un animal déroutant, souvent imprévisible, dit-il après avoir pris place. Même avec le dossier le plus solidement argumenté, il faut prévoir l'éventualité d'un échec et se préparer à une lutte longue et difficile. Mais je suis sûr que Cassian vous en a déjà avertis maintes fois.

— Oui, bien sûr, commença Louise, mais...

Barnaby l'interrompit :

— Pas moi ! Il ne m'a rien dit de semblable. Cherchez-vous à nous dire que nous allons perdre ?

Desmond et Karl échangèrent un bref regard.

— Bien sûr que non, répondit Desmond d'un ton rassurant. C'est une mise en garde que je fais à tout le monde. Il faut simplement vous rendre compte que, dans une affaire comme celle-ci, rien n'est jamais certain ni gagné d'avance.

— Je croyais vous avoir entendu dire…

Conscient qu'il parlait trop fort, Barnaby s'éclaircit la voix avant de poursuivre, un ton plus bas :

— Je croyais que nos chances étaient assurées. Que la lettre d'Ursula suffisait à boucler l'affaire, dit-il en se tournant vers Cassian.

Ce dernier lui lança un regard mécontent.

— Il va de soi que rien n'est jamais gagné d'avance, répondit-il sèchement. Si c'était le cas, nous n'aurions pas besoin d'aller devant un tribunal, n'est-ce pas ? Je vous aurais dit : « Avancez jusqu'à la case Départ et touchez deux cents livres. » Ou un million, avec de la chance.

Karl laissa échapper un léger ricanement, mais Desmond, soucieux, gardait les yeux fixés sur Barnaby.

— Il me semble que l'on vous a donné une fausse impression. Rien n'est jamais certain jusqu'au moment où le jugement est prononcé. C'est un fait valable pour tous les procès.

— Ou jusqu'à ce qu'on parvienne à un compromis, intervint Karl qui pianotait sur sa calculette.

— Peut-être, approuva Desmond avec agacement. Mais nous en sommes encore loin. Comprenez-vous bien, monsieur, euh ?…

— Kember, lui souffla l'intéressé avant d'avaler une gorgée de vin. Oui, j'ai très bien compris. Excusez-moi, tout cela me trouble. Commencer par dire que nous pourrions perdre, eh bien, je ne sais pas, mais cela m'inquiète !

— C'est tout naturel, le rassura Desmond.

— Tout à fait, fit Karl en écho.

Les deux hommes gratifièrent Barnaby d'un sourire protecteur.

— Pouvons-nous continuer ? dit Cassian avec une évidente impatience. Voici le dossier dans son état actuel. Jetez-y donc un coup d'œil, messieurs.

Pendant que les deux hommes parcouraient les feuillets, Cassian s'efforça de faire partager son impatience à Louise, mais elle souriait à Barnaby d'un air approbateur. Seul le froissement du papier troublait le silence qui régnait dans la pièce.

— Où est le rapport sur le plongeoir de l'expert en sécurité ? demanda Desmond.

— Je l'attends encore, répondit Cassian.

Desmond poussa un vague grognement et reprit sa lecture. Louise sentait l'énervement la gagner, comme si elle était elle-même l'accusée du procès.

— Hmm ! fit Desmond en reposant le dernier feuillet, il y a là-dedans beaucoup d'éléments exploitables. Bon travail, Cassian.

Louise sourit à ce dernier, qui se retenait à grand-peine d'afficher un air triomphant.

— Vous disposez, reprit Desmond, des déclarations de témoins oculaires. L'expert remettra bientôt son rapport, n'est-ce pas ?

— Je n'en sais rien, admit Cassian. Il n'a pas donné de date.

— Nous verrons bien, dit Desmond en s'adossant confortablement dans son fauteuil. D'ailleurs, nous n'en aurons peut-être même pas besoin. Il y a cependant deux ou trois choses qui me chiffonnent un peu. Nous pourrons régler facilement la première, je crois.

— Laquelle ?

— Le témoignage de la femme disant que les enfants couraient comme des fous autour de la piscine en criant à tue-tête peu avant l'accident. Ce qui ne me plaît pas, c'est que cela sous-entend de la surexcitation de la part des enfants.

— Certes, mais ce même témoin précise bien l'absence de toute surveillance. Ce témoignage sera très utile à l'audience.

— Pas assez probant, Cassian, dit l'avocat en fronçant les sourcils. Nous devons prévoir que la partie adverse pourra invoquer une faute imputable à la victime elle-même.

— Ce qui veut dire ? demanda Barnaby.

— Que le plaignant a provoqué l'accident par sa propre négligence, expliqua Karl, qui recommençait à pianoter sur sa calculette.

— Mais enfin, un enfant..., commença Louise.

— Cela ne compte pas, l'interrompit Karl sans lever les yeux. Je pense notamment à l'affaire Davis contre Leemings. Et aussi à Brakespear contre Smith.

Les Kember échangèrent un regard.

— Que s'est-il passé dans cette dernière affaire ? demanda la jeune femme.

— Une fillette de dix ans renversée par une voiture a été jugée responsable à soixante-quinze pour cent, répondit l'avocat le plus naturellement du monde. Elle avait traversé la rue en courant sans regarder devant elle.

— Grand dieu, c'est affreux ! s'exclama Louise. Mais Katie n'aurait jamais...

— Quant à Davis contre Leemings, enchaîna Karl, imperturbable, les dommages et intérêts d'un garçon de douze ans ont été réduits des deux tiers parce qu'il n'avait pas respecté un signal d'interdiction. Dans l'affaire Phillips contre le conseil municipal de Fanshawe...

— Merci, Karl, l'interrompit Desmond. Je crois que nous avons bien compris.

Louise avait l'air horrifiée.

— Personne ne pourrait reprocher à Katie d'avoir causé son propre accident, dit-elle d'une voix mal assurée.

— J'ai bien peur que si. Si l'avocat de nos adversaires connaît son métier, il le fera sans aucun doute. Nous devons donc désamorcer sa contre-attaque. Votre fille a-t-elle un professeur de natation ?

— Oui, mais je n'arrive pas à croire...

— Bien, l'interrompit Desmond. Nous citerons ce professeur qui témoignera que Katie était une élève prudente et responsable.

— Et si elle ne l'avait pas été ce jour-là ? intervint Karl.

Louise laissa échapper un soupir indigné.

— Qu'est-ce que vous voulez dire ? s'écria Barnaby. Insinuez-vous que... ?

— Peu importe, dit Desmond en ignorant ces protestations. Le professeur témoignera dans ce sens. Réfléchissez, je vous prie. Si vous étiez ce professeur, admettriez-vous qu'une de vos élèves n'ait reçu aucun conseil ni aucun enseignement sur la manière de se comporter dans une piscine ? Impossible.

— Bien vu, approuva Karl en souriant à sa calculette.

— Mais Katie a toujours été prudente ! protesta Louise. Un peu vive parfois, bien sûr, mais...

— J'en suis convaincu, l'interrompit Desmond avec un sourire avant de se tourner de nouveau vers les papiers. De toute façon, ce n'est que le premier problème et il est quasiment réglé. Pour le deuxième, ce ne sera pas aussi facile. Les rapports médicaux semblent indiquer un rétablissement d'une rapidité remarquable.

— C'est vrai, intervint Barnaby avec joie. C'est merveilleux, n'est-ce pas ? Elle progresse à pas de géant, elle est même revenue à la maison très en avance et...

Il s'interrompit en voyant que personne ne l'écoutait. L'attention de Desmond allait toujours à Cassian.

— Je croyais qu'il était question de graves lésions au cerveau, lui dit-il.

— Bien sûr ! répondit Cassian, sur la défensive. Coma, important hématome sous-dural, caillot de sang. Tout, quoi.

— Et alors ? Qu'est-il arrivé ?

— Je ne sais pas, elle s'est apparemment un peu rétablie, admit Cassian qui sentait sur lui le regard de Louise. C'est une excellente nouvelle, bien entendu.

— Excellente pour la petite, beaucoup moins pour l'affaire, dit Desmond. Je ne suis pas du tout certain que cinq cent mille livres soient un montant réaliste. C'est vous l'expert, Karl. Qu'en pensez-vous ?

— Je suis d'accord, répondit Karl en levant enfin les yeux de sa calculette. Il nous faut davantage de munitions pour nous approcher d'une somme pareille. Il nous faudrait par exemple des problèmes psychiatriques, une dépendance lourde, l'impossibilité de gagner sa vie ultérieurement. Faisait-elle déjà preuve de talents avérés qu'elle aurait pu développer plus tard ?

Louise quêta du regard le secours de Barnaby.

— Elle est douée pour tout, affirma ce dernier.

— Rien de plus précis ? Vous connaissez Norrie Forbes, poursuivit Karl à l'adresse des autres. Il avait un dossier en or, celui d'un garçon qui avait eu les mains écrasées par une portière de train. Le garçon était champion du lancer de javelot. Norrie a fait témoigner un sélectionneur olympique qui s'est répandu en éloges sur le potentiel de ce garçon et sa carrière prometteuse. Il a gagné, bien entendu, avec d'énormes dommages et intérêts. Mais le fin mot de l'histoire, c'est que le gamin était dégoûté du javelot et s'est lancé dans l'informatique qui, de toute façon, l'intéressait davantage.

Cassian pouffa de rire, Desmond fit un sourire ironique. Les parents de la fillette se regardèrent, aussi effarés l'un que l'autre.

— Ne pensez-vous pas ?..., commença-t-elle.

Le bruit de la porte l'interrompit. Katie apparut en pyjama, la mine ensommeillée.

— Bonsoir, ma chérie, dit Louise. Nous parlions justement de toi. Maintenant, retourne vite dans ton lit.

Katie regarda en silence la pièce, les hommes bien habillés, les papiers, les verres de vin, et fit un grand sourire.

— Je veux jouer, moi aussi ! dit-elle d'une voix forte, encore un peu embrouillée.

— Pas maintenant, voyons, dit Louise en se levant.

Mais l'enfant lui échappa et courut au milieu de la pièce.

— Allons, Katie, viens, lui dit son père. Je te lirai une histoire.

— Non !

Elle fit de nouveau un grand sourire et commença à enlever le haut de son pyjama.

— Katie ! s'exclama Louise. Excusez-la, c'est paraît-il un des effets secondaires de l'accident. Les médecins appellent cela un déficit d'inhibition, nous simplement l'envie de se faire remarquer.

La fillette avait jeté par terre le haut de son pyjama et s'attaquait à la culotte mais ses parents s'étaient déjà précipités. Barnaby arriva le premier.

— Allons, allons, dit-il en la prenant dans ses bras. On va compter le nombre de pas jusqu'à la porte. Un !

Il fit une grande enjambée.

— Un, répéta Katie.

C'était manifestement un de leurs jeux. Louise ramassa le haut du pyjama qu'elle tendit à Barnaby en souriant.

— Tiens, tu en auras sans doute besoin.

— Merci. Deux ! dit-il en faisant un autre pas.

— Deux, répéta l'enfant.

— Très bien, ma chérie, dit Louise. Veux-tu que je prenne le relais, Barnaby ?

— Non, pas la peine. Je n'en aurai pas pour long-temps. Trois !

— Trois, répéta Katie.

— Bravo, ma chérie !

Après qu'il eut refermé la porte derrière lui, tout le monde entendit les éclats de rire de Katie. Cassian poussa un soupir.

— Eh bien, voilà une charmante fillette ! commenta Desmond.

— Elle est merveilleuse ! renchérit sa mère. Elle n'a pas perdu son sens de l'humour et elle n'abandonne jamais, quoi qu'il arrive.

— Elle m'a paru tout à fait normale, déclara Karl. A-t-elle vraiment subi des lésions au cerveau ?

— Une partie de son cerveau a été endommagée par l'accident, répondit Louise. Certaines fonctions ont été affaiblies ou détériorées, mais la rééducation permet aux parties intactes d'y suppléer. C'est admirable à quel point le cerveau humain est adaptable ! Ma fille a très bien réagi aux traitements. Elle a encore un long chemin à parcourir avant d'être complètement rétablie, bien sûr, mais son état actuel est déjà un vrai miracle.

— Elle reste toutefois très perturbée, se hâta d'en-chaîner Cassian. Vous l'avez vue, n'est-ce pas ? Elle a perdu tout sens des convenances et du comportement en société, elle rit pour des choses qui n'ont rien de drôle, elle se déshabille n'importe quand. Cet accident a des conséquences catastrophiques sur sa personnalité.

— Troubles de la personnalité, répéta Karl pensivement. Cela me plaît. Il y a deux ou trois ans, nous avons eu une affaire dans laquelle une femme victime d'un traumatisme crânien était devenue complètement nymphomane. Mais le mari ne voulait pas d'une nymphomane insatiable, il voulait retrouver son épouse frigide et réservée. Un cas d'école ! Vous vous en souvenez sûrement, Desmond. Brooks contre Murkoff.

— Bien exploités, intervint Cassian avec assurance, les troubles de la personnalité peuvent être une mine d'or. Depuis son accident, Katie est tapageuse, indisciplinée, incontrôlable, impossible à vivre. Bref, un désastre ambulant.

— Absolument pas ! protesta Louise, indignée. Elle va très bien ! Elle est adorable !

Cassian soupira avec impatience.

— Elle ne va pas « très bien », Louise, et elle n'est pas « adorable ». Elle a le cerveau dérangé ! Pourquoi diable crois-tu que nous nous donnons autant de mal à préparer un procès ?

Louise regarda les trois avocats à tour de rôle.

— À cause de l'accident, dit-elle enfin d'une voix mal assurée. À cause de la peine et des souffrances que Katie a subies. À cause de...

— La peine, les souffrances, répéta Cassian avec mépris. Cela ne vaut rien ! Ce qu'il nous faut, ce sont des séquelles à long terme, des troubles psychiatriques, la perte de fonctions indispensables à la vie courante. Et pour cela, nous avons besoin de ton témoignage.

— Quoi ? Je devrais dire que ma fille est un désastre ambulant ?

— Oui !

— Eh bien, non ! Je ne le dirai pas ! Katie n'est pas un désastre ambulant !

La voix de Louise résonna dans toute la maison. Le silence retomba. Un instant plus tard, on entendit Barnaby dévaler l'escalier. Desmond et Karl échangèrent un regard. La porte du salon s'ouvrit à la volée et Barnaby entra en trombe.

— Qu'est-ce qui se passe ? gronda-t-il.

Louise reprenait son souffle pour répondre quand éclata dans la rue la sirène assourdissante d'une ambulance. Louise sursauta, pâlit, agrippa les accoudoirs de son fauteuil et ferma les yeux.

— Louise ! s'exclama Cassian avec une sollicitude théâtrale. Tu as un malaise ?

Il se précipita auprès d'elle. La jeune femme porta à son front une main tremblante.

— Je vais très bien, dit-elle d'une voix altérée. Les sirènes d'ambulance me font encore bondir, voilà tout. C'est idiot de ma part. Je me demande quel cas a été assez grave pour faire se déplacer les secours.

— Ne te soucie donc pas de cela en ce moment. Reste tranquille, calme-toi.

— Oui, essayez de vous détendre, renchérit Desmond.

— Absolument, approuva Karl avec cordialité. Pourquoi pas une bonne tasse de thé ? Ou un verre de cognac. Ou…

— Va-t-on me dire ce qui se passe, à la fin ? l'interrompit Barnaby. Je suis descendu parce que j'ai entendu crier.

— Rien qui vous concerne, le rabroua Cassian. Un simple malentendu. Nous en reparlerons plus tard, Barnaby. Dans l'immédiat, je vais chercher à Louise un verre d'eau fraîche.

Il se leva, écarta Barnaby, qui ouvrit la bouche et

la referma aussitôt. Inutile d'essayer de discuter avec ces gens-là, se dit-il avec une rage contenue.

— Compte tenu des circonstances, dit Desmond, nous ferions mieux d'en rester là, je crois.

Il ramassa ses papiers, referma son cartable.

— Oui, fit Barnaby de mauvaise grâce. Bon, je m'en vais.

— Bonne idée, intervint Cassian qui revenait.

— Bonsoir, Barnaby, lui dit Louise en souriant. Merci d'être venu.

Barnaby ne répondit pas. Il se sentait inexplicablement furieux contre Cassian, contre Louise, contre lui-même. Contre le monde entier. Pendant qu'il ouvrait la porte d'entrée, il entendit la voix de ce type pontifiant, Desmond, qui disait : « Vous savez, Louise, j'ai toujours été un grand admirateur de votre père. »

Barnaby claqua sauvagement la porte. Cette soirée l'avait déstabilisé. En faisant quelques pas dans la douceur de la nuit, il se répéta, comme il le faisait souvent : « C'est pour Katie que je fais cela. L'effort en vaut la peine pour Katie. » Cette fois, pourtant, il n'était plus aussi convaincu d'avoir raison. Rien ne lui paraissait certain désormais. Et c'est l'esprit tiraillé entre les doutes, les craintes et l'angoisse qu'il reprit le chemin de son petit logement solitaire.

Daisy et Alexis étaient blottis dans le grand lit de celui-ci quand le téléphone sonna.

— La barbe, grogna-t-il en se soulevant sur un coude. Qui cela peut-il bien être ?

— Vas-y, réponds, lui dit Daisy en le poussant gentiment du pied. C'est peut-être important.

— Sans doute un faux numéro.

— Non, il faut répondre, insista la jeune fille. Ou je te ferai honte en répondant à ta place.

— Cela ne me ferait pas honte le moins du monde, dit-il sérieusement. Si tu savais...

Daisy le poussa plus fort et pouffa.

— Allons, va décrocher ! C'est bien fait pour toi, tu aurais dû mettre un téléphone dans ta chambre.

— Bon, d'accord.

Résigné, Alexis se drapa dans son peignoir et descendit l'escalier pieds nus. Daisy l'entendit jurer en se cognant un orteil contre une marche et pouffa de nouveau. Comme elle ne pouvait pas entendre ce qu'il disait au téléphone, elle se recoucha et révisa mentalement le doigté d'un passage difficile dans le troisième mouvement du concerto de Brahms.

Quand Alexis reparut sur le pas de la porte, elle se tourna vers lui avec un grand sourire.

— Je crois avoir résolu le problème..., commença-t-elle.

Mais elle stoppa net devant son expression. Elle ne l'avait jamais vu aussi bouleversé.

— Que se passe-t-il ?

Une nervosité familière, qu'elle croyait oubliée, la parcourut de la tête aux pieds. Avait-elle fait quelque chose de mal ? Avait-elle commis quelque erreur pouvant nuire à Alexis ?

— Qu'est-ce qui ne va pas ? insista-t-elle.

Alexis cligna des yeux, s'efforça de sourire.

— C'était Meredith.

— Meredith Delaney ? A-t-elle un problème ?

— Non, elle va bien.

— Quoi, alors ? Que lui est-il arrivé ?

— À elle, rien. C'est Hugh. Il a eu une crise cardiaque.

17

Hugh occupait une chambre individuelle au service de cardiologie. Quand Alexis arriva, il était couché, la tête reposant sur trois oreillers et un goutte-à-goutte branché sur un bras. Pâle, les yeux clos, il était vêtu d'une chemise d'hôpital qui lui donnait une apparence encore plus vulnérable. Meredith se tenait debout près de la fenêtre, le dos voûté, les traits tirés. Assise au chevet de son mari, Ursula avait malgré ses cheveux gris l'allure frêle et le regard désorienté d'un enfant perdu.

Meredith remarqua sa présence la première.

— Bonsoir, merci d'être venu.

Elle avait la voix rauque, brisée.

— Il dort ? demanda-t-il à mi-voix.

— Oui, je crois. Ursula, je vais emmener Alexis boire un café. Voulez-vous que je vous en rapporte ?

La vieille dame leva vers elle un regard craintif.

— Non, merci, ma chère petite, murmura-t-elle après une légère pause. Pas pour le moment.

Pendant que Meredith prenait son sac et enfilait une veste, Alexis regarda autour de lui. La chambre était plongée dans un silence pesant. Il détailla le plafond bas, les murs clairs, la carafe d'eau en plastique sur la tablette, l'écran de télévision éteint. L'air surchauffé était lourd, l'atmosphère presque oppressante. Et, dans ce cadre déprimant, Hugh gisait, inerte, sans défense. Alexis souffrait de le voir dans cet état pitoyable.

Dès qu'ils furent dans le couloir, Meredith inspira profondément et se laissa tomber sur un banc.

— Vous n'avez pas vraiment envie d'un café, n'est-ce pas ? demanda-t-elle.

Alexis fit signe que non.

— On ne peut pas parler devant Ursula, reprit-elle. Je ne veux pas l'effrayer... Je vous suis sincèrement reconnaissante d'être venu si vite, ajouta-t-elle après une pause. C'est... c'est très aimable de votre part.

— Quelle est la situation, au juste ? demanda-t-il avec prudence. Les médecins vous ont-ils dit quelque chose ?

La jeune femme baissa les yeux, garda le silence un instant. Quand elle les releva, son regard brillait de colère.

— En deux mots, Hugh a eu une crise cardiaque provoquée par un excès de stress. Parce que tous les jours, toutes les nuits, il ne fait que s'inquiéter. Parce qu'il est obsédé par ce procès et qu'il ne peut penser à rien d'autre.

Elle plongea une main dans sa poche pour prendre ses cigarettes. Alexis l'observa un moment et se rendit compte qu'il retenait sa respiration. Il vida ses poumons d'un trait et regarda la flamme du briquet de Meredith.

— Ils sont en train de le tuer, dit-elle en tirant une longue bouffée. Ces fumiers le tuent !

— Êtes-vous sûre que ?...

Il s'interrompit. Meredith lui décocha un regard soupçonneux.

— Les médecins ont-ils réellement attribué la cause de son attaque au stress ?

Elle aspira une bouffée de fumée et se voûta, accablée.

— Plus ou moins.

— Ont-ils mentionné d'autres facteurs ?

— Évidemment ! répondit-elle aigrement.

— Lesquels, par exemple ? L'alcool ?

La jeune femme se leva, darda sur Alexis un regard furieux.

— Bon Dieu ! Essayez-vous de lui faire porter le blâme, à lui plutôt qu'aux autres ? Vous savez très bien pourquoi Hugh a eu cette crise ! Non, ce n'est pas à cause de l'alcool ni de trop de steaks saignants ! C'est la faute de ces fumiers de Kember, Louise et Barnaby, et de leur saloperie de procès !

— Voyons, Meredith, vous ne savez pas...

— Quoi ? Cherchez-vous à me dire que ce procès n'a rien à voir là-dedans ?

Alexis l'observa un instant sans répondre.

— Non, dit-il enfin. Bien sûr que non.

Une pause suivit. Meredith écrasa sa cigarette dans le cendrier, sortit le paquet de sa poche et changea d'avis.

— Je ne crois cependant pas que le procès soit le seul élément en cause. Réfléchissez un instant, Meredith, dit-il en faisant taire d'un geste l'objection qu'elle allait soulever. Il dirige son affaire, il boit beaucoup – pour un importateur de vins, c'est obligatoire, n'est-ce pas ? – et, là-dessus, il subit depuis des années une série d'épreuves. Comme vous tous.

Il s'interrompit pour observer sa réaction, mais Meredith resta impassible.

— Je ne pense pas, reprit-il, que blâmer les seuls Kember rendra réellement service à Hugh. Je ne pense pas non plus que ce soit tout à fait juste.

— Bon Dieu ! s'écria Meredith, dont l'éclat de voix

se réverbéra sur les murs de l'étroit couloir au point de faire sursauter Alexis. Cessez donc d'être plus *british* que nature ! Je comprends ce que vous voulez dire. Je sais que ce n'est pas raisonnable de tout reprocher aux Kember. Je sais que sa crise a d'autres causes. Je sais qu'accabler les Kember ne fera pas guérir Hugh. Mais je m'en fous, vous comprenez ? Je m'en fous ! Si c'est à eux que je veux m'en prendre, c'est à eux que je m'en prendrai et je ne cherche même pas à savoir ce qu'il pourrait y avoir d'autre ! J'aime Hugh de tout mon cœur, et s'il a eu une crise cardiaque, c'est leur faute à eux ! Je ne leur pardonnerai jamais. Jamais ! Et si vous n'étiez pas aussi coincé et raisonnable, vous ne leur pardonneriez pas non plus !

En dévisageant Meredith, Alexis éprouva malgré lui une sorte de respect. Sa pensée alla de Hugh, homme bon, honnête, irréprochable, gisant dans une chambre d'hôpital, à Meredith, belle jeune femme au sang bouillant, passionnée, excessive parfois, qui se battait pour son beau-père. Par comparaison, il se sentit lui-même vieux et insipide.

— Vous avez raison, dit-il.

— Quoi ? dit-elle en feignant l'étonnement. J'aurais raison ? Pas de leçon de morale ? Pas de sermon sur la charité chrétienne, les vertus de l'oubli et du pardon ?

Alexis haussa les épaules avec lassitude. Il sentait sa peau le démanger de sécheresse, ses réactions ralenties, alourdies.

— Je ne sais pas... Je suis peut-être trop raisonnable, trop « coincé », comme vous dites. Nous aurions sans doute besoin de davantage de... de guerriers belliqueux.

Meredith rit malgré elle.

— Je suis loin d'être une guerrière belliqueuse. J'ai manifesté contre la guerre du Golfe.

— Exactement. Je n'ai jamais manifesté ni pour ni contre rien, moi. À vous voir, à vous entendre, j'ai l'impression d'avoir passé ma vie assis entre deux chaises. Je voudrais bien avoir en moi un peu de la flamme qui vous anime.

— Vous l'avez pourtant, j'en suis sûre, dit-elle à voix presque basse. Sous tout ce qui...

Elle s'interrompit. Un moment, Alexis garda les yeux fixés sur elle, allant de ses yeux verts si intelligents, encore brillants d'excitation, à son front haut, hâlé, à peine marqué de légers traits, et à sa bouche spirituelle. Leurs regards se croisèrent. Alexis se surprit à ne pouvoir s'en détacher et à retenir de nouveau son souffle.

Meredith rompit le charme en se levant. Il en éprouva une déception inattendue.

— Il faut que j'y retourne, dit-elle. Hugh devrait se réveiller d'un moment à l'autre.

— Bien sûr. Je vous accompagne. Bon sang, soupira-t-il en se levant à son tour, quelle vilaine tournure prend cette affaire.

— Ce n'est pas une surprise, répliqua Meredith, je l'ai toujours pressenti. C'est ce que j'essaie de vous faire comprendre depuis tout à l'heure.

Le lendemain matin, il faisait gris et triste. Un plafond de nuages laiteux cachait le soleil et les prémices de l'automne se faisaient sentir dans l'atmosphère. Barnaby allait à pied au petit supermarché du village quand Sylvia Seddon-Wilson arrêta sa voiture à sa hauteur et le héla.

— Barnaby ! Affreuse nouvelle, n'est-ce pas ?

Elle attendit sa réaction avec avidité, mais voyant que son expression ne manifestait que l'étonnement et l'incompréhension, un éclair de satisfaction s'alluma dans son regard.

— Seigneur ! Vous n'êtes donc pas au courant ? dit-elle d'un ton triomphant qu'elle ne se donna pas la peine de dissimuler.

— Au courant de quoi ?

— Au sujet de Hugh Delaney. Il a eu une crise cardiaque.

Elle fit une pause pour mieux ménager ses effets, mais la théâtralité de son silence fut gâchée par une voiture qui la dépassa en donnant de bruyants coups d'avertisseur, car elle débordait largement sur la moitié de la chaussée.

— Tais-toi donc, espèce de mufle ! cria-t-elle inutilement. Ces gens ont un culot ! Bref, c'est terrible, n'est-ce pas ?

Tout en parlant, elle observait Barnaby qu'elle vit changer de couleur.

— Barnaby ! s'écria-t-elle. Barnaby, vous ne vous sentez pas bien ?

Cassian prenait congé de Desmond sur le perron du bureau de Linningford. Karl était déjà reparti par le premier train pour Londres, mais son collègue était resté pour la matinée afin de conférer avec les associés de l'antenne locale. Le personnel entier ayant été informé de la visite d'un ponte venu de Londres, l'atmosphère était quelque peu tendue. Pour sa part, Cassian trônait dans son bureau en savourant le fait que nul n'ignorait que Desmond était resté dans le seul but de travailler avec lui sur le dossier qu'ils appelaient tous désormais l'« affaire lord Page ».

Desmond serra chaleureusement la main de Cassian, lequel se demanda combien de collaborateurs du cabinet et de voisins les observaient par les fenêtres.

— C'était très aimable à Karl et à vous d'avoir bien voulu rencontrer les Kember hier soir, dit Cassian avec effusion. Je crois que l'affaire est maintenant en bonne voie.

— Je l'espère, Cassian, répondit Desmond avec un regard sceptique. J'en parlais ce matin avec Karl, et nous étions d'accord pour estimer que le dossier n'est pas le plus solide du monde. Si vous réussissez à en tirer un demi-million, vous aurez fait du bon travail. Du très bon travail.

Cassian se sentit soudain traversé d'une crainte diffuse.

— Je suis très confiant, déclara-t-il avec assurance. J'ai bien noté les points que vous avez soulevés et ils seront résolus.

— Mais êtes-vous certain que les parents iront jusqu'au bout ? Karl et moi avons eu l'impression qu'ils étaient... mal préparés, qu'ils sont plutôt réticents à témoigner de manière convaincante sur la gravité du handicap dont souffre leur fille.

— Ils y viendront. Il leur faut juste un peu de temps pour assimiler la véritable portée de l'affaire.

— Oui, du temps... Les événements semblent cependant avoir évolué avec une extraordinaire rapidité, Cassian. Vous n'avez pas soumis les Kember à de quelconques pressions, j'espère ? Vous ne les avez pas un peu précipités à agir ?

— Non ! protesta aussitôt Cassian. Bien sûr que non ! Ils avaient hâte de lancer la procédure. Pour le bien de leur fille, naturellement.

— Hmm, oui. Je suis content de vous l'entendre dire. Eh bien, je suivrai cette affaire avec intérêt et je serai très impressionné si nous réussissons, dit-il en se dirigeant vers sa voiture. Vous êtes conscient, bien sûr, qu'elle nous vaudrait une excellente publicité. Gagner une affaire pour la petite-fille de lord Page ne nous ferait que du bien. Un de ces jours, quand vous aurez l'occasion de passer par Londres, nous pourrions dîner à mon club. Nous pourrions même demander à lord Page de se joindre à nous, pourquoi pas ? À bientôt, Cassian.

Il ouvrit sa portière, s'assit au volant et démarra. Cassian le suivit des yeux en éprouvant des sentiments mêlés. Son exaltation triomphale du début s'estompait peu à peu pour faire place à l'inquiétude. Desmond et Karl jugeaient-ils son dossier mal ficelé ? Une vision de cauchemar lui vint à l'esprit, celle des deux grands avocats qui riaient à ses dépens. Cassian s'efforça de chasser cette image importune. Il allait leur montrer ce qu'il valait ! Il le gagnerait, ce foutu procès ! Cela suffirait à effacer de la face de Desmond ses airs supérieurs et ses sourires protecteurs !

Il se retourna en entendant du bruit derrière lui. Elaine, sa secrétaire, franchissait la porte, son sac en bandoulière.

— Je pensais sortir déjeuner, lui expliqua-t-elle. Ça va ?

— Oui, oui, répondit Cassian distraitement.

— Il est parti, alors ? Le type de Londres.

— Oui, il vient de partir.

Elaine vérifia autour d'elle s'ils étaient seuls et baissa la voix.

— Il vous a offert un job en or à Londres ? C'est ce que tout le monde dit, en tout cas. Ils sont tous rudement impressionnés.

Ces mots firent monter en Cassian une bouffée d'orgueil. La pesante inquiétude qui l'avait brièvement assombri s'évapora. Je deviens paranoïaque, se dit-il. Imaginer que le dernier sourire de Desmond ait pu être autre chose qu'un signe d'encouragement, c'était ridicule de ma part !

— Eh bien… on ne sait jamais ! dit-il en affectant un ton mystérieux. Je ne peux pas encore en parler.

— Eh bien, ça alors ! dit Elaine, dûment impressionnée.

Elle changea son sac d'épaule en regardant le jeune avocat d'un air implorant, dans l'espoir de recueillir d'autres bribes d'une information aussi capitale. Quand il fut évident qu'il n'en dévoilerait pas davantage, elle poussa un long soupir résigné.

— Bien, eh bien, j'y vais, dit-elle. Voulez-vous que je vous rapporte un sandwich ?

Cassian faillit répondre que déjeuner d'un sandwich au bureau était bon pour les sous-fifres, mais se ravisa à temps.

— Non, merci. Aujourd'hui, je dois déjeuner avec Louise.

Atterré, Barnaby ne savait que faire. Après que Sylvia Seddon-Wilson se fut éloignée, il resta planté au milieu du trottoir, aveugle et sourd aux voitures qui passaient, hors d'état de faire un geste. Il avait l'esprit vidé de toute pensée, la bouche sèche, et l'estomac tordu par une douleur qui refusait de se calmer. Une vieille dame passa à côté de lui avec son chien dont les jappements le firent ciller sans qu'il puisse cependant bouger. Il était assommé par le choc, au point de ne plus sentir la morsure des flammèches de panique qui envahissaient son cerveau, au point même d'ignorer les soubresauts de la culpabilité et des remords qui pesaient sur lui depuis qu'il avait pris sa décision de poursuivre les Delaney en justice.

Il fallait en apprendre davantage, se dit-il tout à coup. Il devait savoir ce qui s'était passé, comment allait Hugh. Hugh, son cher vieil ami. Il était accablé au point de vouloir s'asseoir là, sur le trottoir, le visage enfoui dans les mains. Malgré tout, il réagit, inspira profondément et se mit à marcher. Inconsciemment, ses pas prirent d'eux-mêmes la direction de Devenish House. Il devait à tout prix savoir comment allait Hugh. Il fallait savoir. Il le fallait...

Et puis, comme une gifle, la mémoire lui revint et il s'arrêta net. Que lui passait-il par la tête d'aller chez les Delaney ? Perdait-il le sens commun ? L'image de Meredith lui hurlant des injures comme elle l'avait fait devant Louise le fit frissonner. Il imagina le visage bouleversé d'Ursula. Il verrait peut-être son ami lui-même, déjà sorti de l'hôpital, lui lancer des regards de reproche. La seule vue de Barnaby risquerait même de provoquer une nouvelle crise...

— Bon Dieu !..., gémit-il d'une voix rauque.

Il regarda autour de lui la rue déserte et reprit d'une démarche hésitante le chemin de la boutique. Mais, imaginant la mine curieuse de Mme Potter, les potins chuchotés derrière son dos, le silence subit à son entrée dans le magasin, il ralentit et s'arrêta de nouveau. Seul, abandonné comme un naufragé sur une île déserte et aride, il eut soudain l'envie désespérée d'une présence amicale.

Une pensée lui vint alors. Avec détermination, il repartit vers le centre du village, passa sans ralentir devant la boutique de Mme Potter, tourna dans la première rue à droite et prit le chemin de l'église.

Frances Mold et Daisy finissaient de boire une tasse de thé quand la silhouette de Barnaby se profila dans le jardin du presbytère. Frances lui fit cordialement signe par la fenêtre du salon que la porte était ouverte et qu'il pouvait entrer.

— Vous connaissez Barnaby, n'est-ce pas, Daisy ?

— Pas vraiment, répondit-elle timidement. Je sais

qui il est, mais je ne lui ai jamais parlé. Je ne l'ai jamais non plus rencontré ni dans la rue ni dans un magasin.

— Non, c'est vrai, vous n'en avez pas eu l'occasion. Personne n'a d'ailleurs beaucoup vu les Kember cet été. C'est compréhensible, après tout.

La porte s'ouvrit et Barnaby entra, pâle, la respiration oppressée. Il sursauta en voyant Daisy.

— Oh !... Euh, bonjour, dit-il d'un ton bourru.

Daisy jeta un regard inquiet à Frances et reposa sa tasse d'une main tremblante.

— Bonjour, monsieur, je suis Daisy, dit-elle en souriant nerveusement à Barnaby, qui s'efforça en vain d'en faire autant. Eh bien, il est temps que je m'en aille, continua-t-elle.

Elle se leva et se pencha si précipitamment pour prendre son sac sous sa chaise qu'elle faillit renverser un guéridon.

— Allons, Daisy, rien ne presse, dit Frances. Restez donc boire une autre tasse de thé.

Daisy piqua un fard. Devant l'expression bouleversée de Barnaby, elle avala péniblement sa salive.

— Merci, mais il faut vraiment que je m'en aille. Merci pour le thé et pour tout. Vous viendrez m'écouter répéter le concerto de Brahms avant le concert, j'espère ? dit-elle du pas de la porte.

— Bien sûr, Daisy. À bientôt. Votre visite m'a fait grand plaisir.

Quand Daisy se fut retirée, Frances se tourna vers Barnaby.

— Vous lui avez fait peur, dit-elle avec un léger ton de reproche.

Barnaby resta figé sur place.

— Je viens d'apprendre, pour Hugh, dit-il simplement.

Frances changea d'expression.

— Oui. Meredith m'a téléphoné tout à l'heure. Il ne s'est rien passé depuis, au moins ? demanda-t-elle avec inquiétude.

— Je ne sais pas. Tout ce que je sais, c'est qu'il a eu une crise cardiaque. Il aurait pu en mourir.

— Asseyez-vous, Barnaby. Prenez donc une tasse de thé. Il est très fort, mais c'est peut-être ce dont avez besoin en ce moment.

Elle attendit qu'il en ait bu une gorgée avant de reprendre la parole.

— D'après ce que je sais, l'attaque de Hugh était relativement bénigne. Pour les autres, c'était effrayant, bien entendu, mais je crois savoir qu'il s'en remet déjà. Meredith m'a paru optimiste quand je lui ai parlé. Hugh a eu beaucoup de chance.

— Je l'ai croisé dans la rue il y a quelques jours. Il avait une mine épouvantable, mais je n'avais pas idée que c'était aussi grave.

— Personne ne s'en doutait, je crois.

— Il était pâle, non, grisâtre. Il avait l'air brisé. Et... et il a refusé de me regarder. Il a changé de trottoir en m'apercevant...

Barnaby se tut, accablé.

— Voyons, lui dit Frances d'un ton consolant, il ne faut pas...

— Nous étions amis. Nous buvions des verres ensemble. Nous nous rendions mutuellement service. Quel service lui ai-je rendu, maintenant ? Vous voyez ce que je lui ai fait !

Il y avait une telle détresse dans le regard de cet homme que Frances en fut profondément émue.

— Pourquoi vous torturer, Barnaby ? Vous n'avez fait que ce que vous estimiez être votre devoir.

— Mon devoir ! s'écria-t-il rageusement. Est-ce un

devoir d'envoyer un ami à l'hôpital ? Ai-je eu raison d'avoir failli le tuer ?

— Le croyez-vous vraiment ?

— Mais oui ! Oh, et puis, je ne sais pas, répondit-il en passant nerveusement une main dans sa tignasse en désordre. Je suppose qu'il aurait pu y avoir une autre cause, n'importe quoi. Beaucoup de gens de l'âge de Hugh ont des crises cardiaques, après tout.

— Sans aucun doute, approuva Frances.

À l'évidence, Barnaby n'était pas convaincu.

— Nous étions si bons amis…

— Je sais. Peut-être le redeviendrez-vous.

— Non, il est trop tard.

— Peut-être. Peut-être pas.

Il y eut un silence. La femme du pasteur but une gorgée de thé et attendit.

— Durant tout l'été, dit enfin Barnaby, ma vie entière n'a tourné qu'autour de Katie, de sa rééducation, du procès. Je ne pensais qu'à cela, comme si rien d'autre ne comptait ni n'existait.

— Et maintenant ?

— Maintenant, répondit-il avec lenteur, maintenant je commence à me rappeler que d'autres gens existent, eux aussi.

Louise et Katie avaient passé une agréable matinée dans la salle de classe avec sa maîtresse de l'année écoulée, Mme Tully, et Jennifer Douglas, chargée de réintroduire dans le système scolaire les enfants sortis de Forest Lodge.

— Je crois, avait dit cette dernière à la fin de la session, que Katie peut recommencer tout de suite, si elle le veut. Les matinées seulement au début et avec beaucoup de repos quand elle en aura besoin dans la journée, mais il est essentiel qu'elle se sente dès le départ intégrée à une vie scolaire normale. Elle ne se sentira pas trop humiliée de se trouver avec des enfants plus jeunes si elle redouble sa classe, à votre avis, madame Tully ?

— C'est peu probable, avait répondu cette dernière. Je veillerai à ce que les autres ne la taquinent pas, bien entendu, mais elle ne sera pas la première à redoubler une classe, vous savez. Dans l'ensemble, les enfants sont gentils et tolérants. Ils savent que Katie a eu un accident et qu'elle pourra avoir besoin d'aide de temps en temps. Ils aiment bien Katie. Nous l'aimons tous beaucoup.

Du bruit à l'extérieur leur avait fait tourner la tête. La fillette avait été envoyée jouer dans la cour pendant qu'elles discutaient, et elle pédalait furieusement sur un tricycle du jardin d'enfants en poussant des cris de joie. Louise avait fait une légère grimace.

— Elle n'est plus la Katie que vous avez connue, dit-elle à Mme Tully. Vous ne vous en rendez sans doute pas encore compte, mais elle peut vous rendre la vie impossible, au moins les premiers temps.

— Nous avons l'habitude des enfants turbulents, l'avait rassurée l'institutrice en riant. Du moment qu'elle pourra prendre du repos...

— Exactement, était intervenue Jennifer. Plus elle se fatiguera, plus elle exigera de l'attention. Votre idée de lui réserver un petit lit me plaît beaucoup. Les écoles ne sont pas toutes aussi compréhensives. Vous avez de la chance, Louise.

Plus tard, pendant qu'elle déjeunait avec Cassian et les filles en observant Katie couper sa pomme en tout petits morceaux et Cassian faire des pitreries pour provoquer le rire d'Amelia, elle repensa à ce que lui avait dit Jennifer Douglas. Oui, elle avait de la chance, se dit-elle avec une merveilleuse sensation de pouvoir se détendre enfin. Elle aurait voulu se trémousser de plaisir. Le bonheur, c'était peut-être cela.

Cassian la regarda en souriant.

— Desmond est très satisfait du dossier, lui dit-il.

— Tant mieux.

Mais elle eut beau lui rendre son sourire, elle sentait déjà une ombre venir obscurcir son sentiment de bien-être. Pourquoi, comment, elle l'ignorait, mais elle avait perdu tout intérêt pour le procès : en parler, y penser et même se souvenir de son existence. Après le départ de Barnaby la veille au soir, elle avait écouté les trois avocats bavarder entre eux en se répétant avec fermeté qu'elle avait mal réagi, qu'elle se montrait irrationnelle, qu'aller au bout en valait la peine. Mais, malgré ses efforts pour s'en convaincre, elle ne parvenait pas à se débarrasser de l'image troublante d'elle-même déclarant en public devant un tribunal que Katie était... quelle expression Cassian avait-il employée ? Oui, un désastre ambulant. Son adorable petite fille, un désastre ambulant ! Une épreuve à subir. Un cauchemar permanent. Jamais elle ne pourrait s'y résoudre. Comment s'en justifier envers Katie, Amelia, ses amies, Mme Tully ? Inutile de croire qu'elles n'en sauraient rien. Inutile de se dire que Katie ne comprendrait pas ce qui se passait en son nom, d'espérer que cela n'affecterait pas son moral ou même sa guérison définitive. Mais elle n'y pouvait plus rien, maintenant. Il était trop tard pour reculer, elle était impuissante devant le cours que prenaient les événements. Des équipes de professionnels y travaillaient, tout le monde s'y impliquait avec ferveur – sauf elle. Tout le monde – sauf elle – semblait estimer qu'un procès représentait la solution normale et logique. Et puis au bout de l'épreuve, bien sûr, il y aurait de l'argent. Beaucoup d'argent...

— Nous allons à la victoire, j'en suis certain, reprit Cassian. Et il faut que je te dise, mes collègues ont été très impressionnés. Si nous gagnons, ce succès donnera un sérieux coup de pouce à ma carrière.

— Tant mieux, répéta Louise.

Elle s'était représenté la carrière de Cassian comme une sorte de rayon abstrait, lumineux, dirigé vers des horizons lointains – et maintenant, elle paraissait dépendre du succès du procès. Ce dernier, prit-elle conscience avec lassitude, était moins une affaire juridique que le fondement de cette carrière, de leurs rapports personnels, de leur éventuel avenir ensemble. Sa vie entière semblait désormais en dépendre. Elle n'avait aucun moyen d'y échapper.

— Si tout va bien, nous devrons sans doute nous installer à Londres, poursuivit-il en souriant à Katie. Tu serais contente d'aller vivre à Londres ?

— Je suis déjà allée à Londres, intervint Amelia d'un air important. J'ai vu Big Ben.

— Londres ? dit Louise avec un bref éclat de rire. Pourquoi Londres ? Je te croyais basé à Linningford.

— Nous devons tous commencer par faire nos preuves en province. Mais je n'ai jamais eu l'intention de rester perpétuellement ici.

— Ah, bon ? Non, bien sûr.

— Londres ! lui dit Cassian avec un regard enjôleur. Les boutiques élégantes, les galeries d'art, les gens intéressants et cultivés…

— Peut-être.

Elle entreprit de ramasser la vaisselle du déjeuner, comme pour changer de sujet. Cassian la regarda faire un instant sans mot dire puis consulta sa montre.

— Il faut que je m'en aille. Même si cela me fait de la peine de quitter ma cliente préférée, dit-il en souriant à Katie.

— Nous te verrons ce soir ?

— Oui, bien sûr. Nous parlerons de tout cela à tête reposée.

Il l'embrassa, lança des baisers aux filles du bout des doigts. En pouffant de rire, elles lui en lancèrent à leur tour, Katie avec tant d'enthousiasme qu'elle renversa son verre d'eau. Cassian leva les yeux au ciel d'un air comique et sortit.

Après son départ, Louise envoya les filles jouer dans le jardin et commença à nettoyer la cuisine. Mais, après avoir empilé la vaisselle dans l'évier et épongé sans conviction la flaque d'eau par terre, elle sentit son courage l'abandonner et resta plantée là à regarder distraitement par la fenêtre, tandis que ses pensées se succédaient fugitivement dans sa tête.

Ce dont elle avait vraiment envie, se dit-elle au bout d'un moment, c'étaient des vacances. Elle en avait besoin. Elle voulait pouvoir s'étendre au soleil sur le sable chaud d'une plage, fermer les yeux, écouter autour d'elle les gens rire, parler… et même se baigner.

Elle marqua une pause. Se baigner… Pensait-elle sérieusement à se baigner ? Elle se mit à l'épreuve en imaginant Katie et Amelia en train de patauger dans les hauts-fonds, s'asperger, nager vers le large. Elle repassa ces images une à une en se préparant à être engloutie sous un raz de marée de panique, mais la vague n'arriva pas. Elle, au moins, était guérie.

— Nager ! dit-elle à haute voix. Nous pourrions aller nous baigner. Toutes les trois.

— Maman !

Une voix perçante au-dehors l'interrompit. C'était Amelia.

— On peut prendre une chaise pour jouer à l'élastique ?

— Non, répondit Louise gaiement.

Elle reposa sa serpillière, dépassa sans un regard la pile de vaisselle qui attendait d'être lavée, et sortit de la cuisine.

— Non, vous ne pouvez pas prendre une chaise. Vous m'aurez, moi, à la place.

Quand il sortit du presbytère, Barnaby tomba encore une fois sur Sylvia Seddon-Wilson.

— Ah, Barnaby ! Je voulais vous demander quelque chose quand je vous ai rencontré tout à l'heure ! J'organise la semaine prochaine un barbecue au bénéfice de l'œuvre dont je m'occupe, vous savez, « Sauvez les enfants d'Afrique ». Je peux compter sur vous ?

— Euh, non. Je ne crois pas, répondit-il d'un ton décourageant.

— Allons ! insista-t-elle de sa voix la plus charmeuse. Vous avez grand besoin de sortir un peu ! Ce n'est que cinq livres par personne, y compris pour le repas et l'animation.

— Quel genre d'animation ?

— Je ne sais pas encore au juste, mais ce sera certainement très distrayant. Je ne m'attends pas à voir venir les Delaney, avec Hugh encore à l'hôpital et tout ce qui leur arrive. Vous n'aurez donc pas de souci à vous faire de ce côté-là.

— Je ne me faisais pas de souci à ce sujet, grogna Barnaby en se détournant légèrement du regard perçant de Sylvia.

— Vraiment ? dit-elle avec une incrédulité affectée. Alors, tant mieux. Vous viendrez ? C'est vendredi prochain.

— Bon, d'accord, bougonna Barnaby. Je viendrai.

— Parfait ! dit-elle en partant vers le presbytère. Vous pourrez vous distraire et oublier un moment cet affreux procès.

Ces derniers mots de Sylvia résonnaient encore dans ses oreilles lorsque Barnaby arriva à Larch Tree Cottage. Faute de réponse à son coup de sonnette, il contourna la maison vers le jardin et trouva Katie et Amelia, assises sur la pelouse, qui écoutaient Louise leur lire une histoire. Elles tournèrent toutes trois la tête à son arrivée.

— Papa ! s'écria Katie, qui se leva d'un bond.

— J'ai des nouvelles, dit Barnaby à Louise. Je ne sais pas si tu les as déjà entendues. Il s'agit de Hugh. Nous ferions peut-être mieux de rentrer.

Quand il lui eut dit ce qu'il savait, Louise resta immobile un long moment, le regard tourné vers la fenêtre, en laissant ses pensées reprendre un semblant d'ordre.

— Sa crise aurait pu être causée par n'importe quoi, n'est-ce pas ? dit-elle enfin en quêtant un encouragement de Barnaby.

— Oui, bien sûr, répondit-il un peu trop tard. N'importe quoi.

— Je veux dire, des tas de gens ont des crises cardiaques... J'en suis malade. Je ne me doutais pas...

— Personne ne s'en doutait, je crois.

— Ce maudit procès...

Elle s'interrompit. Avoir encore une querelle avec Barnaby à ce sujet n'avancerait à rien. Il ne comprendrait jamais ses réticences, ses scrupules. Il recommencerait à lui seriner que c'était très important pour l'avenir de Katie, qui devait passer avant tout, et que Louise devait cesser d'être aussi irrationnelle.

— Je veux dire, reprit-elle piteusement, ce procès domine complètement nos vies.

Barnaby la regarda, perplexe. Pour lui, elle parlait de sa vie avec Cassian, pas de lui. Il ne comptait déjà plus. Une douleur familière revint lui serrer le cœur. D'une certaine manière, tant que Katie était à l'hôpital et à Forest Lodge, il lui avait presque semblé que Louise et lui étaient redevenus un couple. Ils étaient réunis en tant que parents de Katie, comme une famille normale. Mais maintenant que Katie allait de mieux en mieux et que Cassian et Louise construisaient une vie ensemble, il était de nouveau mis sur la touche. Marginalisé. Oublié.

Louise attendait qu'il lui réponde. De quoi parlaient-ils, déjà ? Ah, oui, du procès. Cet « affreux procès », avait dit Sylvia. D'un coup, Barnaby en eut la nausée, il eut la nausée de tout. C'était ce qui avait rapproché Louise de Cassian et en avait fait un couple. C'était encore le procès qui avait provoqué la crise cardiaque de Hugh. Quels drames, quelles souffrances provoquerait-il encore jusqu'à ce qu'il arrive à son terme ? Valait-il la peine qu'on subisse et qu'on inflige autant d'épreuves ? Valait-il la peine que... ?

La voix de Louise l'arracha à ses tristes réflexions.

— Barnaby !

Il tourna son regard vers elle en pensant aux paroles acerbes qu'elle n'aurait pas manqué de lui décocher si elle avait su à quoi il pensait.

— Oui, eh bien, quand ils auront mis au point la citation à comparaître, les choses se mettront à bouger, répondit-il automatiquement. Et... et cela en vaudra la peine, en fin de compte. Pour Katie.

Une longue minute, Louise garda le silence sans le quitter des yeux.

— Oui, pour Katie, répéta-t-elle enfin.

Leurs regards se croisèrent et ils restèrent immobiles, face à face, dans un silence pesant et malaisé.

18

Alexis attendait au salon que Daisy descende. Dans moins de deux heures, elle allait interpréter le *Deuxième Concerto pour piano* de Brahms, à l'ancienne abbaye de Linningford. Jamais de sa vie Alexis ne s'était senti aussi nerveux.

Devant la fenêtre, les poings crispés au fond de ses poches, il imaginait le rassemblement qui se déroulerait graduellement, ou qui avait peut-être même déjà commencé : les musiciens de l'orchestre qui arrivaient par petits groupes et accordaient leurs instruments, le public qui se pressait sous le porche de l'église abbatiale et prenait place peu à peu dans les rangées de chaises, l'attente, la tension…

Et lorsqu'il imagina Daisy s'avançant sous la lumière des projecteurs, seule et avec tous ces yeux braqués sur elle, Daisy qui rougissait si son regard croisait celui d'un inconnu dans la rue, Daisy qui s'excusait et laissait les autres passer devant elle à l'entrée d'une pièce, Daisy qui fuyait l'attention comme une biche effarouchée, il était impuissant à imaginer qu'elle puisse survivre à une pareille épreuve. Pourtant, c'est ce qu'elle s'apprêtait à subir et qu'elle subirait tout au long de la carrière qu'elle avait elle-même choisie. Pour lui, c'était trop… Les poings serrés, le front moite et les sourcils froncés par l'angoisse, il avait pour la jeune fille le trac le plus sévère dont un acteur ait jamais souffert.

En entendant des pas dans l'escalier, Alexis se retourna au moment où Daisy entrait au salon. Elle portait une longue robe de taffetas bleu marine, à la taille serrée et à la jupe évasée. Par contraste avec le bleu foncé de la robe et ses cheveux très noirs qui cascadaient sur ses épaules et dans son dos, sa peau paraissait plus laiteuse.

— Me voilà, dit-elle timidement. Est-ce que je suis… présentable ?

Comme un adolescent amoureux, Alexis resta bouche bée. Jamais encore il n'avait vu son amante aussi radieusement belle.

— Tu es…, commença-t-il.

Il s'arrêta. Son regard venait de tomber sur les mitaines rouges qui recouvraient ses mains. Daisy pouffa de rire.

— Oh oui, il ne faut pas que j'oublie de les enlever, dit-elle en agitant les doigts. J'ai encore besoin d'un peu d'échauffement.

Elle s'assit au piano et entama une série d'exercices qu'Alexis connaissait désormais par cœur. Il s'assit, attendit. Il avait pour elle un petit cadeau, qu'il aurait dû avoir la présence d'esprit de sortir de sa poche au moment où elle était entrée au salon, mais son apparition féerique l'avait pris de court. Il la découvrait aussi pleine d'assurance que de grâce, aussi élégante que belle. Elle avait l'air… adulte.

Au bout d'un moment, la jeune fille s'arrêta, joua au hasard quelques mesures du concerto, referma le couvercle du clavier et se leva.

— Cela suffit, dit-elle en se frottant énergiquement les mains. Il est temps de partir, je crois ?

— Une minute, répondit-il en plongeant une main dans sa poche. J'ai quelque chose pour toi.

Les yeux écarquillés par la curiosité, Daisy le vit tirer de sa poche un écrin en maroquin qu'il lui tendit. Elle l'ouvrit maladroitement et en sortit un collier en or, une longue chaîne sinueuse qui luisait dans la douce lumière du soir en se lovant autour de ses doigts.

— Comme c'est beau, dit-elle à mi-voix avec un sourire d'enfant. Je peux le mettre ce soir ? Il me portera chance. Oh, merci, Alexis !

Elle s'approcha de lui avec un léger bruissement de taffetas, lui donna un petit baiser.

— Merci, répéta-t-elle. Il est superbe ! Je l'adore.

Alexis se surprit alors à prononcer des mots qu'il n'avait jamais encore dits à personne :

— Moi, c'est toi que j'adore. Je t'aime, Daisy.

Pendant le silence qui suivit, les joues de Daisy se colorèrent en rose vif et elle garda les yeux baissés. Immobile, Alexis attendit en retenant son souffle. Elle releva finalement les yeux vers lui.

— Et... et m-moi... je...

Son léger bégaiement lui revenait. Il se maudit de l'avoir mise aussi brutalement sous pression. Surtout un soir comme celui-ci, où elle devait garder son calme et rester maîtresse d'elle-même. Imbécile ! se fustigea-t-il.

— Et moi, je t'aime aussi, acheva-t-elle.

Malgré lui, il la prit dans ses bras avec tant de fougue qu'un léger cri de surprise lui échappa. Il sentait le taffetas de sa robe glisser contre sa chemise, il humait avec délice son parfum de rose.

— Ce soir, dit-il avec conviction, tu seras superbe, merveilleuse, sublime ! Je serai si fier de toi...

La sentant haleter, il la relâcha, regarda sa montre.

— Allons, dit-il d'un ton redevenu normal. Assez parlé, il est temps de partir.

Louise se préparait pour le barbecue de Sylvia Seddon-Wilson. Sylvia avait dû user d'une bonne dose de persuasion pour l'amener à accepter, d'autant que Cassian devait aller à Londres ce jour-là, afin de mettre au point avec Karl et Desmond la version définitive des conclusions à soumettre au tribunal. À sa grande surprise, ce fut Cassian qui insista le plus pour qu'elle aille chez Sylvia.

— Il ne faut pas devenir une recluse, voyons ! lui avait-il dit quand elle hésitait encore. Tu n'as pas mis le nez dehors depuis l'accident, si je ne me trompe.

— Bien sûr que si !

— Quand ?

Interloquée, Louise était remontée dans sa mémoire aussi loin qu'elle le pouvait. Qu'avait-elle fait de ses longues soirées d'été ? Tout ce dont elle parvenait à se souvenir, c'étaient les heures passées assise au chevet de Katie à l'hôpital, les allers-retours en voiture à Forest Lodge ou les moments où elle s'affalait d'épuisement sur le canapé du salon.

— Bon, d'accord, avait-elle admis, je n'ai pas été très sociable. Mais très franchement, je n'ai aucune envie de voir tous ces gens en ce moment.

— C'est justement ce contre quoi tu dois lutter ! s'était exclamé Cassian. Il faut redevenir toi-même, retrouver ta personnalité brillante et pétillante. Penses-y comme à une répétition pour la semaine prochaine, avait-il ajouté avec un sourire charmeur.

Louise n'avait pu retenir une grimace. Cassian avait prévu qu'ils iraient tous ensemble à Londres pour une semaine – précisément la semaine avant la rentrée scolaire des filles ! La nounou d'amis devait s'occuper des filles pendant que Cassian et elle passeraient leurs journées à ne rien faire que déjeuner, dîner ou prendre un cocktail avec des gens « importants » avant d'aller au théâtre. Plus leur emploi du temps se surchargeait, plus Cassian jubilait et plus le moral de Louise sombrait.

— Pourquoi ne t'achètes-tu pas une nouvelle robe pour l'occasion ?

— Je ne sais pas, avait-elle répondu, agacée. De toute façon, je ne peux pas aller à cette soirée. Que feront les filles, pendant ce temps ?

— Barnaby pourrait s'en charger, pour une fois.

— Il va au barbecue lui aussi.

— Ah ? avait dit Cassian en fronçant les sourcils. Eh bien, dans ce cas, fais-les inviter chez des amies. Les enfants adorent toujours ça, ils s'amusent beaucoup, n'est-ce pas ?

C'est donc ce qui avait été organisé. Avec des cris de joie devant la perspective de festins de minuit, Katie et Amelia avaient été expédiées chez Emily Fairley, une amie d'Amelia pourvue d'une mère sensée et accueillante. Cassian était parti pour Londres en promettant de revenir le lendemain matin muni de la procédure prête à être lancée, et Louise était restée seule pour s'habiller, se coiffer et se prétendre enchantée d'aller à une agréable soirée.

Elle se regarda dans la glace, fit la grimace. Elle avait, se dit-elle, une tête à faire peur. Ses cheveux blonds étaient ternes, son teint était sans éclat et sa robe turquoise, qui lui allait si bien l'été précédent, pendait comme un sac sur son corps amaigri.

En hâte, elle s'enduisit les joues d'une poudre de soleil aux reflets dorés, pulvérisa sur ses cheveux une laque brillante et se peignit les lèvres d'un rouge corail. Si son apparence en était un peu améliorée, jugea-t-elle, sous ces artifices elle restait la même. Elle se força à s'adresser un grand sourire, mais au-dessus des lèvres souriantes, deux yeux éteints et vaincus la regardaient dans le miroir. Il y a quelque chose qui ne va pas en moi, se dit-elle. Quelque chose qui ne va pas du tout. Mais je ne sais vraiment pas quoi.

À dix-neuf heures trente, l'abbaye était pleine et l'orchestre au complet. À une place pas très loin du premier rang – aussi près qu'il l'avait osé –, Alexis observa autour de lui les gens qui s'étaient assemblés pour entendre le concert – pour écouter Daisy – et éprouva un étonnement étrangement mêlé de respect, exacerbé par la douloureuse tension de ses nerfs. Daisy ne devant pas apparaître avant la seconde partie du concert, il allait devoir tenter de se calmer pendant une ennuyeuse symphonie de Mozart, sourire et applaudir à la fin, se dégourdir les jambes pendant l'entracte – tout en continuant à lutter contre cette tension qui le paralysait.

Une voix le fit sursauter.

— Alexis !

Son cœur s'emballa, comme s'il s'attendait à une mauvaise nouvelle. Mais ce n'était que Frances Mold qui lui adressait un sourire amical depuis l'allée centrale, au bout de sa rangée de sièges.

— Je suis arrivée un peu en retard et je dois me contenter de rester au fond, poursuivit-elle, mais j'ai tenu à venir vous saluer. Vous devez être très ému, n'est-ce pas ?

— Je suis absolument terrifié.

Frances rit de bon cœur.

— Elle sera merveilleuse, vous verrez ! Bon, il faut que j'aille à ma place. Je vous verrai à l'entracte ?

— Vous ne pouvez pas rester plus près ? Regardez ces chaises vides, devant moi.

— Elles sont réservées. Mais, peu importe, l'acoustique de l'église est parfaite, j'entendrai aussi bien au fond. À tout à l'heure ! dit-elle en se hâtant de regagner sa place.

Agacé, Alexis regarda les chaises vides en se demandant qui diable avait profité d'un douteux privilège pour réserver les meilleures places sans même se donner la peine d'arriver à l'heure.

Il en eut l'explication pendant la première partie du concert. La première œuvre, une insignifiante ouverture dont il n'avait même pas eu envie de regarder le nom de l'auteur dans son programme, venait de s'achever sous les applaudissements polis de l'auditoire quand on entendit du bruit au fond de l'église. Alexis se retourna. Un couple d'élégants quadragénaires descendait l'allée centrale d'un pas vif, suivi, à une allure nonchalante, d'un jeune homme d'une vingtaine d'années vêtu d'un jean déchiré et d'un T-shirt chiffonné.

— Dépêche-toi donc, Alistair ! entendit-il la femme dire au jeune homme quand elle dépassa sa rangée. Nous sommes déjà assez en retard comme cela !

Alexis sursauta. Alistair… Il connaissait ce prénom, bien sûr. C'était le frère de Daisy, celui qui passait son temps à parcourir le monde. Les deux autres étaient donc ses parents. La famille de Daisy.

Pendant qu'ils s'asseyaient à leurs places, il observa discrètement ces gens dont il savait tant de choses sans les avoir jamais rencontrés. Fasciné, il regarda le père se carrer dans son siège, étendre commodément ses jambes et ouvrir son programme du geste sec et précis dont il devait, le matin, déplier son *Daily Telegraph*. Il vit la mère enlever son élégante veste grège et la remettre aussitôt en se rendant compte qu'elle ne pouvait la poser nulle part. Quant au frère, qui s'était laissé tomber sur sa chaise d'un air blasé, il pianotait distraitement sur sa cuisse vêtue de denim délavé.

Plus il observait à la dérobée ces gens, à la fois inconnus et familiers, et qui ne se doutaient même pas de son existence, plus il éprouvait un pénible sentiment de culpabilité. Mais il ressentait en même temps pour eux une chaleureuse amitié. L'essentiel de la vie de Daisy jusqu'à ce jour était là, à quelques pas de lui. Avec eux se trouvaient ses racines, son milieu, les influences qui l'avaient formée. Alexis les détailla à tour de rôle en s'efforçant de retrouver sur eux les traits de Daisy, ses expressions, ses gestes.

Se sentant tout à coup observé, le jeune homme, Alistair, se retourna, remarqua le regard d'Alexis qui le fixait, et fronça les sourcils d'un air perplexe. Alexis se détourna en hâte. Il sentit son cœur battre plus vite et, pour la première fois, se demanda avec un peu d'angoisse comment ils le jugeraient.

Quand Louise arriva chez Sylvia Seddon-Wilson, le jardin était plein de monde, une musique entraînante se faisait entendre et des odeurs de viande grillée se répandaient dans l'air. Elle fit halte à la grille, rajusta d'une main sa coiffure, et s'efforça de retrouver un peu de son assurance. Cependant, la simple vue de cette foule joyeuse la remplissait d'un inexplicable sentiment d'angoisse.

Elle inspira profondément, avala sa salive, essaya d'avancer, mais ses jambes refusèrent de lui obéir et restèrent immobiles. Elle se mordit les lèvres, chercha désespérément des yeux un visage amical sur lequel concentrer son attention, une âme aimable auprès de laquelle trouver un soutien, mais les visages riants devant elle lui paraissaient être ceux d'inconnus hostiles et menaçants.

— Allons, arrête de te conduire comme une idiote ! se dit-elle à haute voix.

Au prix d'un effort, elle parvint à faire deux pas et à poser la main sur la barrière. C'est alors, à travers une brèche ouverte par hasard dans la foule compacte, qu'elle aperçut Barnaby. Assis sur un muret, il grignotait une cuisse de poulet en parlant avec animation à une femme qu'elle ne reconnut pas d'emblée. Sa silhouette, plus élégante que d'habitude en chemise crème mais instantanément familière, lui fit l'effet d'une chaude bouffée de sécurité. La foule lui parut tout à coup bienveillante et ces inconnus, auxquels elle appréhendait de se mêler une minute plus tôt, redevinrent des connaissances et même des amis.

Sans attendre le retour de ses craintes, Louise se fraya un passage dans la foule en direction du muret où elle avait vu Barnaby, mais quand elle y arriva, il avait disparu. Elle sentait sa panique revenir quand elle entendit sa voix derrière elle.

— Louise !

Il tenait un gobelet en plastique d'une main et de l'autre le reste de sa cuisse de poulet.

— Tu n'as rien à boire ? Attends, je vais te chercher un verre, dit-il en commençant à s'éloigner d'elle.

Louise se sentit soudain désemparée.

— Je peux y aller avec toi ? Je… je ne tiens pas tellement à rester toute seule, expliqua-t-elle avec embarras. Je me sentirais…

Barnaby la dévisagea sans pouvoir dissimuler son étonnement. Son expression changea peu à peu pour refléter la compréhension.

— Bien sûr. Allons-y ensemble.

En marchant vers le buffet, Louise chercha un sujet de conversation. Ces derniers mois, elle n'avait parlé à Barnaby de rien d'autre que de l'état de Katie et du procès. Il aurait été facile de retomber dans cette ornière : d'abord les progrès de Katie, puis ce qu'avait dit Cassian sur la procédure, mais elle ne voulait pas céder à cette facilité. Elle voulait parler d'autre chose, de quelque chose de différent, de nouveau. Tout en y pensant, elle examinait son mari du coin de l'œil. Ce qu'elle aurait réellement voulu lui demander, c'était comment il en était arrivé à prendre la décision sans précédent de s'acheter une chemise neuve, mais elle hésitait. Avait-elle encore le droit de lui poser de pareilles questions ? Barnaby mit fin à ses scrupules.

— Ma chemise te plaît ? Elle est toute neuve.

— Oui, je l'ai remarquée. Elle est très jolie.

— L'envie m'a pris tout à coup de mettre quelque chose de neuf, ce soir. Je ne sais pas pourquoi. Alors, j'ai acheté une chemise. Ce n'était pas très difficile.

Louise lui fit un grand sourire.

— Tu as eu raison, elle te va très bien.

— C'est vrai ? Elle me va vraiment bien ?

Sous son regard à la fois étonné et ravi, Louise se sentit rougir.

— Oui, tu as fière allure. J'aurais dû m'acheter quelque chose, moi aussi. Je me sens si... moche.

— Pas du tout, voyons !

— Si, je t'assure, dit-elle en riant. J'ai une tête de déterrée.

Barnaby affecta de l'examiner avec soin.

— Disons que tu parais un peu... fatiguée.

— Exactement. Je suis morte de fatigue. Plus lasse et usée que si j'avais quarante-cinq ans.

— Mais non, tu dis des bêtises !

Louise lui adressa un nouveau sourire.

— Merci d'essayer, mais ça ne marche pas.

Ils étaient arrivés au buffet. Barnaby remplit de vin blanc un gobelet en plastique.

— Cassian nous emmène à Londres la semaine prochaine, dit-elle quand il le lui tendit – en remarquant avec une obscure satisfaction que sa main s'était mise à trembler un peu en l'apprenant.

— À Londres ? Pourquoi donc ?

— Pour nous changer les idées, rencontrer des gens, voir des choses, courir les boutiques…

— Ah, dit-il en lui tendant son gobelet. Exactement ce qui te plaît.

— Oui, peut-être…

Elle but une gorgée de vin, leva les yeux. Le regard de Barnaby était si triste qu'elle enchaîna sans réfléchir.

— En réalité, je n'en ai aucune envie. Je redoute même d'y aller.

— C'est vrai ?

— Oui, soupira-t-elle. Je ne sais pas ce dont j'ai envie. Je n'ai envie de voir personne, je voudrais presque rester terrée à la maison jusqu'à la fin de ma vie.

— Ce doit être un contrecoup, hasarda Barnaby.

— Peut-être. Je me sens tout le temps à la fois tendue et déprimée. Comme si j'avais un gros nuage noir au-dessus de ma tête. Je ne peux plus être joyeuse, vive, pétillante, comme si… Je ne sais pas, reprit-elle avec un haussement d'épaules fataliste. C'est peut-être en partie dû au procès.

— Oui, dit-il lentement. Le procès.

Louise s'attendait à ce que Barnaby lui réponde comme toujours : « Cela en vaut la peine pour Katie. » Pourtant, il garda le silence.

— Je me dis, quelquefois…, commença-t-il.

— Quoi ?

— Je crois que…

Avant qu'il puisse terminer sa phrase, il fut interrompu par la voix perçante de Sylvia Seddon-Wilson.

— Louise ! Je ne vous avais pas vue arriver ! Je suis si contente que vous ayez pu venir !

Drapée dans une robe fuchsia, Sylvia fonçait sur eux en brandissant un carnet de tickets.

— Avez-vous déjà pris des numéros pour la tombola ?

— Pas encore, dit Barnaby en cherchant de la monnaie dans sa poche.

— Cassian n'est pas venu ?

— Non, il est à Londres pour travailler sur le dossier.

Malgré elle, elle se tourna vers Barnaby, qui soutint son regard.

— Oh, quel dommage ! Heureusement que Barnaby est là pour s'occuper de vous.

— Oui, répondit Louise. Il s'occupe très bien de moi.

Quand le public se réinstalla après l'entracte, Alexis resta immobile en s'efforçant de respirer normalement et de détendre ses muscles tétanisés. Mais chaque fois qu'il se disait que dans quelques minutes Daisy allait apparaître, s'asseoir au grand piano de concert à quelques pas de lui et commencer à jouer, ses genoux tressautaient, son estomac se nouait, et il réprimait à grand-peine l'envie de tourner sa chaise pour regarder vers le fond de la nef.

Dans l'espoir de se calmer, il relut une fois de plus dans le programme la biographie de Daisy, complétée par une photo d'elle et par son déjà long palmarès. Celui-ci était impressionnant. Elle avait remporté tel et tel prix lors de concours internationaux, étudié avec tel et tel prestigieux professeurs, séjourné dans tel et tel conservatoires renommés. Il avait du mal à appliquer pareil portrait de star à la jeune fille timide et gauche qu'il connaissait, qui pouffait de rire comme une fillette et n'avait jamais vu de gousse d'ail.

Une vague d'applaudissements retentit, Alexis leva les yeux, l'estomac plus noué que jamais. Là, devant lui, Daisy s'avançait avec le chef d'orchestre, saluait, s'asseyait sur son tabouret. Le chef prit place à son pupitre, ouvrit sa partition d'un geste théâtral, balaya du regard les musiciens tournés vers lui. Il regarda ensuite Daisy avec un sourire qu'elle lui rendit, elle positionna ses mains sur le clavier – et Alexis ferma les yeux. Il ne pouvait en supporter davantage.

Il entendit les premières mesures jouées par un cor solo. Les poings serrés, il tremblait de la tête aux pieds. Alors, comme s'ils venaient de très loin, s'égrenèrent les premiers accords du piano dont il n'avait jamais encore pleinement compris la raison d'être. Ces accords, il les avait entendus maintes fois, seul avec Daisy vêtue d'un vieux jean ou de sa robe de chambre, le matin, l'après-midi, parfois la nuit. Elle avait souvent ri de la tentation de toujours commencer une séance de travail au tout début d'une œuvre, en s'excusant presque de la lui imposer puisqu'il devait maintenant la connaître par cœur.

Ce qu'elle oubliait, c'est qu'elle entendait en même temps la partie jouée par l'orchestre, les timbres des cordes, des bois, des cuivres, toutes choses qu'Alexis – qui n'avait jamais suivi d'études musicales ni possédé la moindre imagination, jusqu'à présent du moins – était alors incapable de recréer par l'esprit. Les accords que jouait Daisy, soutenus par la richesse de l'orchestre, lui paraissaient maintenant se glisser jusqu'aux voûtes de l'abbaye qu'ils emplissaient tout entière. Il n'avait jamais encore pris conscience de la beauté de cette musique.

L'orchestre se tut pour laisser la soliste exécuter un passage de virtuosité. En reconnaissant ces mesures familières, Alexis rouvrit les yeux. Les mains de Daisy volaient sur le clavier, le timbre clair, aérien du piano résonnait dans la nef. Tous les regards étaient braqués sur elle : ceux du public, des musiciens de l'orchestre, du chef. Le passage terminé, le chef se tourna de nouveau vers son pupitre, leva les bras et donna le signal de reprise à l'orchestre. Alexis retint sa respiration. L'échange entre l'orchestre et le piano tenait à la fois de la lutte et du dialogue amoureux, auquel Daisy prenait part avec une maîtrise, une autorité qu'il n'aurait jamais imaginées chez elle.

Au début du deuxième mouvement, passionné, ponctué par les puissants accords du piano qui résonnaient triomphalement sous les voûtes, Alexis regarda droit devant lui. Personne n'avait fait un geste ni émis le moindre son entre les mouvements. Pendant tout le deuxième, comme lui, les auditeurs restèrent pétrifiés d'admiration sans pouvoir détacher leur regard de Daisy.

Le troisième mouvement s'ouvrait par une mélodie du piano seul dont les notes cristallines s'envolaient avec une lenteur envoûtante. Le souvenir lui revint de Daisy telle qu'il l'avait vue la première fois : grande, mince, traversant gauchement le jardin des Delaney, trempant le bout du pied dans l'eau en rougissant et en se mordant les lèvres. Il ne parvenait pas à superposer l'image de cette créature timide, effarouchée, avec celle de la femme sûre d'elle-même – de l'artiste qui imposait sa présence devant lui.

Il fronça les sourcils, secoua la tête comme si cela pouvait l'aider à résoudre cette énigme. Puis, à la mesure du crescendo, il prit conscience qu'il voyait pour la première fois la jeune fille en dehors de son cadre habituel, dans un contexte différent de leurs tête-à-tête chez elle, chez lui ou au village. Ils avaient passé l'été dans les bras l'un de l'autre, isolés de tout ce qui les entourait, dans un monde qu'ils avaient créé pour eux-mêmes. C'est dans ce monde irréel qu'il s'était représenté son amante, coupée de son existence passée – ses parents, ses amis, sa vie de musicienne, de tout ce qui comptait pour elle.

Il prenait maintenant conscience que cette image était aussi incomplète que ce qu'il se rappelait des accords du piano sans le soutien de l'orchestre. Daisy n'était pas seulement la jeune fille belle, timide et empruntée qu'il croyait connaître. Elle était une musicienne accomplie, au talent éblouissant. Une star.

Elle était, se dit-il avec un choc, hors de sa portée.

Il se détendit un peu, se laissa envelopper par la musique en se répétant combien il était fier, admiratif et heureux de voir la jeune fille sous ce jour plus réel. Que l'entendre jouer en public était pour lui un vrai bonheur. Pourtant, sous cet optimisme de façade, Alexis sentait tressaillir de sombres pressentiments, encore tapis dans des profondeurs sur lesquelles il préférait ne pas se pencher.

Lorsque Sylvia les laissa enfin seuls, Louise se tourna vers Barnaby.

— Peut-être..., commença-t-elle.

— Oui, quoi ?

— Peut-être pourrions-nous bientôt avoir une vraie conversation. Seuls, toi et moi. Aborder certains sujets. Katie, tout le reste. Sans personne pour nous écouter ou nous interrompre.

Elle regretta presque d'avoir parlé, mais Barnaby hocha la tête en signe d'approbation.

— Oui, cela me plairait beaucoup, dit-il en reposant son verre vide sur un muret. Pourquoi pas maintenant ?

— Maintenant ? Mais… le barbecue ?

— Je n'ai plus faim du tout. J'ai déjà avalé au moins une demi-douzaine de cuisses de poulet.

Louise pouffa.

— Ce n'est pas ce que j'ai voulu dire, lui répondit-elle. Ce serait dommage de partir aussi tôt, sans avoir parlé à personne. Et puis, ta belle chemise neuve ?

— Elle sera aussi belle et aussi neuve si nous sommes ensemble à parler et boire un verre de vin au cottage, dit-il en lui prenant son verre qu'il posa à côté du sien. Allons, Lou, viens.

19

Alors que le concerto approchait de sa conclusion et que les accords de Daisy éclataient sous les voûtes, Alexis se sentit tout à coup vidé de ses forces. L'écho des dernières notes à peine évanoui, les applaudissements commencèrent, soutenus, enthousiastes, ponctués de « Bravo ! » qui se répandirent et enflèrent en une véritable ovation. Radieuse, Daisy se leva et salua l'auditoire.

Hypnotisé, Alexis contemplait ses joues rosies par l'effort et le plaisir, ses yeux brillants de joie, le filet d'or qui luisait à son cou. Elle s'inclina deux fois avant de laisser le chef d'orchestre escorter sa sortie triomphale, sous les acclamations qui redoublaient d'intensité.

Entre deux salves d'applaudissements, Alexis avait vu la mère de Daisy consulter sa montre et chuchoter quelques mots à l'oreille de son mari, qui hocha la tête et lui répondit de la même manière. Ils tournèrent de nouveau la tête vers la nef quand Daisy reprit place devant l'orchestre. Une dame en robe noire, surgie de nulle part, vint lui offrir un gros bouquet de fleurs. L'homme à côté d'Alexis cria un « Bravo ! » si retentissant que Daisy se tourna dans cette direction, vit Alexis et lui adressa un petit sourire à la fois tendre et embarrassé. Immédiatement, la mère de Daisy balaya la foule derrière elle d'un regard soupçonneux. Alexis baissa les yeux vers ses mains posées sur le dossier de la chaise devant lui – des mains vieillies, à la peau déjà ridée, dont la vision lui donna des pensées déprimantes.

Les applaudissements finirent par s'atténuer et cessèrent peu à peu. Daisy sortit pour la seconde fois pendant que les musiciens se levaient et commençaient à se retirer. Autour d'Alexis, les spectateurs quittaient eux aussi peu à peu leurs places, se saluaient, hélaient des amis en suggérant d'aller boire un verre, mais Alexis ne bougeait toujours pas. Il vit les parents de Daisy se diriger vers un bas-côté de la nef, sans doute afin de retrouver leur fille. Il aurait été naturel qu'il se lève à leur passage, se présente et se joigne à eux, mais l'idée d'affronter ces inconnus, de leur expliquer qui il était, d'être témoin de leur étonnement – sinon de leur réprobation, même tempérée par un vernis de politesse – avait de quoi le faire frémir.

Il se rendait pleinement compte que Daisy et lui avaient passé l'été dans une bulle. Dans un monde protégé, abrité de la curiosité des autres, un monde dans lequel rien ne comptait qu'eux-mêmes. Et maintenant, cette bulle allait exploser.

— Alexis !

C'était encore Frances Mold, visiblement enchantée.

— Oh, Alexis ! Elle était fabuleuse, n'est-ce pas ?

— Sublime. Son interprétation était admirable.

— Et terriblement émouvante, à mon avis. Cet adagio ! Et quelle assurance, pour une personne aussi jeune ! Presque une enfant, à vrai dire. Elle est prodigieuse !

— Prodigieuse, répéta-t-il.

— Désolée de vous quitter aussi vite, il faut que je

me dépêche. J'ai promis à Sylvia de faire au moins une apparition à son barbecue. Dites bien à Daisy à quel point je l'ai trouvée merveilleuse et que je lui téléphonerai demain matin. Je peux compter sur vous ?

— Bien sûr. Elle sera ravie que vous soyez venue l'écouter.

— Le village entier aurait dû venir. Quels philistins, préférer un barbecue mondain ! Nous sommes les seuls de Melbrook, je crois.

— Je crois, oui. Les Delaney voulaient venir eux aussi, mais Hugh devait sortir de l'hôpital aujourd'hui.

— Oui, je l'ai appris. En tout cas, il faut que je m'en aille. Dites encore bravo à Daisy de ma part, voulez-vous ? À bientôt !

Elle s'éloigna d'un pas pressé, en faisant claquer sur les dalles usées par l'âge les semelles de ses sandales pour pieds sensibles. Alexis la suivit des yeux en se disant avec fermeté qu'il devait maintenant aller rejoindre Daisy, qu'il serait impardonnable s'il ne lui transmettait pas le message de Frances. Lentement, pesamment, il se leva, marcha en crabe vers le bas-côté, entre les rangées de chaises vides. Puis, plus lentement encore, tel un condamné marchant à l'échafaud, il se dirigea vers la jeune fille et sa famille.

En arrivant près de la sacristie, il entendit des voix animées et s'arrêta derrière la porte pour écouter.

— Je n'ai pas idée de qui elle tient un pareil talent ! s'exclama une voix de femme. Sûrement pas de moi !

— Oui, ton interprétation était remarquable en tout point, dit une voix d'homme. Je parierais que l'Académie royale est impatiente de te mettre la main dessus.

— Je n'en suis pas si sûre, fit la douce voix de Daisy, qui flotta en hésitant à travers l'épais vantail de chêne sculpté.

Alexis eut un pincement de cœur. Il reconnaissait là sa Daisy.

En collant un œil à l'entrebâillement de la porte, il vit Daisy entourée d'un cercle d'admirateurs, parmi lesquels il reconnut ses parents, le chef d'orchestre, la dame en noir qui lui avait apporté les fleurs et une autre femme qu'il ne connaissait pas. Dans un coin de la pièce, Alistair, le frère, feuilletait en bâillant un vieux numéro du bulletin paroissial.

— De toute façon, dit la mère, nous sommes malheureusement obligés de rentrer à Londres dès ce soir.

— Je croyais que nous devions sortir dîner tous ensemble ? déplora Daisy, déçue. Avec Alexis. Où est-il ? Il faut que je le trouve.

— Oui, où est-il passé, ton fameux Alexis ? dit son père. Nous aimerions faire sa connaissance.

— Je ne sais pas, il doit attendre quelque part.

Le chef d'orchestre sourit.

— Votre bon ami ? demanda ce dernier d'un ton guilleret.

— Si on veut, répondit-elle timidement.

— Vous auriez dû nous prévenir, dit le chef d'orchestre avec un clin d'œil complice. Nous lui aurions demandé de vous offrir les fleurs. N'est-ce pas, Maureen ?

— Bien sûr ! approuva la dame en noir. Cela aurait été infiniment plus romantique ! Un beau jeune homme au lieu d'une vieille peau comme moi…

— Allons donc ! protesta galamment le chef d'orchestre. Vous l'avez fait admirablement.

Alexis s'écarta de la porte et s'adossa contre la pierre d'un pilier. Loin de s'apaiser, la douleur qui lui rongeait la poitrine s'aggravait. Ce qu'il aurait réellement voulu, c'est se précipiter dans la sacristie, prendre Daisy dans ses bras, la couvrir de baisers, sans tenir compte des importuns autour d'elle, lui dire combien il était fier d'elle, combien elle était belle, combien il l'aimait. Mais, quand il s'imagina en train de pousser la porte pour se trouver devant tous ces regards étonnés, la terreur le paralysa.

Les yeux levés vers la voûte, il inspirait profondément en s'efforçant de rassembler son courage, de ranimer en lui l'assurance de l'homme mûr et de l'avocat, quand il entendit la voix de Daisy.

— Mais vous ne pouvez pas encore partir ! Vous n'avez pas rencontré Alexis.

— Écoute, ma chérie, ce n'est pas notre faute. S'il a préféré rentrer chez lui...

La voix de sa mère, autoritaire, fit faire à Alexis une grimace de douleur.

— Mais non, il n'est sûrement pas rentré chez lui !

— Où se cache-t-il, alors ?

— Je ne sais pas où il est.

Le ton de Daisy était si désolé qu'Alexis eut la vision d'une enfant perdue, malheureuse, faisant la moue, près de fondre en larmes et tenant sans force son bouquet de fleurs qui traînait par terre. C'était plus qu'il n'en pouvait supporter. Poussé par un soudain accès de passion, il avança et ouvrit la porte de la sacristie.

— Bonsoir à tous ! dit-il d'une voix mal assurée. Désolé d'avoir mis tout ce temps pour te retrouver, ma chérie.

Il lui fit un sourire tendre et se tourna vers sa mère, la main tendue, en se forçant à ne pas flancher.

— Bonsoir, madame. Permettez-moi de me présenter, Alexis Faraday. Vous avez peut-être déjà entendu parler de moi.

Louise et Barnaby s'étaient installés dans le jardin de Larch Tree Cottage. Louise avait servi deux verres de vin, Barnaby déplié deux chaises. Penché en avant, les coudes sur les cuisses, il tenait son verre sans mot dire, les sourcils froncés. En face de lui, Louise gardait elle aussi le silence. Ils étaient revenus du barbecue presque sans échanger un mot, et l'amicale facilité de leur rencontre s'était muée en une tension qui les paralysait.

Cette tension devenait pesante. La jeune femme n'osait pas prendre la parole. Elle ressentait avec une certitude confuse que ce moment avait une importance particulière et que parler la première risquait de l'anéantir à jamais – et ses chances du même coup. Ses chances de quoi, d'ailleurs ? Elle l'ignorait, comme elle ne savait pas pourquoi elle attribuait à ce moment une telle importance, ni pourquoi son cœur battait plus fort chaque fois que Barnaby relevait la tête comme s'il s'apprêtait à parler. Elle avait l'impression de ne plus rien savoir sur rien.

— J'ai réfléchi, dit Barnaby si soudainement que Louise sursauta et faillit lâcher son verre.

Parle, je t'en prie, se surprit-elle à penser. Je t'en prie… Elle venait de comprendre ce qui la tracassait, de définir ce qu'elle voulait lui entendre dire, et qu'elle était terrifiée à l'idée qu'il ne le dise pas. S'il ne le disait pas en premier, elle ne le pourrait pas davantage. Pourtant, il fallait que ce soit dit. Par l'un ou l'autre, mais il le fallait…

— J'ai repensé au procès, reprit Barnaby. Tu trouveras sans doute que je perds la raison…

Louise sentit son cœur faire un nouveau bond et retint son souffle. Elle attendait qu'il achève sa phrase et redoutait en même temps que ce ne soit pas ce qu'elle souhaitait entendre.

— Mais, tu sais, je commence à avoir des doutes, poursuivit-il. Des doutes sérieux.

Il marqua une pause en la fixant pour observer sa réaction. Louise n'osait pas bouger un muscle de son visage, n'osait rien faire ni déclarer qui aurait pu dévier le courant de ses pensées avant même qu'il les ait exprimées.

— Je sais que je t'ai toujours dit que cela en vaudrait la peine en fin de compte, dit-il sur un ton d'excuse, mais maintenant... Eh bien, je n'en suis plus aussi sûr ! La crise cardiaque de Hugh m'a fait voir les choses sous un autre angle.

— Que veux-tu dire, au juste ? demanda-t-elle d'une voix tremblante.

Elle inspira profondément ; Barnaby se redressa sur sa chaise.

— Hier soir, j'étais réellement déprimé, dit-il avec lenteur comme s'il pesait ses mots. Je pensais à Hugh qui est à l'hôpital, à Katie qui en est sortie et va de mieux en mieux, à ce procès, à tout ce qu'il représente et cela me paraissait... mauvais, injuste, mais je ne voyais pas comment m'en sortir. Je tournais en rond et plus j'y pensais, plus j'étais malheureux. Et puis, il m'est venu à l'idée qu'il y avait un moyen. Nous avions *décidé* de faire un procès, mais nous n'y sommes pas *obligés*. Personne ne nous y force... Et puis...

Il lança à Louise un regard indécis.

— Et puis quoi ?

— Eh bien, si nous voulions, nous pourrions...

Il s'arrêta de nouveau, hésita.

— Nous pourrions simplement tout arrêter, conclut-il d'un trait.

Il y eut un long silence. La jeune femme avait soudain les joues chaudes, la respiration haletante.

— Je sais, je sais ! Je suis cinglé. Tu n'as pas besoin d'être d'accord avec moi.

— Mais si, je suis d'accord ! s'écria-t-elle. Entièrement d'accord !

Avec stupeur, elle sentit deux grosses larmes couler
sur ses joues. Un bref sanglot lui échappa. Barnaby
la regarda avec inquiétude.

— Je pense la même chose que toi, gémit-elle, je
ne veux plus aller devant un tribunal. Tout ce que je
veux, c'est reprendre une vie normale. Je ne supporte
plus d'avoir tout le temps ce procès au-dessus de nos
têtes...

— Lou ! Lou, tu n'es pas bien ?

— Ne t'inquiète pas, bredouilla-t-elle d'une voix
entrecoupée de sanglots. Je vais très bien. C'est simplement... je ne sais pas... le soulagement, peut-être...

Et elle fondit en larmes.

Elle resta prostrée quelques minutes, la tête dans les
mains, en pleurant sans pouvoir se dominer, sans avoir
conscience de rien d'autre qu'un voile rouge devant
ses yeux, de sa respiration haletante, des larmes qui
filtraient entre ses doigts. Cependant, à mesure que
ses sanglots s'espaçaient et s'apaisaient, elle sentait
son corps entier se détendre. La tension nerveuse qui
l'étouffait depuis des mois se dénouait peu à peu. Ses
épaules retrouvaient leur souplesse, sa nuque perdait
sa pénible raideur, les plis soucieux s'effaçaient de
son front. Son esprit même se libérait d'un écrasant
fardeau, émergeait de l'obscurité qui avait noirci chacune de ses pensées et jusqu'à ses rêves.

— Ce procès nous empoisonnait la vie ! Il nous
gâchait tout. Nous ne pouvions penser qu'à cela. Oh,
Barnaby, qu'avons-nous fait ? Nous étions devenus
fous...

Barnaby releva brusquement la tête.

— Tu veux dire ?..., commença-t-il en hésitant.

Il observa le visage de Louise, rougi, bouffi par les larmes.

— Tu veux vraiment toi aussi mettre fin à cette procédure ? Je veux dire… Tu étais d'accord pour aller jusqu'au bout. Comment as-tu aussi vite changé d'avis ?

Louise prit quelques profondes inspirations et se frotta le visage avant de répondre.

— Je n'ai pas changé d'avis, j'ai simplement ouvert mon esprit et j'ai regardé avec lucidité ce qu'il y avait à l'intérieur. Si tu n'avais rien dit, alors, oui, j'aurais continué, je serais allée au bout, mais seulement parce que je ne voyais pas d'alternative. Je me sentais enfermée dans un piège. Je croyais que nous ne pouvions rien faire d'autre qu'aller au tribunal, que nous le voulions ou non. Comme si nous n'avions pas le choix, comme si c'était obligatoire ! Mais maintenant, je me rends compte que nous étions insensés d'en avoir aussi longtemps accepté l'idée.

— Mais… je ne sais pas… et l'argent ? dit-il, un peu perdu.

— Ah, l'argent ! Aucune somme au monde ne me résoudrait à aller devant une cour de justice témoigner sous serment que Katie est un désastre ambulant.

— Un… quoi ?

— C'est ce qu'ont dit ces avocats. Ils ont dit que Katie n'était pas assez handicapée, que nous devions jouer sur une altération de sa personnalité, la faire passer pour un monstre invivable…

— Les salauds !

— Ou alors, qu'il fallait oublier les centaines de milliers de livres. De toute façon, est-ce que nous voulons vraiment prendre un demi-million à Hugh et Ursula ?

Il y eut un long silence.

— Non, c'est certain, approuva enfin Barnaby.

— Nous n'en voulons pas le premier sou. Je refuse même d'y penser. Maintenant, dit-elle en se passant nerveusement une main dans les cheveux, je me sens... libérée. Comme si je m'étais débarrassée d'un virus qui m'empoisonnait et me rendait malade.

— C'est ce que je ressens, moi aussi.

Louise lui fit un sourire. L'espace de quelques instants, ils se dévisagèrent en silence dans le paisible jardin. Barnaby inspira profondément, hésita.

— Et Cassian ? demanda-t-il.

Louise le regarda comme si elle ne comprenait pas de qui ni de quoi il s'agissait.

— Ah, Cassian ? Alors là, je n'en sais rien...

Elle but une gorgée de vin avant de poursuivre.

— Il sera furieux, bien entendu. Enragé...

Soudain, elle pouffa d'un rire nerveux.

— Il deviendra complètement fou. Il explosera, sûrement...

Il ouvrit la bouche pour parler, mais la referma aussitôt.

— Je ne sais pas comment je pourrai le lui dire, reprit Louise.

Il se lécha nerveusement les lèvres.

— Crois-tu... qu'il essaiera de te faire revenir sur ta décision ?

— Pas question ! Je ne changerai plus jamais d'avis. Qu'il essaie, tu verras. L'ennui avec Cassian, c'est qu'il prend toujours tout tellement au sérieux. Je ne sais même pas s'il sait ce que c'est que le sens de l'humour.

Ne sachant que répondre, Barnaby resta bouche bée.

— Il ne pense qu'à sa carrière, à ses ambitions politiques et à gagner ce procès grotesque, reprit-elle.

Il veut s'installer à Londres, tu sais. Il veut même que nous y allions, nous aussi, les filles et moi.

— À Londres ?

— Oui. C'est du moins ce qu'il dit.

Barnaby avala péniblement sa salive.

— Alors… tu iras ?

Louise reposa son verre et regarda son mari dans les yeux.

— Barnaby, crois-tu sérieusement qu'il y ait encore un quelconque avenir pour Cassian et moi ?

Troublé, incertain, il la dévisagea un moment, puis se détourna avec un haussement d'épaules évasif. Louise rouvrait la bouche pour parler quand la sonnerie du téléphone retentit.

— À cette heure-ci ? C'est peut-être au sujet des filles. Attends-moi une minute.

Elle courut vers la maison. Barnaby s'appuya au dossier de sa chaise en essayant d'assimiler leur conversation, de ne pas en tirer de conclusions trop hâtives, de ne pas se laisser aveugler par l'espoir qu'il sentait renaître en lui.

Quand Louise revint, il leva la tête pour parler, mais elle le prit de vitesse.

— C'était…, commença-t-elle d'une voix mal assurée.

Barnaby eut un sursaut de panique. Était-il arrivé quelque chose aux filles ? à Katie ?

— C'était Cassian, reprit-elle. Sa réunion est annulée.

La panique de Barnaby s'évanouit, il poussa un léger soupir de soulagement. La jeune femme déglutit, humecta ses lèvres sèches.

— Je lui ai dit que nous avons décidé d'arrêter le procès, reprit-elle. J'ai pensé que ce serait plus facile par téléphone, parce qu'il était loin et qu'il aurait le temps de se calmer d'ici à demain. Mais il appelait de sa voiture. Il sera ici dans cinq minutes.

Dans le petit enclos de gazon devant l'abbaye de Linningford, Daisy et Alexis saluaient de la main. De l'autre côté de la placette, une BMW rutilante répondit par un appel de phares avant de franchir l'étroit porche de pierre et de disparaître dans la pénombre. La jeune fille laissa retomber son bras.

— Je suis si contente que tu aies enfin rencontré mes parents, dit-elle gaiement. Je suis sûre qu'ils t'ont trouvé très sympathique.

Alexis baissa les yeux vers son innocent visage en se rappelant malgré lui les mines à la fois soupçonneuses et incrédules qui l'avaient accueilli à son entrée dans la sacristie. Les questions inquisitrices et méfiantes de la mère, les regards soucieux du père, l'étonnement des autres – le tout dissimulé sous le vernis de la courtoisie.

Le seul qui ait été incapable de cacher sa stupeur et son hilarité, ç'avait été Alistair. Bouche bée, il avait regardé tour à tour Daisy et Alexis avant de s'approcher de sa sœur pour lui glisser à l'oreille, dans un aparté qui portait loin : « C'est ça, ton mec ? Il aurait pas un peu passé l'âge de draguer les minettes, non ? » Daisy était devenue cramoisie et sa mère s'était hâtée de faire diversion en posant à Alexis une question sur son travail.

Dans la douceur du soir, Alexis effaça de son mieux ce souvenir humiliant et sourit à la jeune fille blottie contre lui.

— Je l'espère. En tout cas, ce sont des gens charmants.

— Oui, tout à fait.

— Ils ont parlé de l'Académie royale. Tu ne m'avais pas dit que tu avais obtenu une bourse.

— Oh, c'est sans grande importance…

— Ce n'est pas ce que m'ont semblé penser tes parents et le chef d'orchestre. Tu sais, ma chérie, tu possèdes un don inestimable. Je ne crois pas avoir été conscient jusqu'à aujourd'hui d'à quel point il était précieux. Il est essentiel que tu le cultives et en tires le maximum.

Il s'éloigna de quelques pas, s'assit dans l'herbe encore tiède du soleil de la journée, et tapota le sol à côté de lui pour faire signe à Daisy de venir. Celle-ci se laissa gracieusement tomber avec un frou-frou de taffetas et se serra contre lui.

— Quelle belle journée, aujourd'hui, murmura-t-elle. Le concert, voir mes parents, te les présenter, tout... Nous avons vécu un été idéal. Parfait.

— Tu as raison. Parfait. Mais, tu sais, l'été touche à sa fin. Tu retourneras à Londres, tu commenceras ta nouvelle vie à l'Académie et les choses pourraient évoluer de manière un peu... différente.

— Que veux-tu dire ? demanda-t-elle, les yeux écarquillés de surprise. En quoi seraient-elles différentes ? Pour nous, tu veux dire ?

— Oui, en un sens, répondit-il en lui prenant le menton au creux de sa main. Ta vie, ta vraie vie ne fait que débuter et elle promet d'être passionnante. Tu dois en profiter.

— Je sais. Mais nous, nous serons toujours les mêmes, n'est-ce pas ? Si je retourne à Londres, je reviendrai ici tous les week-ends et nous continuerons à nous voir presque autant que maintenant. C'est ce que nous avions décidé.

— Je sais. Bien sûr que nous nous reverrons. Mais...

— Mais quoi ? insista Daisy, soudain inquiète. Qu-qu'est-ce qui ne va p-p... pas ?

La détresse provoquait le retour de son léger bégaiement. Alexis sentit son cœur se serrer.

— Rien, voyons, rien. Tout va bien. Simplement...

Il s'interrompit, ferma un instant les yeux. Qu'est-ce qu'il était en train de faire ? Pourquoi diable parlait-il comme cela ? Pourquoi se torturer et torturer Daisy de cette manière ?

— T-t... tu ne veux plus me revoir ?

Ses lèvres tremblaient, elle battait nerveusement des cils. Alexis fut à peine capable de répondre.

— Bien sûr que je veux te revoir ! Je t'aime.

— Moi aussi, je t'aime. Alors ?

Il se détourna. Ce qu'il allait, ce qu'il devait dire le tuait.

— Quelquefois, vois-tu, s'aimer ne suffit pas...

Daisy prit une profonde inspiration. Alexis se hâta d'enchaîner pour ne pas lui laisser le temps de lui couper la parole.

— Quand tu seras à Londres, tu auras des tas de nouvelles relations, des distractions, tu te feras des amis de ta génération, tu t'amuseras beaucoup. Et j'espère que tu travailleras aussi beaucoup.

Il marqua une pause. Cette fois, la jeune fille garda le silence.

— Tout ce que je veux dire, poursuivit-il, c'est que tu ne pourras ni peut-être ne voudras revenir ici tous les week-ends. Il faudra que tu sortes avec ton nouveau cercle d'amis, que tu fasses de nouvelles rencontres, que tu élargisses ton horizon. Et puis, si tu faisais la connaissance de quelqu'un, d'un garçon de ton âge...

— Jamais ! s'exclama-t-elle. Je ne pourrais jamais...

— Cela peut quand même arriver. Et, dans ce cas, tu ne devras surtout pas avoir de regrets, de remords. Nous avons vécu ensemble un merveilleux été, personne ne pourra rien y changer. Mais maintenant, tu dois aller de l'avant. Passer à autre chose.

— Je ne veux pas passer à autre chose, murmura-t-elle. Je ne veux pas retourner à Londres. Je veux rester ici avec toi.

— Je sais, ma chérie. Dieu sait si je le voudrais, moi aussi...

Il l'attira tout contre lui, enfouit son visage dans la douceur parfumée de son cou.

— Ne parlons plus de l'avenir, murmura-t-il, les lèvres contre sa peau. Profitons pleinement des quinze prochains jours. Et quand tu partiras pour Londres... Alors, on verra bien. D'accord ?

— D'accord.

Elle s'écarta un peu. Il eut un choc en découvrant ses joues ruisselantes de larmes.

— Je t'aimerai toujours, Alexis, reprit-elle d'une voix plus ferme. Que je sois à Londres, ici ou... sur la lune, je t'aimerai toujours. Et je crois que tu as tort. Je crois que ce qui compte, c'est de nous aimer et que rien d'autre n'a d'importance. Voilà ce que je crois.

Alexis la regarda un instant en réprimant un tremblement.

— Je ne suis qu'un vieil imbécile.

— Non ! protesta Daisy. Pas du tout !

— Si. Je me demande ce qui m'est passé par la tête. J'aurais dû t'inviter à faire un festin, t'emporter dans mes bras comme une princesse de conte de fées. Nous devrions être en train de fêter ton triomphe. Qu'est-ce que nous faisons ici, assis par terre dans le noir ?

Il se leva, lui prit la main pour l'aider à se relever.

— Tu es la star, à toi de choisir. Vin rouge, vin blanc...

— Champagne, bien sûr !

— Autant que nous pourrons en boire sans rouler sous la table !

Il la regarda d'un air repentant.

— Daisy, ma chérie, je te supplie de ne jamais plus écouter un mot de ce que je te dirai. Tu le promets ?

— Je te le promets, dit-elle en pouffant. Plus un mot.

— Bien. Et maintenant, allons chercher un champagne qui soit digne d'être bu en ton honneur.

Louise et Barnaby étaient assis sans mot dire dans la cuisine du cottage. Ils avaient replié les chaises de jardin, remporté le vin à l'intérieur, et ils attendaient l'arrivée de Cassian. Cinq minutes s'étant écoulées depuis son appel, chaque bruit à l'extérieur leur faisait lancer un regard vers la porte.

Barnaby contemplait avec accablement son verre de vin. Il avait l'impression d'avoir été au bord de quelque chose qui lui avait échappé à la dernière seconde, un nouveau départ, une nouvelle compréhension des choses. Si seulement il avait eu un peu plus de temps pour parler à Louise... Ses paroles tournaient encore dans sa tête : « Crois-tu sérieusement qu'il y ait encore un avenir pour Cassian et moi ? » Les poings serrés, il se retenait d'en assener un grand coup sur la table. Qu'avait-elle voulu dire, au juste ? Était-ce une question qu'elle lui posait ? Y avait-il un sous-entendu ? Le provoquait-elle ? Il n'en pouvait plus...

Il y eut tout à coup le bruit d'une clef dans la serrure de la porte d'entrée. Louise sursauta.

— J'ai envie de me cacher sous la table, chuchota-t-elle à Barnaby. Pas toi ?

Il n'eut pas le temps de répondre avant l'apparition de Cassian. En tenue de ville, élégant, celui-ci balançait son cartable avec désinvolture et, à la stupeur de Barnaby, affichait un grand sourire.

— Bonsoir, Barnaby. Ravi de vous voir.

— Euh... oui. Bonsoir.

D'étonnement, il avait grommelé sa réponse d'un air bourru et se sentait tout à coup désorienté. Louise avait-elle réellement changé d'avis en ce qui concernait le procès ? Pourquoi Cassian était-il aussi cordial avec lui ? Qu'est-ce que tout cela signifiait ? Il regarda avec méfiance l'avocat s'asseoir, se verser un verre de vin, toujours imperturbable. Les yeux baissés, Louise ne lui était d'aucun secours : il ne pouvait pas deviner à quoi elle pensait. Malgré lui, Barnaby sentit son cœur battre plus vite.

— Alors, si je comprends bien, vous auriez changé d'avis, commença Cassian d'un ton presque badin.

Il s'adressait à Barnaby comme si Louise n'était pas là ou ne comptait pas. Ou comme si elle n'était pas d'accord avec ce revirement.

— Eh bien, oui ! Nous avons décidé de ne pas aller plus loin.

— Je vous comprends parfaitement, répondit l'avocat avec une amabilité appuyée. Comparaître devant une cour de justice est toujours intimidant. Mais ne vous inquiétez pas, tout se passera très bien. Je vous suggère donc d'y réfléchir à tête reposée et de laisser la nuit vous porter conseil, afin de ne pas prendre une décision trop hâtive.

Barnaby regarda Louise. Elle ne disait rien, gardait les yeux baissés. Que se passait-il ? Avait-elle encore une fois changé d'avis ? Cassian attendait poliment sa réponse. Il fallait donc parler.

— Eh bien, notre décision est déjà prise. Nous pensons, poursuivit-il faute d'un signe d'encouragement, que ce procès représenterait trop de stress pour nous deux comme pour Katie. Nous ne sommes pas non plus certains qu'il y aura de l'argent au bout de l'épreuve et, même s'il y en avait, les Delaney…

Il s'interrompit, désemparé.

— Les Delaney sont vos amis, enchaîna Cassian.

— Oui, c'est exact. Du moins, ils l'étaient, ajouta-t-il malgré lui d'un ton découragé.

— Bien sûr, dit Cassian sans manifester de surprise. Aussi, comme je vous l'ai dit, réfléchissez à tête reposée, vous reviendrez à votre idée de départ, j'en suis sûr. Et puis, c'est votre devoir envers Katie, vous le savez.

— Ah, non ! intervint Louise d'un ton cinglant qui claqua comme un coup de fouet. Ne dis plus jamais ça ! N'aie pas l'audace de dire un mot de plus sur Katie, tu n'en as pas le droit ! Ce procès n'aidera Katie en rien ! Il ne servira qu'à la cataloguer comme une sorte de demeurée, de handicapée mentale ! Il proclamera à la face du monde que sa vie entière est gâchée, sans valeur ! C'est l'aider, cela ?

— Louise, dit Cassian d'un ton conciliant, je me rends compte qu'il est difficile de regarder en face les besoins de Katie…

— Je les regarde tous les jours, merci ! Je sais exactement de quoi elle a besoin. Ce dont elle a besoin, c'est d'une vie normale, un soutien, des encouragements, pas une maudite bataille juridique qui ne peut que lui mettre la tête à l'envers !

— Oh, oui, bien sûr ! rétorqua Cassian d'un ton acerbe. Et tout ce soutien lui viendra gratuitement, je suppose ?

— Pour l'essentiel, oui ! répliqua Louise les bras croisés et le regard ferme. Katie n'est plus une pauvre victime. Elle va très bien. Nous avons eu une chance incroyable et je pense qu'il est grand temps pour nous tous d'apprécier cette chance à sa juste valeur.

— Merveilleux ! s'exclama Cassian avec sarcasme. Quelle belle vision romanesque ! Mais que se passera-t-il quand Katie grandira, je me le demande. Quand elle se rendra compte qu'elle aurait pu disposer d'un capital d'un demi-million de livres, mais que ses chers parents étaient trop timorés pour demander justice devant un tribunal. Qu'est-ce que vous lui direz, à ce moment-là ?

— Pour commencer, riposta Louise avec fureur, tu ferais mieux de ne plus parler à tort et à travers de ce fameux demi-million de livres ! Je ne suis ni idiote ni aveugle, j'ai bien vu comment tes brillants avocats se regardaient. Jamais nous n'obtiendrions une somme pareille devant un tribunal. Jamais !

— Ce n'est pas…, commença Cassian.

— Et quand bien même nous gagnerions ! Qu'est-ce que nous en ferions ? Pour quoi en aurions-nous besoin ?

Elle reprit son souffle et lança un regard à Barnaby qui la fixait, bouche bée, avant de se tourner de nouveau vers Cassian.

— Nous ne sommes pas des miséreux, loin de là. Et quand mon père mourra, le plus tard possible je le souhaite, nous serons… tout à fait à notre aise. Alors, faire un procès pour dépouiller Hugh et Ursula des économies de toute leur vie, parce que Katie ce jour-là s'est trouvée par hasard dans leur piscine et pas chez quelqu'un d'autre, serait… moralement injustifiable. Tu pourras dire tout ce que tu voudras, Cassian, poursuivit-elle plus calmement, nous n'irons pas plus loin dans cette affaire. Nous n'aurions même jamais dû nous y engager.

— Je vois que tu es un peu énervée, Louise…

— Oh, tais-toi donc ! s'écria-t-elle, excédée. Tu ne vois rien du tout ! Tu ne vois même pas que ton dossier est trop mal fichu pour réussir, tu ne comprends pas que quelqu'un puisse changer d'avis. Tu n'es même pas capable de voir la différence entre avoir tort et avoir raison, entre le bien et le mal.

— Le dossier n'est pas « mal fichu » ! tonna-t-il. Il est imbattable, il est soutenu et approuvé par les meilleurs juristes de Grande-Bretagne. Et si maintenant vous voulez faire marche arrière, tous les deux, je peux vous dire que vous commettez une grossière erreur !

— Tant mieux ! s'écria Louise sur le même ton. Commettons une grossière erreur ! Au moins, nous serons capables de dormir la nuit sans faire de cauchemars.

— D'ailleurs, intervint Barnaby, nous pourrons toujours relancer ce procès plus tard si nous le voulons. Nous avons jusqu'à la majorité de Katie et elle est encore loin de ses dix-huit ans.

Cassian lui décocha un regard chargé de mépris.

— Que d'astuce, Barnaby ! lâcha-t-il d'une voix frémissante de rage. De quel brillant fermier tenez-vous votre culture juridique ?

— Suffit, Cassian ! cria Louise. Tu n'es qu'une ordure !

— Et toi, une parfaite idiote ! rétorqua Cassian. Des imbéciles, tous les deux ! Cette affaire pourrait être une mine d'or !

— Nous n'avons pas besoin d'une mine d'or !

— Eh bien moi, si ! hurla Cassian. J'ai besoin d'aller au bout de cette affaire ! Tout le monde est au courant, tout le bureau de Londres est en train de travailler dessus. Le bureau de Londres ! Vous rendez-vous compte de ce que cela représente ? Êtes-vous conscients de l'importance qu'a prise l'affaire ? Imaginez-vous quel désastre ce serait d'aller dire maintenant : « Oh, excusez-moi les amis, on laisse tout tomber, mes clients ont changé d'avis » ? De quoi aurais-je l'air ?

Il s'arrêta, haletant. Louise et Barnaby échangèrent des regards stupéfaits devant une telle explosion de fureur et d'égoïsme.

— J'aurais dû le savoir, reprit-il d'un ton à peine plus calme. Vous ne vous doutez de rien, bien entendu. Ni l'un ni l'autre. Espèces de péquenots de merde !

Avec un bruit assourdissant, Barnaby repoussa à la fois la table et sa chaise et se leva, rouge de colère.

— Fermez-la ! tonna-t-il. Et maintenant, foutez le camp et n'ayez pas le culot de parler à ma femme sur ce ton, ou je vous tuerai de mes mains ! Compris ?

Devant son imposante silhouette qui le dominait, Cassian haussa un sourcil moqueur.

— Ah ! Vous en êtes réduit aux menaces physiques. Le dernier refuge des impuissants du cerveau.

— Bouclez-la !

— Ah oui, vraim…

Barnaby lui coupa la parole en le soulevant par le col de sa chemise. Cassian poussa un glapissement de douleur et de surprise.

— Maintenant, dit Barnaby en détachant ses mots, ou bien vous partez ou bien je vous jette de toutes mes forces contre cette porte. Et je le ferai. Compris ?

— Louise ! cria l'avocat à demi étranglé, fais quelque chose ! Je porterai plainte pour agression et voies de fait, cela vous coûtera cher !

— Allez-y, portez plainte, dit Barnaby en le rejetant rudement sur sa chaise. Ça ne me fait ni chaud ni froid, vous savez.

D'une main tremblante, Cassian lissa ses cheveux ébouriffés et rajusta sa cravate.

— Louise…

Elle l'interrompit d'un geste impérieux :

— À ta place, Cassian, je partirais sans plus insister, dit-elle avec un sourire involontaire. Tu ne sais pas ce dont les péquenots sont capables quand ils se mettent vraiment en colère.

Cassian se leva. Livide, les traits contractés par la fureur, il regarda tour à tour Louise et Barnaby.

— Vous aurez de mes nouvelles, dit-il sèchement en reprenant son cartable.

— Adieu, Cassian, dit la jeune femme d'un ton suave.

— Allez vous faire foutre ! rugit-il.

Louise et Barnaby écoutèrent ses pas décroître, la porte claquer derrière lui, sa voiture démarrer. Puis, une fois le silence revenu, leurs regards se croisèrent. Louise esquissa un sourire.

— Et voilà, dit-elle. J'espère qu'il a bien reçu le message.

20

Le lendemain matin, Meredith se réveilla à sept heures. Après avoir jeté un regard à son réveil sur la table de chevet, elle poussa un juron et se laissa retomber sur les oreillers. La veille au soir, elle avait pris un somnifère dans l'espoir de s'offrir une bonne nuit de sommeil. Mais là, même si son corps restait pesant et engourdi, elle se sentait l'esprit plus éveillé que jamais. Impossible de se rendormir. Elle se tourna, se retourna, essaya de se rappeler un chant bouddhique qui s'était révélé efficace par le passé dans ses luttes contre l'anxiété. Malgré ses efforts, alors même que les mots et la mélodie se déroulaient dans sa tête, elle ne pouvait effacer le souvenir de Hugh, pâle et amaigri, à sa sortie de l'hôpital la veille en fin d'après-midi.

Avant de partir, elle s'était entretenue avec le médecin en lui demandant désespérément – déraisonnablement – de lui promettre que Hugh serait à l'abri d'une rechute. Au lieu de lui prodiguer les paroles banales et rassurantes qu'elle aurait voulu entendre, le médecin avait pris la peine de lui expliquer précisément et en détail les changements que Hugh devait désormais apporter à son mode de vie, l'état exact de ses artères et ce que son entourage pouvait faire pour l'aider. À la fin de son exposé, il lui avait donné un poster, aux dessins ludiques mais didactiques, dépeignant les diverses catégories de produits alimentaires, leurs bienfaits ou leurs dangers, en lui recommandant de l'afficher bien en vue dans la cuisine. Meredith s'était demandé, effarée, comment un spécialiste renommé pouvait se montrer aussi obtus. Il s'agit bien de régime et de produits alimentaires ! aurait-elle voulu lui crier. Ce n'est pas ce qu'il mange qui a failli le tuer, mais cette saloperie de procès !

Le retour de Hugh à la maison avait été entouré de précautions. Ursula avait préparé le dîner selon un livre de recettes diététiques fourni par l'hôpital. Ils s'étaient tous récriés d'enthousiasme sur le goût délicieux du saumon poché nature – sans sauce hollandaise ni beurre fondu – et les fraises assaisonnées d'un filet de jus d'orange à la place du sucre en poudre. Hugh avait machinalement tendu la main vers la bouteille de vin, mais s'était arrêté à mi-chemin, et Meredith avait failli fondre en larmes. Pas à cause de la privation de vin ou de sauce hollandaise, mais parce que derrière leur cordialité de façade et la solidarité avec laquelle ils prétendaient se régaler d'eau minérale et d'aliments insipides planait l'ombre permanente d'une peur tacite qu'aucun d'eux ne pouvait oublier.

Lasse de chercher vainement le sommeil et de lutter contre ses démons intérieurs, Meredith repoussa les couvertures et se leva. De brillants rayons de lumière s'insinuaient entre les rideaux, promettant une nouvelle journée radieuse. Elle alla ouvrir la fenêtre, aspira à pleins poumons l'air du matin, encore estival et doux, bien que teinté d'un léger avant-goût de la fraîcheur de l'automne. La jeune femme le nota machinalement sans savoir si elle en était soulagée ou attristée.

« Quelle misérable saloperie d'été ! » dit-elle à haute voix. Penchée au-dehors, elle regarda en clignant des yeux l'étendue paisible et silencieuse de l'herbe encore luisante de rosée, prit quelques profondes inspirations et ferma les yeux en laissant la brise lui caresser le visage. Au bout d'un instant, comme par un coup de baguette magique, elle sentit sa torpeur se dissiper, ses jambes retrouver leur légèreté. Alors, elle quitta la fenêtre et s'habilla à la hâte. Avant le vrai début de la journée, avant le retour de la routine quotidienne, elle voulait marcher. Faire seule une longue promenade, rafraîchissante et décapante.

À huit heures et demie, le téléphone sonna dans la chambre de Louise. Elle décrocha et écouta quelques instants avant de dire avec fermeté : « Je ne le pense pas, Cassian. Je crois, au contraire, que nous savons aussi bien l'un que l'autre qu'il est trop tard pour cela. »

Elle écouta quelques instants de plus, raccrocha, puis s'étendit de nouveau en s'étirant voluptueusement.

— C'est la première fois que je le fais, dit-elle. Raccrocher au nez de quelqu'un en plein milieu d'une phrase ! Je dois dire que j'en éprouve un merveilleux sentiment de jubilation.

— Qu'est-ce qu'il voulait ? demanda Barnaby d'une voix ensommeillée.

— Mon corps, répondit-elle.

Elle entendit à côté d'elle un froissement d'étoffe et la tête de Barnaby émergea de sous le duvet, ébouriffée et à demi endormie.

— Tu parles sérieusement ? demanda-t-il en bâillant.

— Non, dit-elle avec une pointe de regret. Ce n'était pas ce qu'il voulait. Il rampait, s'aplatissait, se répandait en excuses. Je crois qu'il espérait encore nous faire changer d'avis.

Barnaby l'observa un instant avant de retomber sur le dos en faisant trembler le sommier.

— Je ne te comprends pas, dit-il enfin. Je croyais que tu étais amoureuse de lui.

— Je sais. Je l'ai cru, moi aussi, soupira-t-elle. Je me suis aperçue que c'était une erreur quand nous avons commencé à lui dire que nous ne voulions plus de ce procès. J'ai compris à ce moment-là que c'était fini entre lui et moi et, au lieu d'en avoir des regrets, je me suis sentie… soulagée plus que n'importe quoi. Je ne me comprends pas très bien, moi non plus.

— Au fond, c'est sans importance, commenta Barnaby. Ce qui compte vraiment, c'est que nous soyons de nouveau ensemble.

— Le sommes-nous ?

Barnaby se redressa, lança à sa femme un regard perplexe.

— Comment cela ? Je veux dire, après la nuit dernière et… et tout, quoi…, dit-il avec un geste vague.

— Oui, je sais. Écoute, je ne dis pas que nous ne pouvons pas vivre de nouveau ensemble, mais ne t'imagine surtout pas que tout va pour le mieux dans le meilleur des mondes uniquement parce que Cassian est sorti du tableau. Nous avions des problèmes bien avant qu'il n'y entre. Ce qu'il faut d'abord te mettre bien dans la tête, c'est que je ne couchais pas avec Cassian derrière ton dos. Je ne l'ai jamais fait. Je le voyais, je sortais avec lui, oui. Mais nous ne faisions que parler, rien de plus, dit-elle en regrettant la pointe de ressentiment qui transparaissait malgré elle dans sa voix. Quand j'essayais d'avoir avec toi des conversations sérieuses, tu ne voulais pas m'écouter. Tu ne tenais compte que de tes propres soupçons et des ragots du village.

— Tu n'aurais même pas dû lui parler ! Un salaud pareil...

— Barnaby ! s'écria-t-elle avec colère. Tu ne comprends toujours rien ? J'ai le droit de voir qui je veux et de parler à qui je veux, salaud ou pas ! Si tu n'arrives pas encore à te rentrer ça dans le crâne...

— Je comprends ! s'empressa-t-il de dire. Je comprends très bien.

— Vraiment ?

Il y eut un silence.

— Je crois, reprit Louise, que ce serait une bonne chose d'emmener les filles à Londres la semaine prochaine, comme prévu. Nous passerons de bons moments entre nous et quand nous reviendrons, eh bien... nous parlerons, toi et moi.

— Oui, c'est une bonne idée.

— J'ai vraiment besoin de prendre le large et je crois que cela ne fera pas de mal non plus aux filles de se changer les idées.

— Oui, bonne idée, répéta Barnaby. Euh... Louise ?

Elle leva les yeux. Il avait le regard presque implorant.

— Oui, quoi ?

— Je ne pourrais pas y aller avec vous ? À Londres.

— Oh, Barnaby... Qu'est-ce que tu irais y faire ? Tu as horreur de Londres.

— C'est vrai, je sais, mais je m'y plairais davantage si j'y allais avec toi. Je pourrais emmener les filles au zoo, leur montrer Big Ben et même monter en haut de la Tour. Pendant ce temps, tu irais chez Harrod's et dans les boutiques à la mode. Ce serait bien, non ?

Son sourire était si plein de bonne volonté et si communicatif qu'elle ne put s'empêcher de le lui rendre.

— Peut-être, dit-elle. Peut-être...

Meredith marchait à grands pas. L'air pur du matin lui emplissait les poumons, ses joues se teintaient de rose. Les rues étaient désertes, sans une voiture. Un samedi matin d'aussi bonne heure, les gens étaient sans doute encore couchés.

Sans même s'en être rendu compte, elle avait pris la direction de l'église. Le silence régnait sur le petit cimetière aux dalles humides de rosée. Assise sur l'unique banc de bois, elle ferma les yeux en offrant son visage aux rayons du soleil qui montait sur l'horizon et attendit que sa chaleur apaisante se répande dans son corps, jusqu'à ce que son pouvoir naturel canalise les bouillonnements désordonnés de son énergie. Pourtant, quand elle rouvrit les yeux quelques minutes plus tard, rien n'avait changé. Sans un effort délibéré de concentration, elle ne parvenait pas à se dégager des soucis lancinants qui lui encombraient l'esprit – au sujet de Hugh, d'Ursula, du procès et, plus obsédant que tous les autres, son constant sentiment de frustration et de colère stériles.

Le souvenir de Simon traversa ses pensées. Elle pensait de plus en plus souvent à lui, ces dernières semaines. La nuit de la crise cardiaque de Hugh, elle l'avait revu dans un long rêve heureux et, à son réveil, avait été au bord des larmes en se rappelant qu'il était mort.

Capable en temps normal de maîtriser ses émotions, elle réagit en se levant et reprit, les mains dans les poches, le chemin de la maison. À neuf heures passées, il était grand temps de rentrer.

— La première chose que nous devons faire, dit Louise, c'est bien entendu apprendre notre décision à Hugh et Ursula.

Barnaby boutonnait sa chemise. Il s'arrêta brusquement et se tourna vers elle, stupéfait.

— Bon Dieu, je n'y avais pas pensé ! Cela ne m'était même pas venu à l'idée, tout ce que cela pouvait représenter pour eux. Je ne pensais à rien d'autre qu'à nous.

— C'est important aussi, oui. Mais je crois que nous devrions aller leur parler le plus tôt possible, n'est-ce pas ? Dès ce matin, cela vaudrait mieux.

— Ou leur téléphoner, pourquoi pas ?

— Non, répondit Louise d'un ton sans réplique. Nous devons leur dire en face, ils le méritent bien.

— D'accord. Dans ce cas, ajouta Barnaby en consultant sa montre, allons-y tout de suite.

— Tout de suite ? Avant le petit déjeuner ?

— Bien sûr ! Les bonnes nouvelles n'attendent pas.

— Et s'ils n'étaient pas encore levés ?

— Ils le seront à cette heure-ci, affirma Barnaby. Et s'ils ne sont pas encore prêts, eh bien, nous attendrons !

— Bon, eh bien... d'accord ! Laisse-moi quand même le temps de finir de m'habiller.

Elle tendit les mains derrière sa nuque pour boutonner sa robe et fronça les sourcils en manquant la boutonnière.

— Attends, je vais le faire ! s'empressa de dire Barnaby.

Il s'élança, lui arracha presque le tissu des mains et, tirant la langue pour mieux s'appliquer, procéda à la délicate opération.

— Merde, lâcha-t-il en chiffonnant l'étoffe entre ses gros doigts. Je n'y arrive pas, c'est tellement petit...

Louise ouvrit la bouche automatiquement pour répondre : « Pour l'amour du Ciel, Barnaby, laisse-moi faire, tu vas tout déchirer. » Mais elle se ravisa et regarda en silence, avec un attendrissement proche de l'amour, la mine sérieuse et concentrée de son mari penché sur elle, qui se reflétait dans le miroir.

Meredith avait pris un autre chemin pour rentrer à Devenish House. L'esprit occupé de pensées abstraites et fugaces, elle marchait d'un pas vif quand elle vit quelque chose qui la fit stopper net en serrant les poings au fond de ses poches. Là, devant elle, c'était sans aucun doute la voiture d'Alexis, un coupé sport vert foncé aux lignes élancées, garée de travers le long du trottoir comme si son conducteur pensait à autre chose ou était trop pressé pour achever sa manœuvre.

Sans qu'elle puisse l'en empêcher, son regard alla de la voiture à la grille de fer forgé laissée négligemment entrouverte et au petit verger précédant la façade d'un joli cottage aux volets hermétiquement clos, comme pour isoler ses occupants du monde extérieur.

Le cottage de Daisy Phillips.

Et derrière cette porte verrouillée et ces volets fermés, dans un grand lit douillet, Alexis était couché avec Daisy Phillips, cette petite cruche d'adolescente assez jeune pour être sa fille.

Meredith ne comprenait pas sa réaction dans toute cette affaire. Quand Frances lui avait appris la liaison d'Alexis et de Daisy, sa propre attitude désinvolte l'avait elle-même étonnée. « Eh bien, j'ai raté le bateau ! » avait-elle dit en liquidant d'un trait le fond de son verre de vodka. Depuis, elle s'était toujours efforcée d'affecter l'indifférence, au point qu'elle en était presque arrivée à s'en convaincre elle-même. Mais de voir maintenant la voiture d'Alexis garée là devant le cottage de Daisy, si négligemment, si... familièrement, comme s'il était chez lui... Meredith sentit monter en elle un sentiment de dignité blessée. Son vernis de calme et de maîtrise de soi fondait par plaques, comme sous la flamme d'un chalumeau, et un accès de fureur rendait sa respiration saccadée. Pourquoi a-t-il choisi Daisy, pourquoi pas moi ? se demanda-t-elle avec le dépit puéril d'une fillette injustement écartée d'un jeu par une rivale. D'un coup, elle se sentit délaissée, vulnérable, mortifiée, au point presque de fondre en larmes – faiblesse de caractère qui aggravait son humiliation.

— J'en ai assez, plus qu'assez, grommela-t-elle à mi-voix.

Elle dépassa la voiture en se forçant à ne pas la regarder, à ignorer les battements de son cœur qui lui meurtrissaient la poitrine. En arrivant près de l'entrée de Devenish House, son allure ralentit. Elle redoutait soudain de revoir Hugh et Ursula, de devoir leur sourire, les saluer gaiement. Elle reprit son souffle, essaya de concentrer son esprit sur des pensées positives, mais elle ne réussit pas à chasser les images de Hugh, d'Alexis et de Simon qui tournoyaient dans sa tête en une ronde obstinée. Ses émotions remontaient des profondeurs en vagues incontrôlables, balayant tout le reste dans leur déferlement.

Dans un pareil état d'esprit, elle ne pouvait pas affronter les Delaney, ni personne d'autre. Un moment, immobile sur le gravier de l'allée, elle chercha quoi faire, où aller pour se remettre les idées en place. Le visage amical de Frances Mold se dessina dans son esprit et elle envisagea d'aller au presbytère, où elle trouverait à coup sûr refuge sans craindre de questions indiscrètes. Elle se souvint alors que, le samedi matin, Frances devait être à l'église avec les dames qui fleurissaient le sanctuaire pour l'office du dimanche.

Le sentiment de sa solitude l'accabla. Qu'étaient devenues sa belle assurance, sa confiance en elle, sa joie de vivre ? se demanda-t-elle avec une rage impuissante. Sa précieuse indépendance l'avait-elle abandonnée ? Son sens de l'humour s'était-il évanoui ? Elle se demandait si elle ne ferait pas mieux de tourner les talons et de partir pour une autre longue promenade quand la réponse se présenta d'elle-même : plutôt aller dans son atelier et se mettre à peindre. Peindre jusqu'à ce qu'elle ait éliminé de son système nerveux l'anxiété, la peine, le ressentiment qui la paralysaient. Jusqu'à ce qu'elle ait canalisé tous ces sentiments négatifs et destructeurs en quelque chose de positif. Transformé une faiblesse passagère en une énergie utile.

Elle contournait la maison en direction de l'ancienne grange aménagée en atelier quand elle se souvint qu'elle n'en avait pas la clef sur elle. Agacée par cette imprévoyance dont elle n'était pas coutumière, elle obliqua vers la serre pour monter discrètement à sa chambre et sortir de la maison avant que personne n'ait pu la voir ou l'entendre. Mais, en traversant silencieusement la serre, elle entendit des voix dans le vestibule. Étonnée, elle s'arrêta, se demanda si elle n'allait pas faire demi-tour et sortir de nouveau, mais elle ne serait pas plus avancée sans sa clef et, de toute façon, Hugh et Ursula étaient déjà levés. Elle ne pouvait donc qu'entrer.

Ce qu'elle découvrit en poussant la porte du vestibule l'arrêta net : Barnaby et Louise Kember parlaient avec Ursula.

Meredith maîtrisa un mouvement de recul instinctif. Sa colère, dirigée jusqu'alors contre le monde entier, se réveilla brutalement devant cette cible toute désignée. Elle lança un bref coup d'œil à sa belle-mère. En robe de chambre bleu pastel, sereine comme à son habitude, elle souriait, oui, elle souriait aux Kember !

— Ah ! Meredith, ma chérie, je suis si contente que

vous soyez rentrée. Les Kember sont venus apporter d'excellentes nouvelles.

Meredith resta interloquée. Elle remarqua distraitement que Louise et Barnaby se tenaient par la main.

— Ils mettent fin à toute cette triste affaire, reprit Ursula. Ils ont décidé de ne pas faire de procès. N'est-ce pas merveilleux ?

Louise fit un sourire hésitant à Meredith, qui restait figée, la gorge si nouée qu'elle était hors d'état de proférer un mot.

— Nous avons pris conscience que nous ne pouvions pas aller au bout de cette procédure, dit Louise dans un débit précipité. Pour plusieurs raisons. Nous arrêtons tout, définitivement. Nous voulions venir vous dire combien nous regrettions d'avoir provoqué autant de problèmes. J'espère que vous pourrez nous pardonner.

— Eh bien, n'est-ce pas une bonne nouvelle ? dit Ursula. Hugh en sera très heureux.

Meredith était devenue presque livide. Toutes ses émotions accumulées, réprimées tant bien que mal depuis des semaines, revinrent à la surface avec la violence d'un ouragan.

— Une bonne nouvelle ? répéta-t-elle. Venez-vous de dire que c'est une bonne nouvelle ?

Devant le visage souriant de la vieille dame, elle fit un dernier effort pour se maîtriser, garder sa raison. Mais la tempête fut la plus forte et la secoua avec une fureur qu'elle était hors d'état de contrôler.

— Vous avez ruiné, détruit, ravagé nos existences ! hurla-t-elle en se tournant vers les Kember comme une tigresse prête à tuer pour défendre ses petits. Et vous avez l'audace de venir nous narguer, déguisés en heureux ménage, d'espérer que tout sera vite oublié et que nous vous pardonnerons ? Eh bien, c'est trop tard ! Vous auriez dû y penser avant de décider de nous dépouiller de tout ! Vous auriez dû y penser avant de provoquer la crise cardiaque qui a failli tuer Hugh !

Elle se rua sur Louise, ne stoppa qu'à un pas, leurs visages proches à se toucher.

— Jamais je ne vous pardonnerai, vous entendez ? rugit-elle sauvagement. Jamais je ne vous pardonnerai ce que vous avez fait subir à Hugh ! Si vous croyez vous en tirer par des excuses, vous vous trompez ! Nos vies ne redeviendront jamais comme avant, et c'est votre faute ! Votre faute à vous seuls ! Votre cupidité, votre stupidité sont responsables de tout le mal que vous nous avez fait ! Vous ne méritez pas le pardon ! Aucun pardon ! Jamais !

Pâle, tremblante, les larmes aux yeux, Louise recula.

— Meredith ! intervint Ursula d'un ton presque tranchant. Vous ne savez plus ce que vous dites, ma chère enfant.

— N'essayez pas de prendre leur défense, Ursula ! hurla Meredith. Ne leur permettez pas de se croire innocents, ce serait trop facile !

— Non, ce n'est pas facile ! s'écria Louise qui tremblait comme une feuille. Nous avons commis une erreur, je l'avoue ! Nous la regrettons sincèrement, mais ce n'était pas facile pour nous non plus !

— Nous ferons tout ce que nous pourrons, nous ferons l'impossible pour tout arranger, dit Barnaby. Nous prendrons vos frais judiciaires à notre charge, nous viendrons rendre visite à Hugh...

— Nous ne voulons pas de votre saloperie de fric ! cria Meredith. Et nous ne voulons jamais plus vous revoir dans cette maison !

— Vous ne devriez vraiment pas dire des choses pareilles, Meredith, la rabroua sa belle-mère avec fermeté. Je suis désolée, ajouta-t-elle en se tournant vers Louise. La crise de Hugh l'a bouleversée et…

— Ah, non ! l'interrompit Meredith. Ne vous excusez pas à ma place ! Surtout pas !

À la stupeur générale, elle éclata soudain en sanglots si profonds qu'ils la secouèrent de la tête aux pieds. Louise paraissait foudroyée.

— Ne vous excusez pas à ma place, répéta Meredith en s'essuyant les yeux d'un revers de main. Si ma conduite vous gêne, Ursula, je m'en vais. Mais n'allez pas leur pardonner derrière mon dos. Ni maintenant ni jamais ! Jamais !

Elle tourna brusquement les talons, courut vers l'escalier qu'elle gravit deux marches à la fois. Au tournant du palier, un nouveau sanglot lui échappa. On entendit sa porte claquer.

Secoué lui aussi par cet éclat de haine et de violence, Barnaby lâcha la main de Louise.

— Je suis vraiment désolé…, commença-t-il d'une voix tremblante.

— Oui, soupira Ursula. Moi aussi.

— Je ne me rendais pas compte à quel point ce procès pouvait être… destructeur. Je n'avais pas conscience des dommages qu'il pourrait causer. Je ne sais pas si nous pourrons jamais réparer le mal que nous vous avons fait. Je ne sais pas comment… Si seulement nous pouvions repartir de zéro… Si seulement…

Il ne put aller plus loin. Un long silence suivit.

— Nous ferions mieux de nous en aller, reprit Barnaby. Nous vous avons déjà assez troublée ce matin.

— Non, ne partez pas encore, dit Ursula en rajustant sa robe de chambre. Nous avons tous besoin d'un peu d'air frais, je crois. Sortons un moment, voulez-vous ?

Quand ils sortirent de la serre déjà chauffée par le soleil, l'air matinal leur parut encore plus frais et pur. Sur la pelouse, Barnaby respira profondément et regarda Louise, pâle et en état de choc, qui ne réussit pas à lui rendre son timide sourire. Les hurlements vengeurs de Meredith résonnaient encore dans ses oreilles. Par un étonnant contraste, Ursula paraissait sereine.

Barnaby se rendit compte tout à coup de la direction qu'elle leur faisait prendre à travers le jardin.

— Nous y voilà, dit Ursula un instant plus tard.

Louise et Barnaby échangèrent un regard. Devant eux, la surface bleue de la piscine scintillait sous le soleil.

Ursula s'assit dans l'herbe au bord de l'eau et leur fit signe de la rejoindre. Ils s'exécutèrent docilement. Louise regardait devant elle, d'abord craintive devant l'eau éblouissante qui évoquait de douloureux souvenirs, mais la vision du plan d'eau tranquille produisit peu à peu sur elle son effet apaisant. Au bout de quelques minutes, elle ôta machinalement ses sandales et trempa ses pieds dans la piscine en contemplant le reflet presque irréel de ses jambes à la surface.

— J'ai toujours su, commença Ursula d'une voix rêveuse, que vous abandonneriez l'idée d'aller au tribunal. J'en étais sûre. J'ai essayé de le leur dire, mais personne ne voulait m'écouter.

— Nous ne le savions pas nous-mêmes jusqu'à hier soir, répondit Louise.

— Mais moi, je le savais déjà, répéta la vieille dame en traçant d'une main des sillons dans l'eau. Je savais que vous finiriez par changer d'avis. C'est ma lettre qui vous a ouvert les yeux, n'est-ce pas ?

— Quoi ? demanda Louise, prise au dépourvu.

— Oui, ma lettre. J'étais sûre que, quand vous l'auriez lue, quand vous auriez compris la portée de votre décision, vous changeriez d'avis. J'avais raison, n'est-ce pas ?

La jeune femme revit l'image du papier à lettres mauve pâle couvert d'une écriture appliquée. La lettre se trouvait maintenant comme preuve à charge dans un des dossiers de Cassian... Elle se mordit les lèvres.

— Eh bien, oui, dit-elle sans regarder Barnaby. Elle nous a été utile, en effet. En un certain sens, du moins.

— Je m'en doutais, dit Ursula avec assurance. Et vous n'avez jamais non plus été vraiment amoureuse de ce jeune homme, n'est-ce pas ?

Louise se sentit rougir et se détourna pour éviter de regarder Barnaby.

— Euh... non. Pas vraiment.

— Voilà ! dit Ursula d'un ton satisfait. Je le savais aussi.

Appuyée sur les coudes, Louise ferma les yeux, laissa l'eau caresser doucement ses jambes qu'elle sentait flotter sans effort, soutenues par la profondeur du grand bain. Elle se sentait elle-même légère, comme si elle flottait avec elles.

— Il faudrait que j'amène les filles se baigner..., commença-t-elle sans réfléchir.

Un silence, tendu comme un fil d'argent, suivit ses paroles.

— Avant la fin de l'été, enchaîna-t-elle courageusement. Pour qu'elles ne... qu'elles ne soient pas...

Elle se mordit les lèvres. Une bouffée de brise fit bruisser les feuilles des arbres et lui donna la chair de poule.

— Je crois que c'est une très bonne idée, dit Ursula.

Il y eut une nouvelle pause. La brise retomba.

— Est-il vrai que Katie retournera à l'école à la rentrée ?

— Oui, c'est vrai. À mi-temps pour commencer,

339

nous verrons ensuite si tout va bien. Elle va… beaucoup mieux.

— Oh, j'en suis si heureuse ! dit Ursula d'une voix mal assurée. Si heureuse ! Nous avons tant prié, tant espéré…

Un nouveau silence suivit, qui dura un long moment.

— Comment va Hugh ? demanda enfin Barnaby d'une voix enrouée.

— Mieux. Beaucoup mieux. Maintenant, tout va beaucoup mieux.

Louise pleurait en silence. Les larmes coulaient sur ses joues comme des gouttes de pluie.

— Je suis désolée, navrée… Je ne sais pas comment vous exprimer ce que je ressens. Je regrette à un point que…

— Non, ne soyez pas désolée. Ne pleurez pas, ne regrettez rien, dit Ursula en posant une main sur le bras nu de Louise. Soyez heureuse, au contraire. Réjouissez-vous que le pire soit passé. Pour nous tous. Le pire est maintenant derrière nous.

Avec un profond soupir, Louise prit la main d'Ursula entre les siennes. Elle leva les yeux vers Barnaby, lui adressa un sourire encore noyé de larmes. Et ils restèrent ainsi tous les trois, immobiles, à contempler dans un silence apaisé l'eau bleue qui scintillait au soleil.

Remerciements

Je suis reconnaissante au Dr Stephane Duckett, du Children's Trust de Tadworth, et à Anna Lordon, pour leurs conseils éclairés.

POCKET N° 15444

Madeleine Wickham
alias
Sophie Kinsella

Cocktail Club

POCKET

« *Une comédie
aussi désopilante
que grinçante.* »

Libération Champagne

Madeleine WICKHAM
alias Sophie KINSELLA
COCKTAIL CLUB

Roxanne, Maggie et Candice, copines et collègues dans un célèbre magazine de mode londonien, ont une tradition : tous les premiers du mois, rendez-vous au Manhattan Bar, pub branché où l'on échange confessions et mojitos. Enfin, pour les célibataires : Maggie enceinte, et Roxanne, qui vit une aventure avec un homme marié, ont autre chose en tête. Candice, elle, dans un élan de générosité, invite la serveuse à leur table. Mais ajouter un ingrédient au « Cocktail Club » pourrait bien rompre son bel équilibre...

Madeleine Wickham
alias Sophie Kinsella
Un week-end
entre amis

« *Ce premier roman
de Madeleine
Wickham, drôle et
caustique, est une
réussite.* »

Isabelle Nataf
Le Figaro littéraire

Madeleine WICKHAM
alias Sophie KINSELLA
**UN WEEK-END
ENTRE AMIS**

Quoi de plus sympathique qu'un week-end à
la campagne avec des amis perdus de vue pour
évoquer le bon vieux temps ? C'est ainsi que les
anciens de Seymour Road se retrouvent dans la
superbe maison de Patrick et Caroline. Au menu :
tennis, cocktails et fonds d'investissement. Sur la
pelouse, chacun sort son plus beau jeu : bronzage
satiné, revers lifté, enfant surdouée, projet d'hôtel...
Mais les choses vont rapidement tourner au
vinaigre : les années ont écorché la belle complicité
d'autrefois. Au programme : jeu, set et baffes !

Retrouvez toute l'actualité de Pocket sur :
www.pocket.fr

POCKET N° 10870

Madeleine Wickham
alias
Sophie Kinsella
Une maison
de rêve

POCKET

*« Adultère,
endettement,
rancœur, disputes,
chacun en prend
pour son grade et
c'est très bien vu. »*

Isabelle Nataf
Le Figaro Littéraire

Madeleine WICKHAM
alias Sophie KINSELLA
UNE MAISON DE RÊVE

Les Chambers sont couverts de dettes ! Quelle idée, aussi, de faire l'acquisition d'une école privée alors que leur ancienne maison est toujours à vendre. Penché sur ses comptes, Jonathan voit son rêve s'écrouler, quand Liz, elle, se rassure dans les bras de Marcus. Elle voit en lui la solution à tous ses problèmes : en plus d'être un amant parfait, il trouve des locataires pour leur maison. Et pas n'importe lesquels : elle est attachée de presse, il est acteur pour la télé. Rien de tel pour retenir l'attention d'Alice, la fille des Chambers…

POCKET N° 16224

POCKET

« Un trip hilarant où coups bas et autres vacheries disputent la place aux bons sentiments. »

Valérie Ganz,
Madame Figaro

Sophie KINSELLA
NUIT DE NOCES À IKONOS

Après une rupture difficile, certaines détruisent le mobilier, redécorent leur appartement, ou changent de coiffure... D'autres sautent sur le premier flirt de vacances recroisé par hasard, pour convoler en justes noces quelque part sur une île paradisiaque en Grèce... C'est la voie qu'a choisie Lottie, au grand dam de sa sœur Fliss. Une chose est sûre : ce n'est pas dans les vieux pots qu'on fait les meilleures moussakas. Fliss est bien décidée à renvoyer cette union absurde aux calendes grecques, et elle a plus d'un tour machiavélique dans son sac !

Composition et mise en pages
Nord Compo à Villeneuve-d'Ascq

Imprimé en Espagne par
Liberdúplex
à Sant Llorenç d'Hortons (Barcelone)
en septembre 2015

POCKET – 12, avenue d'Italie – 75627 Paris cedex 13

Dépôt légal : octobre 2015
S25074/01